फ़ारसी महाकाव्य में दास्तानगोई

शाहनामा-ए-फ़िरदौसी

फ़ारसी महाकाव्य में दास्तानगोई

शाहनामा-ए-फ़िरदौसी

नासिरा शर्मा

वाणी प्रकाशन

वाणी प्रकाशन
4695, 21-ए, दरियागंज, नयी दिल्ली 110 002

शाखा

अशोक राजपथ, पटना 800 004

फ़ोन : +91 11 23273167 फ़ैक्स : +91 11 23275710

www.vaniprakashan.in
vaniprakashan@gmail.com
sales@vaniprakashan.in

FARSI MAHAKAVYA MEIN DASTANGOI
SHAHNAMA-A- FERDOWSI
by Nasera Sharma

ISBN : 978-93-5229-604-0
Historical Stories

प्रथम संस्करण 2017
आवृत्ति 2018
मूल्य : ₹ 495

सिटी प्रेस, दिल्ली-110 095 में मुद्रित

वाणी प्रकाशन का लोगो मक़बूल फ़िदा हुसेन की कूची से

फ़िरदौसी : शाहनामा

हर आन कस की दारद हूश व राइ व दीन
पस अज़ मर्ग बर मन कुनद आफ़रीन
(हर वह व्यक्ति जो साहित्य को परखने की दृष्टि
रखता है, वह मेरे मरने के बाद भी मेरे
कृत्य की प्रशंसा अवश्य करेगा।)

विश्व के महान् कवि और चिन्तक **फ़िरदौसी** का जन्म 10वीं शती में हुआ था। वह प्रखर मेधा के धनी थे। उन्होंने **शाहनामा** जैसे महाकाव्य की रचना की। 60,000 शेरों की यह कालजयी कृति आज लगभग हज़ार साल बाद भी विश्व-भर में चर्चित है और इसके बृहदाकार के कारण इसकी तुलना होमर के 'इलियड' तथा महर्षि वेद व्यास के महाभारत से की जा सकती है। **शाहनामा** में **इंसानियत,** श्रेष्ठ जीवन, गुण-अवगुण तथा स्त्री जाति के पक्ष में विचार दिए गए हैं। हिन्दी की प्रख्यात लेखिका **नासिरा शर्मा** ने सरस और रोचक शैली में फ़िरदौसी तथा 'शाहनामा' का परिचय और अनुवाद किया है।

अनुक्रम

फ़िरदौसी : जीवन और शाहनामा
11
ईरान का पहला बादशाह : गेउमर्त
24
दास्तान-ए-ज़हाक़ व कावेह आहंगर
29
दास्तान-ए-साम व सीमुर्ग़
48
दास्तान-ए-ज़ालज़र व रुदाबे
54
दास्तान-ए-रुस्तम व सोहराब
80
दास्तान-ए-सियावुश व सुदाबे
127
दास्तान-ए-बीज़न और मनीज़ा
159
दास्तान-ए-सिकन्दर और कैदे-हिन्दी
176
दास्तान-ए-बहराम शाह और लम्बक सक़्क़ा
186
दास्तान-ए-शतरंज
191

शाहनामा की पांडुलिपि के साथ फ़िरदौसी और नयी पीढ़ी

फ़िरदौसी अपने शाहनामा व मुख्य चरित्र रुस्तम और उसके घोड़े रख़्श के साथ

फ़िरदौसी
जीवन और शाहनामा

जिस शायर को समय ने नकारते हुए तूस के क़ब्रिस्तान में दफ़न होने की इजाज़त महज़ इसलिए नहीं दी कि वह काफ़िर* शिया है, हज़ार वर्ष बाद आज उसकी आरामगाह पर दर्शकों का मेला लगा हुआ है। साठ हज़ार शेरों को महाकाव्य में ढालने वाला अबू अल क़ासिम हसन बिन अली तूसी (फ़िरदौसी) एक खुशहाल खेतिहर परिवार (323 हिज्री क़मरी) में पैदा हुआ था। इसीलिए शाहनामा की कई दास्तानों के शुरू में फ़िरदौसी अपने लिए दहक़ान (ग्रामवासी) शब्द का प्रयोग करते हुए लिखते हैं कि अब इस दहक़ान से यह कहानी सुनो।

जो कहानी फ़िरदौसी कविता द्वारा शाहनामा के काव्यखण्डों में निरन्तर सुनाते चले जाते हैं, वह वास्तव में ईरान का इतिहास है जिसके आरम्भ में उन्होंने खुदा की तारीफ़ की है और उसकी बनाई चीज़ों जैसे चन्द्रमा एवं सूर्य की प्रशंसा की हैं पैगम्बर और उनके मित्रों का ज़िक्र किया और इसके बाद बताया कि शाहनामा रचने का ख़्याल उनको क्यों कर आया। इस बात की व्याख्या करते हुए वह ईरान के प्रसिद्ध कवि दक़ीक़ी का ज़िक्र करना नहीं भूलते हैं जिन्होंने शहनामा को 'गशतासब नामा' के नाम से लिखना शुरू किया था, मगर अपने ही गुलाम के हाथों क़त्ल हो जाने के कारण वह काम अधूरा छूट गया। उसको जब फ़िरदौसी ने पढ़ा तो उस काम को पूरा करने का प्रण लिया। इसके बाद अबू मंखूर बिन मोहम्मद और सुल्तान महमूद के प्रशंसा-गान के बाद वास्तव में शाहनामा की शुरुआत होती है जिसका शीर्षक है 'ईरान का पहला बादशाह गेउमर्त जिसका राज तीस वर्षों तक चला' यानी शाहनामा की शुरुआत ईरानी नस्ल के आरम्भ से होकर सासानी काल के पतन पर जाकर समाप्त होती है।

शाहनामा को तीन भाँगों में बाँटा जा सकता है। पहला वह जो लोक-साहित्य पर आधारित है, दूसरा वह जो काल्पनिक अफ़सानों पर है और तीसरा वह जो

*काफिर : नास्तिक।

ईरान का इतिहास है। इस महाकाव्य में फ़िरदौसी को अमर बनाने वाली कालजयी रचनाएँ हैं जो आज बार-बार पढ़ी और गाई जाती हैं। जिससे दास्तान-ए-बीज़न व मनीज़ा, सियावुश व सुदाबे, रुदाबे व ज़ालज़र, रुस्तम व सोहराब, शतरंज की पैदाइश, शाह बहराम के क़िस्से, सिकन्दर व कैद, हिन्दी, ज़हाक़ व कावेह आहंगर इत्यादि उल्लेखनीय हैं।

अरब सत्ता का ध्वज जब ईरान पर फहराने लगा, तो ईरानी बुद्धि जीवियों के सामने भारी संकट आन खड़ा हुआ कि आखिर इस विदेशी सत्ता के साथ, वे कैसा व्यवहार करें। क्या वह बाक़ी लोगों की तरह देश से भाग कर पड़ोसी देशों में पनाह लें। [जैसा गुजरात के राजा जूडीराना के दरबार में ज़रदुश्तियों के जत्थे ने जाकर रहने की इजाज़त माँगी थी। उन्हें पनाह मिली। वह आज भी भारतवर्ष में आतिशकदा में आग की पूजा करते हुए अपनी पारसी पहचान को बनाए हुए हैं] क्या यह उचित होगा? इसी मुद्दे पर ईरानी बुद्धिजीवी वर्ग दो भागों में बँट गया। एक वर्ग वह था जो अरबी भाषा के बढ़ते सरोकार को सम्पूर्ण रूप से दरबार, धार्मिक स्थलों और जनसमुदाय में पनपता देख रहा था और सोच रहा था कि इस तरह से ईरानी भाषा और साहित्य का कोई नामलेवा नहीं बचेगा। शायद ईरानी विचार की भी गुंजाइश बाक़ी नहीं बचेगी और अरबी भाषा के साथ अरब विचार भी ईरानीदिल व दिमाग़ पर छा जायेंगे। इसलिए ज़रूरी है कि भाषा के झगड़े में न पड़कर ईरानी सोच को जीवित रखा जाए। इस वर्ग के ईरानी लेखक बड़ी संख्या में अरबी भाषा में अपना लेखन-कार्य करने लगे और दरबार एवं विभिन्न स्थलों पर महत्त्वपूर्ण पद भी पाने लगे।

दूसरा वर्ग पूर्ण रूप में अरब सत्ता से बेज़ार था। वह उसकी तरफ पीठ घुमाकर अपनी भाषा-साहित्य के प्रति अत्यधिक सम्वेदनशील हो उठा। ईरानी संस्कृति और इतिहास को बचाने और संजोने की तीव्र इच्छा उसमें मचल उठी। सत्ता के विरोध में वह तलवार लेकर खड़ा तो नहीं हो सकता था, मगर वर्तमान को नकारते हुए भविष्य के लिए ज़रूर कुछ रच सकता था। इस श्रेणी के बुद्धिजीवियों में सबसे पहला नाम है फ़िरदौसी का जिन्होंने स्वयं स्वीकार किया है कि—

बसी रंजो बुर्दम दर इन साल सी
अजम ज़िन्दा करदम बेदिन पारसी

[यानी तीस वर्ष की अनथक कोशिशों से मैंने यह महाकाव्य रचा है और फ़ारसी ने अजम (गूँगा) को अमर बना दिया है।] यहाँ अजम शब्द की व्याख्या करना ज़रूरी हो जाता है। अरबी भाषा का उच्चारण चूँकि हलक़ पर ज़ोर देकर होता है, तो उसकी ध्वनि में एक तेज़ी और भारीपन होता है जबकि फ़ारसी

भाषा में उच्चारण करते हुए अधिकतर जीभ के मध्य भाग और नोक का प्रयोग होता है जिससे शब्द मुलायम व सुरीली ध्वनि लिए निकलते हैं। इतनी मद्धिम ध्वनि सुनने की आदत चूँकि अरबों को नहीं थी, इसलिए उन्होंने उपेक्षा भाव से ईरानियों को गूँगा कहना शुरू कर दिया था।

फ़िरदौसी आगे कहते हैं–

न मीरम अज़ इन पस, कि मन ज़िन्देअम
कि तुख़्मे सुख़न रा पराकन्दे अम

यानी मैं कभी मरूँगा नहीं, क्योंकि मैंने फ़ारसी शायरी के जो बीज बिखेरे हैं, वे दुनिया के रहने तक लहलहाते रहेंगे और मैं उनके कारण सदा जीवित रहूँगा।

❖❖

खुरासान प्रान्त की राजधानी मशहद से कुछ दूर पर नीशापुर में फ़िरदौसी तूसी की क़ब्र थी। मशहद पहुँचकर आरामगाह-ए-फ़िरदौसी पर जाना न हो सके, ऐसा तो हो नहीं सकता था। इसलिए ईरान तूर की बस पर बैठी मैं (1976 में) उस महान् कवि के बारे में सोच रही थी जिसके सन्दर्भ में कई दर्दनाक कहानियाँ मशहूर हैं, जिन्हें शाहनामा पर काम करने वाले शोधकर्ता अपनी-अपनी दृष्टि में उद्धृत करते रहते हैं। जैसे सुल्तान महमूद ने सुल्तान महमूद ने शाहनामा खुद फ़िदौसी के मुँह से कई दिनों तक सुन कर कहा : "शाहनामा अपने में कुछ भी नहीं है सिवाए रुस्तम के। मेरी फौज में हजारों योद्धा रुस्तम जैसे भरे हुए हैं" फ़िरदौसी ने सुल्तान के सामने केवल इतना कहा "नहीं जानता खुदा की बनाई इस दुनिया में कितने सिपाही रुस्तम की तरह है लेकिन इतना जानता हूँ कि खुदा ने एक भी बन्दा रुस्तग की तरह नहीं बनाया।" इतना कह ज़मीन चूमी और चले गये [जीवन और काल सुल्तान महमूद पन्ना 162]

दूसरा क़िस्सा जो बहुत प्रचलित है वह यह है कि फ़िरदौस ने ईरान की तारीख और शोर्यगाथा उस समय लिखी जब अरब शासक ईरान पर राज कर रहा था और माहौल अरब भाषा साहित्य का था। सरकारी ज़बान अरबी बन चुकी थी। किसी को शाहनामा या ईरान के गुज़रे काल खंडों से क्या रुचि हो सकती थी। फ़िरदौसी ईरान की भाषा पहलवी को जानते थे। अपने गाँव में जब वह मदरसा या बुर्जगों की महफ़िलों में बैठते तो उनके मुँह से पुराने क़िस्से सुनते जो उनके दिमाग़ में अंकित हो गये थे। पहलवी भाषा की हस्तलिपि तकनीकी तौर पर इतनी व्यावहारिक और पुख्ता ग्रामर वाली नहीं थी जितनी अरबी भाषा की थी जिसके कारण उसकी अरबी लिपि शीघ्र ही अपना ली गयी। फ़िरदौसी ने लोक-साहित्य एवं इतिहास की इस महान धरोवर को अरबी लिपि द्वारा फ़ारसी

भाषा में काग़ज पर उतारा। ऐसे काल में इस महान कार्य का फ़ारसी में आना एक महत्त्वपूर्ण उपलब्धि थी। उसकी अहमियत सुल्तान समझ नहीं पाया और जितनी उम्मीद फ़िरदौसी को थी उस पैमाने पर उन्हें इनाम-इकराम नहीं मिला, यह वह वक़्त था जब पिता द्वारा मिली पूँजी लगभग समाप्त हो चुकी थी। उनकी मेहनत का फल सामने था मगर वह कंगाल हो चुके थे।

सुल्तान महमूद ने सोने के दिरहम की जगह उन्हें चाँदी के 60 हज़ार दिरहम भेजे। जिस समय वह हमाम में थे फ़िरदौसी के दिल को गहरी ठेस पहुँची। उन्होंने ईरान का वह काल खंड जिया था जब ईरान में बादशाह के बाद पहलवानों और फिर दहक़ानो (किसानों) का स्थान होता था जो गाँव का पूरा बन्दोबस्त देखते थे। उनकी पहुंच बादशाह तक सीधी हुआ करती थी। अब यह व्यवहार बादशाह का देख उन्होंने 60 हज़ार चाँदी की दिरहम में से 20 हज़ार दिरहम इनाम लाने वाले को बख़्शा 20 हज़ार दिरहम उठाने वाले को और 20 हज़ार हमाम में मालिश करने वाले को उसकी मेहनताना के बदले में दिया और अपमान की चरम पीड़ा से व्याकुल हो उन्होंने एक हिजो [निन्दा] लिखी और अपनी ज़मीन छोड़ अपने दोस्त की तरफ चले गये।

इसी तरह के अनेक क़िस्से शाहनामा के साथ जुड़े हुए हैं।

कुछ शोधकर्ताओं का लिखना है कि फ़िरदौसी ने चालीस वर्ष की आयु में (380 हिज्री क़मरी में) शाहनामा रचना आरम्भ किया और 400 हिज्री क़मरी में उसे समाप्त किया। वे 393 हिज्री क़मरी में सुल्तान महमूद के दरबार में हाज़िर हुए। यह वह दौर था, जब फ़िरदौसी ने अपनी जमा-पूँजी शहनामा लिखने में खर्च कर दी थी और दाने-दाने को मोहताज हो गए थे। उस समय उनको अपनी गरीबी से छुटकारा पाने की केवल एक राह नज़र आई कि शाहनामा को वह महमूद बिन नासिर उद्दीन खब्कतगीन के नाम कर दें। वह सुल्तान महमूद के पहले वज़ीर, अहमद इसफरायनी के ज़रिए दरबार में पहुँचे। सुल्तान सुन्नी था और शाहनामा शिया शाहों के प्रशंसा-गान से भरा हुआ था। यह देखकर सुल्तान की भवों पर बल पड़ गए और उसने उपेक्षा भाव से सोने की दीनार की जगह चाँदी की दिरहम दी। फ़िरदौसी के आक्रोश ने उन्हें ग़जनी शहर छोड़ने पर मज़बूर कर दिया। और वह खुरासान चले गए। उन्होंने छः मास इस्माइल वराक़ के यहाँ गुज़ारे जो अज़रकी नामक कवि के पिता थे। उसके बाद वह तबरिस्तान की तरफ बढ़ गए। आलबावन्द के हाकिम के पास गए और वहाँ जाकर एक लम्बी हज्व (निन्दा कविता) लिखी। चूँकि आलबावन्द का हाकिम फ़िरदौसी की इज़्ज़त करता था इसलिए उसने वह हज्व फ़िरदौसी से खरीद ली और उसको धो डालने

का हुक्म दिया ताकि फ़िरदौसी किसी परेशानी में न पड़ जायें। फ़िरदौसी यहाँ से माज़नदरान की तरफ़ बढ़ गए और वहाँ से खुरासान की तरफ़ लौट आए। बाक़ी जिन्दगी उन्हांने अपने गाँव में ही बिताई और 411 या 416 हिज्री क़मरी में इस संसार से विदा हुए।

कुछ शोधकर्ताओं ने इसके बाद की घटना का उल्लेख करते हुए लिखा है कि फ़िरदौसी का इकलौता बेटा भी मर गया। बेटी अपने शौहर के घर थी। फ़िरदौसी गरीबी और बेचारगी से अपने दिन गुज़ार रहे थे। इसी बीच सुल्तान को किसी ने बताया कि शाहनामा एक अमर हो जाने वाली कृति है। आपका व्यवहार उस कवि के प्रति ऐसा होना चाहिए, ताकि तारीख आपको याद रखे। सुल्तान को अपनी चिन्ता सताने लगी। उन्होंने सोने की 60,000 दीनारें ऊँटों पर लदवाकर फ़िरदौसी के पास भेजीं। जब वह सम्मान फ़िरदौसी के घर की चौखट पर पहुँचा, तो उसी समय फ़िरदौसी का जनाज़ा निकल रहा था। सोचा गया कि अब वह धन बेटी को दिया जाना चाहिए। बेटी ने यह कहकर उसे लेने से इंकार कर दिया कि जब मेरे पिता ने इसको अपने जीवन में स्वीकार नहीं किया, तो इस पर मेरा अधिकार कैसे हो सकता है।

ये अफ़साने कितने सच्चे हैं, इसे परखने और उस पर बहस करने से बेहतर है कि हम उस सत्य को जानें और पहचानें जो महाकाव्य के रूप में हमारे सामने है।

❖❖

फ़िरदौसी के मजार पर

मशहद से नीशापुर का रास्ता सरसब्ज़ था, दिमाग़ फ़िरदौसी के बारे में सोच रहा था। ईरान तूर की बस रुकी और सारे मुसाफिर उतरे। कुछ दूर पैदल चलकर आरामगाह-ए-फ़िरदौसी के दरवाज़े पर पहुँची। चन्द सीढ़ियाँ चढ़कर बाग का फैलाव बाँहे पसारे हुए था।

फ़िरदौसी की संगमरमर की बड़ी-सी मूर्ति बाग़ के एक भाग में थी जिसके सामने खड़े होकर लोग लग़ातार तस्वीरें खिंचवा रहे थे। सामने फ़िरदौसी की क़ब्र का ऊँचा चबूतरा था। उसकी दीवारों पर शेर लिखे हुए थे। हज़ार वर्ष पहले जब इस महान कवि की लाश को क़ब्रिस्तान में जगह नहीं मिली, तो वह बगीचा अपने मालिक की लाश अपने सीने में छुपाने के लिए मज़बूर हो गया था। उस समय किसे पता था कि आगे चलकर यही नन्हा बगीचा, जिसमें शायर दफन है, एक बड़े बाग़ में बदल जायेगा और ईरानियों के साथ फ़ारसी भाषा एवं साहित्य-प्रेमियों के लिए यह जगह सबसे प्रिय दर्शन स्थल बन जायेगी।

लेखिका फ़िरदौसी की मज़ार पर (1979)

चबूतरे के नीचे तहख़ाने में रुस्तम के 'हफ़तखान' के क़िस्से बादामी पत्थर की दीवारों पर खुदे थे। कहीं वह सफेद दैत्य से लड़ रहा है तो कहीं गदा उठा रहा है। कहा जाता है कि रुस्तम की एक बाँह की मछलियों की गिनती अस्सी थी। उसका जिस्म जितना बलवान् था दिल उतना ही नम्र। वास्तव में रुस्तम जहाँ शाहनामा का सबसे वीर पहलवान और महत्त्वपूर्ण योद्धा है, वहीं पर सच्चे इंसान का प्रतिनिधित्व करता है तो अँधेरे से लड़कर रोशनी के पैरों की जंजीरें काटता है। इसीलिए शाहनामा का यह पात्र केवल ईरान में ही नहीं, वरन् सर्वव्यापी सम्मान का अधिकारी है। हाफ़िज ख़य्याम, सादी जैसे कवियों की आरामगाहों की तरह इस बाग में एक पुस्तकालय भी था जिसमें फ़िरदौसी पर हुए शोध एवं शाहनामा की, विभिन्न आकारों में छपी प्रतियाँ बड़े पैमाने पर रखने का विचार चल रहा था।

1975 में जश्नवार-ए-तूस (तूस महोत्सव) खत्म हुआ था। दानिशमन्दों का यह मेला आरामगाह-ए-फ़िरदौसी पर लगा था। शाहनामा ईरानी राष्ट्रीयता की भावना का प्रतीक माना गया है, अतः सभी आदरभाव से इसके आगे सिर झुकाते हैं। कहते हैं कि जब फ़िरदौसी का जन्म हुआ तो उसके पिता मौलाना अहमद फख्रुद्दीन ने सपना देखा कि फ़िरदौसी छत पर खढ़े होकर एक दिशा की ओर कुछ बोलते हैं और उसकी प्रतिध्वनि पलटकर वापस आती है। यही हाल बाक़ी तीनों दिशाओं की ओर बोलने से हुआ और हर बार फ़िरदौसी की आवाज़ की प्रतिध्वनि गूँजी। सुबह जब उठे तो इस अज़ीबो-गरीब सपने का बयान किया। इसे सुनकर बुद्धिमान लोगों ने कहा कि ज़रूर आपका बेटा भविष्य में एक ऐसा शायर बनेगा जिसकी शोहरत एवं लोकप्रियता का डंका चारों दिशाओं में बजेगा।

शाम हो रही थी मशहद लौटने का समय नज़दीक था। हम सारे फ़ारसी भाषा एवं साहित्य के विद्यार्थी एक अजीब अहसास में डूबे लौटने की तैयारी करने लगे। वर्षों पहले, फ़िरदौसी से परिचय का वह पहला अनुभव बेहद शायराना था जिसमें सिर्फ मिठास थी। आज उन यादों के बीच अनुभव का नया कालखण्ड उभर आया है जिसने शब्दों की मिठास को तो कम नहीं किया है, मगर उसे एक ठोस विस्तार अवश्य दे दिया है। आज जब मैं ईरान के पिछले बारह वर्षों को और शाहनामा को एक साथ रखकर देखती हूँ, तो महसूस होता है कि शाहनामा उस समय एक सियासी अंकुश के बीच विरोधी सत्ता को नकारने की भावना से लिखी एक ऐसी कृति थी जो भाषा की दृष्टि से खालिस फ़ारसी है, जिसमें अरबी भाषा के सुन्दर शब्दों से जान-बूझकर परहेज़ किया गया है। इस बात का अहसास ईरान के अन्तिम बादशाह रजा शाह पहलवी को भी था, जो अपने को आर्यमेहर कहलाना पसन्द करते थे। अरबों की तलवार के ज़ोर पर ईरानियों ने भले ही इस्लाम धर्म कबूल

कर लिया और तीन सौ वर्षों की अरब सत्ता में रहने के कारण फ़ारसी लिपि भी बदलकर अरबी लिपि अपना ली थी, मगर वे अपना ईरानीपन कभी नहीं भूल पाए और अरबों को शत्रुता की नज़र से आज भी देखते हैं।

शाहनामा पर शोध

रेज़ा शाह पहलवी ने फ़ारसी भाषा को ख़ालिस बनाने के लिए 'फरहंगिस्तान' नाम से एक संस्थान खुलवायी थी, जिसका काम था फ़ारसी भाषा में प्रयुक्त अरबी भाषा के शब्दों को निकालकर उसकी जगह फ़ारसी के शब्दों को इस तरह जड़ना कि वह भाषा को सुन्दर प्रवाह दें, और बोलने में जल्द से जल्द ज़बान पर चढ़ जायें। इसी तरह, प्राचीन साहित्य को संजाने और उसको आसान बनाकर आम आदमी तक पहुँचाने के लिए उन्होंने एक संस्थान 'बुनियाद-ए-फ़रहंग-ए-ईरान' के नाम से स्थापित किया था, जो हर बड़ी कृति को लेकर उसका संक्षेप रूप छोटी-छोटी पुस्तकें में छापता था ताकि मामूली आदमी भी अपने प्राचीन साहित्य को पढ़ सके।

फ़िरदौसी ने 'शाहनामा' पर भी शोध कराने के लिए 'बुनियाद-ए-शाहनामा' नामक संस्थान शुरू हुआ था, जिसका काम फ़िरदौसी के 60,000 शेरों को जहाँ सिलसिलेवार तरतीब देना था, वहीं फ़िरदौसी द्वारा वर्णित स्थानों के नामों का उनके भौगोलिक परिप्रेक्ष्य में पता लगाना भी था। जिस में हिमालय पर्वत की स्थिति और दिशा पर भी चर्चा चल रही थी। इस तरह की अनेक बातें थीं जिस पर शोध हो रहा था।

शाहनामा में कई जगह फ़िरदौसी ने अपने बुढ़ापे और थकन का जिक्र करते समय अपनी उम्र का भी जगह-जगह उल्लेख किया है, जो सिलसिलवार लिखे उनके काव्य पर कई तरह के प्रश्नचिह्न लगाता है। हो सकता है उस दौर में वर्षों की गिनती पर विशेष ध्यान नहीं दिया जाता हो। इसलिए शाहनामा के शेरों में एक बिखराव-सा-नज़र आता था, जिसको सिलसिलेवार तरतीब देना 'बुनियाद-ए-फ़िरदौसी' का काम था। बहरलाल अभी शाहनामा पर जमकर काम शुरू भी नहीं हुआ था कि एकाएक 1979 की ईरानी क्रान्ति ने पहलवी साम्राज्य का तख़्ता ही पलट दिया।

और नफ़रत का तूफ़ान

शाहनशाहियत से नफ़रत का एक ऐसा तूफ़ान ईरान में उठा कि बुनियादें ही हिल गई। 'शाहनामा संस्थान' भी बन्द हो गया। उसके बुद्धिजीवी शोधकर्ता और

कर्मचारियों को अपनी जान के लाले पड़ गए और कर्मचारियों ने बेदर्दी से उन पुस्तकों में आग लगाना शुरू कर दिया जिन पर शाही मोहर या शाह और उसके परिवार के चिह्न अंकित थे। पुस्तकालयों में शाहनामा की वे प्रतियाँ भी भस्म हो रही थीं जो सोने की स्याही से लिखी गई थीं। उनमें छपे चित्रों में सोने का सुनहरा रंग लगा हुआ था। उनको उन शाहों का इतिहास समझकर जलाया जा रहा था, जिसने आज वतन को अमेरिका की झोली में डालकर बर्बाद कर दिया था। जो ईरान का इतिहास समझकर शाहनामा व अन्य करोड़ों साहित्यिक पुस्तकों को महत्त्व दे रहे थे, वे लगातार चीख रहे थे कि यह रज़ाशाह पहलवी नहीं, बल्कि कई नस्लों की मेहनत है, सोच है, भावना है; इसलिए उन्हें बर्बाद मत करो। यदि तुम्हें शाह से नफ़रत है, तो किताब को जलाने की जगह उस पर चिपकी शाही मोहर, शाह और उसके परिवार की तस्वीरें फाड़ दो। मगर कौन सुनता है! ज़माना बदल रहा था और इसी बदलाव को इंक़लाब का नाम दिया जा रहा था।

यह आन्दोलन ईरान से चलकर अन्य कई देशों तक भी फैला। भारत भी आया और खुमैनी के अनुयायी 'फरहंगे-ईरान' पर छापा मारकर उसकी पुस्तकों को आग की भेंट करने लगे। क्रान्ति से वर्ष-भर पहले मैंने शाहनामा के पाँच खण्ड काम करने की खातिर 'फहरंगे-ईरान' के पुस्तकालय से लिए थे। वापस करने से पहले ही सारा माहौल ही बदल गया और फ़िरदौसी के हज़ारवें जन्म-दिवस के अवसर पर पाँच खण्डों में (1935 में) छपा यह शाहनामा मेरे पास ही रह गया। आज उसी को पढ़कर, विभिन्न काव्यखण्डों का अनुवाद करते हुए, मैं सोच रही थी कि सियासत के कितने चेहरे हैं और कलाकर की नियति कितनी एक जैसी है जिसमें दर्द के पैबन्द ही पैबन्द हैं।

शाहनामा की विशिष्टताएँ

विशलता और व्यापकता की दृष्टि से 'शाहनामा' की तुलना होमर के 'इलियड' और महर्षि व्यास के 'महाभारत' से की जा सकती है। तीनों में वही पाँच भाव विद्यमान हैं, जो मानवीय उच्च भाव जगाने और साहित्य को अमर बनाने में सहयोग देते हैं। प्रेम, घृणा निष्ठा, ईर्ष्या एवं बलिदान का समन्वय 'शाहनामा' है। शाहनामा को केवल इतिहास कहकर मुर्दा तारीखों का घटनाक्रम क़रार देना उचित नहीं है क्योंकि 'शाहनामा' मानवीय सरोकारों, भावनाओं और उसकी टकराहट की जीती-जागती धड़कन है, जिसमें एक तरफ बुराई 'ज़हाक़ शाह' के रूप में है, तो अच्छाई 'फरीदुन शाह' की शक्ल में; नेकी की मूर्ति सियावुश और निराशा की तस्वीर फरिद्घन के रंग में एक ओर तूरानी पहलवान पीरान सज्जनता की कसौटी

है, तो दूसरी तरफ बहादुरी और हमदर्दी का प्रतीक ईरानी पहलवान रुस्तम है।

'शाहनामा' कहने को एक महायुद्ध की महागाथा है, मगर वस्तुतः यह एक ऐसी इंसानी किताब है, जिसमें वर्णित है कि हालात के गलियारों से गुजरते-गुजरते इंसान कैसे-कैसे रंग बदलता है। एक जज़्बा किसी इंसान के दिलो-दिमाग़ में वर्षों तक उसी तीव्रता के साथ विद्यमान नहीं रह सकता है क्योंकि आसपास घटने वाली घटनाएँ उस ज़ज़्बे को धुँधला बनाने के लिए तत्पर रहती है जिन्हें रोकना इंसान के हाथ में नहीं है क्योंकि वे घटती ही किन्हीं दूसरे कारणों से हैं। इसलिए फ़िरदौसी केवल उपदेश नहीं देते हैं, बल्कि परिवेश और हालात में इंसान की कमज़ोरी को बड़ी सूक्ष्मता से दर्शाते हुए उसका तर्क भी सामने रखते हैं।

दूसरी बात मनोवैज्ञानिक दृष्टि से 'शाहनामा' में महत्त्वपूर्ण है, वह है इंसान का इंसान से मोहब्बत करना। ईरान व तूरान की दुश्मनी पुरानी है। लेकिन यह दुश्मनी केवल राजाओं के बीच सक्रिय रही है और जब ईरानी और तूरानी मिलते है। तब तहमीना और रुस्तम, बीज़न और मनीज़ा, रुदाबे और ज़ालज़र जैसी प्रेम कथाओं का जन्म होता है।

'शाहनामा' की तीसरी खूबी है कि उसमें गुणों एवं अवगुणों को काला और सफेद करके देखा गया है। उसको मिलाकर सुरमई रंग बनाने की कोशिश कहीं नहीं की गई है। अच्छाई और बुराई को विरासत के रूप में भी नहीं देखा गया है। आदर्श भी कहीं थोपा नज़र नहीं आता है, बल्कि हर युग में हर नस्ल एक नये तरीक़े से हमारे सामने आती है और विचार के धरातल पर हमें झिंझोड़ जाती है कि दुश्मनी को पीढ़ियों तक जीवित रखना व्यर्थ है और अच्छाई की कोख से बुराई उसी तरह जन्म ले सकती है जैसे कि बुराई की कोख से अच्छाई।

'शाहनामा' की चौथी सबसे बड़ी खूबी है उसके महिला पात्र। चाहे वह रुदाबे हो या फरांक तहमीना हो या सीनदुख़्त, गुर्दआफ़रीद हो या फिरंगीस; सबकी सब बहादुर, सच्ची, सुन्दर, अपने व्यक्तित्व पर विश्वास रखने वाली औरतें हैं जो अंकुश, घुटन, अत्याचार और अधिकार-हनन के विरोध में बड़ी सहजता के साथ खड़ी होकर अपने मन की बात बड़ी सरलता से कह देती है। उनमें आत्मविश्वास की चमक और ईमानदारी की दमक अपनी पूरी ओज के साथ सामने जलवागर नज़र आती है, जिसको नकारा नहीं जा सकता। क्योंकि वह इंसान की सम्पूर्ण गरिमा के साथ हमारे सामने उभरकर आती हैं और उस दौर के कवि द्वारा लिखा जाना सराहनीय है। लेकिन वहीं सुदाबे जैसी मक्कार और बेवफा औरत का किरदार भी पेश किया है दूसरी और कवि ने औरत-मर्द में फर्क न डालकर उनके बीच दीवार नहीं उठाई है, बल्कि मानवीय सम्वेदनाओं और गुणों के धरातल पर

उन्हें बराबर से खड़ा किया है।

'शाहनामा' के अलावा एक बात जो 'शाहनामा' को सरस बना देती है, वह है उसका प्रवाह जो किसी नदी की तरह समतल भूमि पर निरन्तर बहे चला जाता हैं शायद इसी कारण 'शाहनामा' में लड़कियों की सुन्दरता का बयान, पहलवानों की बहादुरी की चर्चा में जो उपमाएँ आती हैं, वे बार-बार अपने को दुहराती हैं, यहाँ तक कि कुछ घटनाएँ भी जैसे रुस्तम और सोहराब का बचपन में एक ही तरह से घोड़े की इच्छा करते हुए माँ से हठ करना और बेहतरीन घोड़े को पाने की उत्सुकता एवं उत्तेजना लगभग एक जैसे शब्दों में बयान की गई हैं। इसका अर्थ यह कतई नहीं है कि फ़िरदौसी इतना बड़ा महाकाव्य लिखने के कारण चीजें दोहराने लगे थे बल्कि इसका कारण है फ़ारसी भाषा का अपना मिजाज़ जिसमें शब्दों की तकरार एक लय और अहसास का दोहराना एक ताल है।

'शाहनामा' भी 'आल्हा-ऊदल' की तरह गाया जाता है विशेषकर ज़ूरखानों (कुश्ती के अखाड़े) और कहवाखानों में। जब 'शाहनामा' नगाड़ो के साथ गाया जाता था तो एक अलग की समाँ बँध जाता था।

❖❖

शाहनामा के अनुवाद

'शाहनामा' का सबसे पहला अनुवाद अरबी भाषा में छठी शताब्दी में हुआ था। क़वाम उद्दीन अबुलफतेह ईसा बिन इब्ने मोहम्मद इसफ़ाहवी ने यह अनुवाद अयूब अल फातेह ईसाबिन मुल्क अब्दुल अबूबकर के नाम समर्पित किया था। इसके पश्चात् 914 हिज्री में तातार अली अफनदी ने सम्पूर्ण 'शाहनामा' का अनुवाद तुर्की भाषा में किया शा। तुर्की भाषा गद्य में अनुवाद का काम मेंहदी साहिबमनसबान उस्समान के दरबार में पूरा हुआ। यह अनुवाद उस्मान द्वितीय को 1030 हिज्री में भेंट किया गया। कुछ वर्षों बाद 1043 हिज्री में दाराशिकोह के बेटे हुमायूँ के समय में लाहौर में, उसके दरबार में तवककुल बक ने शमशीर खाँ की फरमाइश पर 'शाहनामा' के कुछ चुने हिस्सों का गद्य व पद्य में अनुवाद 'मुनताखिब उल तवारीख' नाम से फ़ारसी से किया था।

पश्चिमी देशों में 'शाहनामा' का अनुवाद सबसे पहले लन्दन में 1774 में सर डब्लू, योन्स (Sar w, Yones) ने किया, मगर सम्पूर्ण 'शाहनामा' का अनुवाद करने वाले प्रथम विदेशी जोज़फ़ शामय्यून का अनुवाद जो कलकत्ता में 1785 में छपा था। इसके बाद लोडाल्फ (Ludolf), हैगरमैंन (Hegerman) पेरिस में 1802 में जान ओहसान (John Ohsson) के अनुवाद सामने आये।

ईस्ट इण्डिया कम्पनी ने 'शाहनामा' को अनुवाद कराने की इच्छा व्यक्त की थी। फोर्ट विलियम कालेज में अरबी-फ़ारसी के अध्यापक लुम्सडन (Lumsden) ने इस काम की जिम्मेदारी उठाई थी। इस तरह 1811 में 'शाहनामा' का अनुवाद हुआ। इस तरह नामों की एक लम्बी सूची है, जिन्होंने फ़ारसी भाषा पढ़ी या किसी कारण वे ईरान में रहे या फिर उन्होंने ईरान पर शोध-कार्य किये और 'शहनामा' का थोड़ा-बहुत अनुवाद किया या फिर ज़िक्र उन्होंने जहाँ-तहाँ अपने लेखने में भी किया था।

डॉ. ग़ुलाम मक़सूद हेलाली की 'बंगला पर अरबी-फ़ारसी का प्रभाव' नामक पुस्तक के अनुसार 'शाहनामा' के कुछ हिस्सों का अनुवाद बंगाली भाषा में भी हुआ है। गुजराती, मराठी भाषा पर फ़ारसी का बहुत प्रभाव रहा है। इससे लगता है कि इन भाषाओं में 'शाहनामा' के किसी खण्ड का लेखन या अनुवाद के रूप में प्रयोग अवश्य हुआ होगा।

शाहनामा और अन्य कलाएँ

शाहनामा फ़िरदौसी की कहानियों पर शायद दुनिया में सबसे ज़्यादा चित्रकारों ने अपने को व्यक्त किया है। ईरान के प्रसिद्ध चित्रकार बहरोज़ से लेकर आज

फ़िरदौसी का मक़बरा

तक जाने कितने चित्रकारों ने नयी-नयी विधाओं में अपने को व्यक्त किया है। सबसे ज़्यादा चित्र रुस्तम को लेकर हैं। कैनवस पर ही चित्र नहीं उभारे गये हैं बल्कि कालीनों और मुनब्बत कारी द्वारा भी तरह-तरह से इन दास्तानों का प्रयोग किया गया है। इस पुस्तक में जो चित्र दिये गये हैं, वो गूगल से लिए गये हैं, इसके चयन में कई तरह की कठिनाइयाँ आयीं। सबसे बड़ी कठिनाई यही थी कि कौन सा चित्र छोड़ा जाये और कौन सा रखा जाये। इस सिलसिले से मैं अमन हबीब को धन्यवाद दूँगी कि उन्होंने चित्रों को एकत्रित करने में मेरी मदद की।

हिन्दी भाषा में 'शाहनामा' की कुछ महत्वपूर्ण कहानियों का अनुवाद आपके सामने है। फ़ारसी भाषा की चाशनी के लिए मैंने सुन्दर काव्यखण्ड की कुछ फ़ारसी पंक्तियाँ नागरी लिपि में दे दी हैं।

आज वर्षों बाद फ़िरदौसी की ये पंक्तियाँ कानों में गूँज रही हैं कि—

हर आन कस की दारद हूश व राइ व दीन
पस अज़ मर्ग बर मन कुनद आफ़रीन

(हर वह, जो साहित्य को परखने की दृष्टि रखता है, वह मेरे मरने के बाद मेरी इस साहित्य-रचना की प्रशंसा अवश्य करेगा।)

फ़िरदौसी का यह शेर एक लम्बी कड़ी मेहनत के फल के रूप में हमारे सामने है जो हमें विश्वास देता है कि ईमानदारी, चाहे जिस रूप में हो, वह ज़िन्दा रहती है। यह अनुवाद उसी महान कवि फ़िरदौसी को मेरी श्रद्धांजलि के रूप में हैं। आशा है, पाठक 'शाहनामा' की इन कहानियों को पढ़कर फ़िरदौसी की याद ताजा करेंगे।

जब यूनेस्को द्वारा हुई घोषणा के अनुसार संसार में शाहनामा के पाँच साल (1990-1995) मनाये जा रहे थे, तो शाहनामा का महत्व एक बार फिर से पाठकों के सामने आया। ऐसी स्थिति में शाहनामा का प्रकाशन विशेष अर्थ रखता है। जो यह बताता है यह कृति किसी एक भाषा, देश की न होकर सम्पूण र्ि विश्व साहित्य समाज की धरोहर है! साहित्य मरने की जगह शताब्दियों तक जीने और अमर हो जाने वाली शै है।

ईरान का पहला बादशाह : गेउमर्त*

सुख़न गोई दहक़ान चे गुयद नुख़ुस्त।
के ताजे बुज़ुर्गी बेगेती के जुस्ते॥

इस किसान की ज़बान से यह कहानी सुनो। कि इस ज़मीन पर सबसे पहले किसने सिर पर ताज़ पहना था और कौन बादशाह कहलाया था। बात उस ज़माने की है जिसकी याद किसी को भी नहीं है। मगर यहाँ, उस जमाने की यह कहानी हम सबको याद है, क्योंकि एक सीने से दूसरे सीने तक, बाप के मुँह से बेटे तक, एक नस्ल से दूसरी नस्ल तक चल कर यह दास्तान आज तक ज़िन्दा है।

गेउमर्त ईरान का पहला बादशाह हज़ारों साल पहले उस ज़माने में हुआ था, जब लोग नंगे घूमते थे। घर के नाम पर उनका कोई ठिकाना नहीं था। गेउमर्त ने अपने साथियों व दोस्तों के साथ मिलकर सबसे पहले गुफा में रहना शुरू किया ताकि जंगली जानवर उन्हें चीर-फाड़कर खा न डालें और सर्दी-गर्मी से भी बचे रहें। गेउमर्त ने एक और बड़ा काम किया था कि चीते की खाले से कपड़ा सिलना लोगों को बताया और उस लिबास को अपने दोस्तों के साथ खुद भी पहनना शुरू कर दिया। कुछ दिनों बाद यह लिबास पलंगीने के नाम से पुकारा जाने लगा।

गेउमर्त को आदमी से प्यार था। वह हमेशा उसकी अच्छी और आरामदेह ज़िन्दगी के बारे में सोचता रहता था। उसका मन चाहता था कि इंसान को भरपेट भोजन मिले। उस समय लोग अपने पेट की आग कन्द-मूल और फल खाकर बुझाते थे। आखिर गेउमर्त ने स्वादिष्ट भोजन बनाने की तरकीब शुरू की और पहाड़-मैदान में रहने वालों को व्यंजनों के स्वाद का मज़ा आने लगा।

गेउमर्त के इस व्यवहार से उसके प्रति लोगों का प्यार बढ़ने लगा। यहाँ तक कि लाभकारी जानवर भी इसके इर्द-गिर्द जमा होने लगे। इस एकता व प्रेम भरे

*गेउमर्त : इसे कयोमर्स के नाम से भी जाना जाता है! फ़ारसी में क और ग अकसर अपना स्थान बदल लेते हैं!

गेउमर्त अपने दरबार में

वातावरण से पहाड़ का जीवन सुखमय हो गया।

इस तरह से दिन, महीने, साल गुज़रने लगे और बरसों बाद लोगों ने उत्सव मनाया। जब सूरज पर्वत से ऊँचा उठकर चमका और दुनियाँ चमकीली धूप में दमक उठी, ऐसे खुशी के दिन लोगों ने गेउमर्त को अपना बादशाह चुना, क्योंकि उसने उनके सुख के लिए सदा नयी-नयी चीजों का आविष्कार किया था। गेउमर्त को तख़्त पर बिठाया गया। उसके सर पर ताज रखा गया और उसको ईरान का पहला बादशाह स्वीकार कर लिया गया। गेउमर्त के दोस्तों व साथियों ने इस मौक़े पर बहुत खुशी मनाई। यही दिन साल का पहला दिन 'नवरूज़' के नाम से जाना जाने लगा।

शाह गेउमर्त ने तीन साल तक राज किया। वह लोगों से प्रेम करता था और लोग उस पर जान छिड़कते थे। गेउमर्त की सल्तनत में सभी खुशहाल और सुखी थे। गेउमर्त का एक बेटा सियामक नाम का था। सियामक अपने पिता की तरह पाक दिल व दिमाग़ का मालिक था। उसकी की तरह कलाकार और दूसरों से सहानुभूति रखने वाला था। शाह अपने बेटे को बहुत प्यार करता था। वह अपने बेटे को देखकर ही जीता था। शाह की सारी आशाओं का केन्द्र सियामक था। इसलिए वह हमेशा बेटे को अपने पास रखता और उसके बिना एक पल भी अकेला न गुज़ार पाता। गेउमर्त का परिवार एक-दूसरे के प्रति मोहब्बत से भरा हुआ था। लोग आपस में एक-दूसरे से हमदर्दी रखते थे।

इस दोस्ताना वातावरण में लोगों का एक ही दुश्मन था। 'अहरिमन' जिसको काले दैत्य के नाम से जाना जाता था। उसका दिल शाह की लोकप्रियता से सुलग रहा था। लोग खुश थे, काले दैत्य को यह सहन नहीं था। इसलिए उसने बुरी-बुरी हरकतें करनी शुरू कर दीं। उसका यह बर्ताव देखकर सियामक को गुस्सा आया और वह नंगे बदन काले दैत्य से युद्ध करने मैदान में उतर आया। काले दैत्य ने धोखे से सियामक पर आक्रमण किया और उसका कलेजा फाड़कर रख दिया। सियामक की मौत की खबर सुनकर शाह पागलों की तरह अपने बाल और चेहरा नोचने लगा। चेहरे पर पड़ी ख़राश से जगह-जगह खून बहने लगा। सारे परिन्दे व जानवर भी आदमियों के संग सियामक के शोक में डूब गए।

एक साल दुख भरा गुज़रा। शाह गेउमर्त ने सोचा आखिर वह कब तक बेटे का ग़म करेगा और लोगों की भलाई की तरफ से मुँह मोड़े रहेगा। यह सोचकर वह उठ खड़ा हुआ और देश की प्रगति की योजना के बारे में सोच-विचार करने लगा।

❖❖

शाहजादा सियामक का एक बेटा था। उसका नाम हुशंग था। गेउमर्त पोते का

बहुत ध्यान रखता था। खासकर बेटे की मौत के बाद उसका अनुराग हुशंग के प्रति बहुत बढ़ गया था। वही सियामक की यादगार के रूप में उसके दिल के क़रीब था। गेउमर्त पोते हुशंग के लालन-पालन पर विशेष ध्यान दे रहा था ताकि वह ईरान का एक अच्छा हाकिम बने। धीरे-धीरे हुशंग जवान होने लगा और रण-क्षेत्र और युद्ध की कला में निपुणता प्राप्त करने लगा।

एक दिन शाह क्यूमर्स ने काले दैत्य की हरकतें हुशंग को विस्तार से बतायीं कि किस तरह उसने ईरान व ईरानवासियों को तबाह करने की कोशिश की थी। इसके बाद उसने कहा कि अब हमारी फौज़ भी बन गई है और हम बड़ी आसानी से बुराई से जंग कर सकते हैं। फिर कुछ ठहरकर गेउमर्त ने पोते से कहा।

तोरा बुअद बायद हमीं पीश रव
कि मन रफ्ते अम तो सालारे नव

(अब तुम राज-काज सँभालो। अब मैं बूढ़ा हो चला हूँ। कभी भी इस दुनिया से जा सकता हूँ इसलिए अब तुम ही इस मुल्क के नये हाकिम बनोगे।)

ईरान की फौज और जनता ने शाह गेउमर्त के समर्थन और शहजादे हुशंग की सरदारी में लड़ाई के लिए कमर कस ली। काले दैत्य और उनके बच्चे ईरान की फौज के सामने आन खड़े हुए और दैत्यों व ईरानियों के बीच घमासान युद्ध छिड़ गया। शहजादे हुशंग ने बड़े काले दैत्य का कमरबन्द पकड़ लिया और उसको हाथों से उठाकर ज़ोर से ज़मीन पर पटका। दैत्य की हड्डियाँ टूट गईं।

शाह हुशंग का काले देव को कैद करना

फिर शहज़ादे ने उसका सर धड़ से अलग कर दिया और सारे दैत्यों को ईरान से निकाल बाहर कर दिया।

शहजादे हुशंग ने बुराई को जड़ से उखाड़कर जहाँ पिता के खून का बदला ले लिया, वहीं देश में फिर से सुरक्षा व शान्ति ले आया। इस तरह से नेकी बुराई पर, सुन्दरता कुरूपता पर, रोशनी अन्धेरे पर छा गई और अन्त में सच्चाई और नेकी की जीत हुई।

शाह गेउमर्त के दिन पूरे हो चुके थे। अपने अच्छे और नेक नाम की बुनियाद इस दुनिया में डालकर उसने अपनी आँखें बन्द कर लीं। शजादे हुशंग ने गद्दी सँभाली और अपने दादा गेउमर्त की जगह ईरान का राजा बना।

❖❖

शाह हुशंग से पहले बादशाहों के दौर में लोग आग को नहीं जानते थे। एक दिन शाह हुशंग अपने दोस्तों के साथ पहाड़ की तरफ जा रहा था कि एकाएक काला नाग फन उठाता हुआ इनकी तरफ लपका। उसकी दानों आँखें सर पर चमक रही थीं और मुँह से भाप के बादल फुँकार के साथ निकल रहे थे। हुशंग बहादुर और फुर्तीला था। एक पत्थर उसने जल्दी से उठाया और पूरी ताकत से साँप की तरफ फेंका। पत्थर लगने से पहले ही साँप झाड़ी में सरक गया और फेंका पत्थर पूरी ताकत के साथ दूसरे पत्थर से टकराया और चिंगारियों के साथ आग की लपटें निकलने लगीं।

साँप तो नहीं मरा, मगर आग का भेद हुशंग के हाथ लग गया। हुशंग ने उन लपटों के प्रति आदर व्यक्त करते हुए कहा कि यह रोशनी ईरान की रोशनी है। हम सब उसको सम्मान दें और खुशी मनाएँ।

शाम जैसे ही ढली, शाह हुशंग ने हुक्म दिया कि उसी पत्थर से फिर चिंगारी निकाली जाए और एक ऊँचा आग का अलाव सुलगाया जाए। शाह हुशंग को आग पवित्र लगी क्योंकि इसी के द्वारा उसे ज्ञान प्राप्त हुआ और उसने इस दिन को 'जश्न-ए-सदेह' का नाम दिया।

दास्तान-ए-ज़हाक़ व कावेह आहंगर[1]

शाह जमदेश की हुकूमत के आखिरी दिनों में ज़हाक़ सितमगर ने ईरान पर आक्रमण किया और ईरान का तख़्त हासिल कर लिया। शाह जमदेश ईरान का एक प्रभावशाली बलवान बादशाह था। उसके राज्य में लोग खुशहाल और सुरक्षित थे। इसमें कोई सन्देह नहीं कि कपड़ा बुनना और कपड़ा सिलना शाह जमदेश ही ने लोगों को सिखाया था। घर, महल और गर्माबे को उसने ही पहली बार बनाया था। पहली बार उसने दरिया में नाव डाली थी और उसी ने लोहे को गर्म करके औज़ार बनाना सिखाया था। शाह जमदेश ने लोगों के साथ नेकी और नई चीज़ों का आविष्कार करके जीवन को सुखमय और संसार को पहले से ज़्यादा सुन्दर बनाया था।

जब शाह जमदेश का प्रभाव अपनी ऊँचाइयों पर पहुँच गया, तो उसका दिमाग़ खराब हो गया। उसके व्यक्तित्व में विस्तार तो था मगर गहराई नहीं थी जिससे वह इन गुणों की महिमा को अपने में समा सके। एक दिन उसने उसी उत्तेजना की हालत में बुद्धिमानों और बुजुर्गों को अपने इर्द-गिर्द जमा किया और कहा कि "मेरे अलावा इस संसार में कोई दूसरा बादशाह नहीं है। संसार में हुनर की शुरूआत मैंने की है, जिससे यह संसार रहने के क़ाबिल बना है। तुम्हारा यह सुख-चैन मेरी खोजों का नतीजा है। संक्षेप में, मैंने जब यह सब रचा है, तो मुझे इस दुनिया को सँवारने वाला स्वीकार करो।"

शाह जमशेद का घमण्ड से यों फूल जाने और अपने को संसार का रचयिता समझने की गलती से लोगों का मन उसकी तरफ से हट गया और भाग्य भी रूठ गया। धीरे-धीरे जनता में विरोधी स्वर फूटने लगे। उसके प्रभाव और सम्मान में कमी आने लगी। शाह जमदेश का पछतावा या सुधार भी लोगों के दिल व दिमाग़ को बदलने में समर्थ नहीं थे, क्योंकि तीर तरकस से निकल चुका था। जनता ने बग़ावत पर कमर कस ली थी।

1. कावेह आहंगर : लोहार।

शाह ज़हाक़ एक जालिम बादशाह था। जब उसने शाह जमदेश की जनता के प्रति लापरवाही की खबरें सुनीं तो उसने ईरान पर आक्रमण कर दिया।

❖❖

ज़हाक़ का पिता मरदास, एक इंसाफ-पसन्द नेक दिल सरदार था। एहरिमन एक शैतान था जिसका काम सिर्फ़ संसार में कलह व दुःख फैलाना था। उसने ज़हाक़ को बहकाने के लिए अपनी कमर कस ली। एहरिमन ने अपनी शक्ल एक नेक आदमी में बदली और बड़ी शराफत व नम्रता के साथ ज़हाक़ के यहाँ पहुँचा और उसकी प्रशंसा के मीठे गीत रात-दिन उसके कान में इस तरह से गुनगुनाए कि ज़हाक़ उस नेकमर्द पर फ़िदा हो गया।

जब एहरिमन ने देखा कि उसका प्रभाव ज़हाक़ पर अपनी जड़ें जमा चुका है, तो उसने एक दिन बड़ी सादगी से कहा : "ऐ ज़हाक़! मेरा दिल कहता है कि मैं तुमको अपने भेद में भागीदार बनाऊँ। मगर पहले सौगन्ध खाओ कि मेरा यह भेद किसी को नहीं बताओगे।"

ज़हाक़ ने सौगन्ध खाकर एहरिमन को विश्वास दिलाया। जब एहरिमन को पूरा इत्मीनान हो गया तो वह ज़हाक़ के कान में धीरे से फुसफुसाया : यह तुम कैसे जवान हो जो तुम्हारी जगह तुम्हारे बूढ़े पिता तख्ते शाही पर बैठे हैं। क्यों देर कर रहे हो। अपने पिता को बीच से हटा दो और खुद बादशाह बन जाओ। उस समय यह राजमहल, यह फौज, यह ख़ज़ाना सबके तुम अकेले मालिक होगे।

ज़हाक़ एक खाली दिमाग़ जवान था। इस तरह की बातें सुनकर दिल भी उसके हाथ से जाता रहा। बाप की हत्या करने के षड्यन्त्र में वह एहरिमन का साथी बन गया, मगर उसको तरकीब पता नहीं थी कि आखिर वह कैसे पिता को खत्म करे। उसकी परेशानी देखकर एहरिमन ने उसका कन्धा थपथपाया और कहा : 'दुखी मत हो। तरकीब बताना मेरा काम है।'

मरदास के पास एक बेहद खूबसूरत बाग़ था। रोज सूरज निकलने से पहले वह उस बाग़ में जाकर एबादत करता था। एहरिमन ने मरदास के जाने वाले रास्ते पर बाग़ के बीच में एक कुआँ खुदवाकर उसे घास-फूँस से ढक दिया। दूसरे दिन जब मरदास इबादत के लिए बाग़ में गया, तो उस कुएँ में गिरकर मर गया। उसकी मौत के बाद ज़हाक़ को शाही तख़्त पर बिठाया गया।

जब ज़हाक़ बादशाह बन गया, तो एहरिमन ने अपने को एक बुद्धिमान तेजस्वी जवान की शक्ल में बदला और शाह ज़हाक़ के पास पहुंचकर बोला : मैं कलाकार हूँ। एक ऐसा कलाकार जो शाही व्यंजनों की तैयारी में अपना जबाब नहीं रखता।

शाह ज़हाक़ ने उसको खाना पकाने और दस्तरख़्वान सज़ाने का काम सौंप

शाह जमशेद की कार्यशाला

दिया। एहरिमन ने तरह-तरह के स्वादिष्ट व्यंजन पिरन्दों व चौपायों से बनाकर शाह के सामने इतनी खूबसूरती से सजाये कि ज़हाक़ बेहद खुश हुआ। प्रत्येक दिन पहले से अधिक स्वादिष्ट भोजन बड़े सलीक़े से ज़हाक़ को परोसा मिलता! चौथे दिन जब शाह ज़हाक़ का पेट खाने से सेर हो चुका तो उसने खुश होकर उस रसोइये से कहा : "जो इच्छा रखते हो, मुझसे कह दो।"

एहरिमन तो इसी अवसर की तलाश में था। फौरन बोल पड़ा : "शाह! मेरा दिल आपकी मोहब्बत से भरा हुआ है। आपसे सिर्फ़ खुशी के अलावा मुझे कुछ नहीं चाहिए। सिर्फ़ एक इच्छा रखता हूँ कि यदि आप आज्ञा दें, तो अपना सम्मान आपके प्रति प्रकट करने के लिए मैं आपके इन दोनों कन्धों को चूम लूँ।"

ज़हाक़ ने आज्ञा दे दी। एहरिमन ने शाह के दोनों कन्धों का चुम्बन लिया और एकाएक अदृश्य हो गया। उसके होंठों ने शाह के कन्धों पर जहाँ चुम्बन लिया था, वहाँ दो काले नाग उग आए। जो हरदम अपनी ज़बान से शाह की खोपड़ी चाटते रहते थे। उन साँपों को जड़ से काट डाला गया, मगर फिर वे कन्धों पर उग आए। वैद्य हकीम हर तरकीब करके हार गए, मगर कोई फायदा नहीं हुआ। जब सारे हकीम थक गए तो एहरिमन भेष बदलकर हकीम के रूप में ज़हाक़ के पास पहुँचा और बोला :

बेदू गुफ्त केइन बूदनी कार बूद
बेमान त चे मान्द नबायद दरूद
ख़ुरिश साज व आरामिशान देह बेख़ुर्द
न शायद जुज़ इन चारहएई नीज़ कर्द
बेजुज़ मगज़े मरदुम मदेह शान ख़ुरिश
मगर खुद बेमिरन्द अज इन परवरिश

(इन साँपों को जड़ से काटने का कोई लाभ नहीं है। सिर्फ इंसानी दिमाग़ ही इनको खत्म करने में सहायक साबित होगा। साँप बादशाह को न काटें इसके लिए ज़रूरी है कि हर दिन दो इंसानों के ताज़े दिमाग से इनके लिए भोजन तैयार किया जाए। शायद इसी दवा से साँप अपने आप मर जायेंगे।)

शैतान यानी एहरिमन इंसानियत का दुश्मन यही चाहता था कि किसी भी तरह दुनिया में अमन-चैन न रहे। इस दवा के जरिये इंसानों की संख्या घटते-घटते एक दिन बिल्कुल खत्म हो जायेगी। उस दिन उसके लिए खुशी का दिन होगा।

यही वह समय था जब जमदेश अपने गुणों पर इतराया था और घमण्ड में अन्धा होकर उसने अपने को खुदा कहा और अपनी क़िस्मत और जनता को नाराज़ कर दिया। ज़हाक़ ने मौक़े से फ़ायदा उठाया और ईरान पर हमला कर

ज़हाक़ शाह अपने साँपों के साथ

दिया। ईरानी जो इस बात की तलाश में थे कि कैसे जमदेश से पीछा छुड़ाएँ, वे एकाएक ज़हाक़ की ओर आशा से देखने लगे।

सवारान-ए-ईरान हमें शाह जुई
नेहादन्द यकसर बे ज़हाक़ रुई
बे शाही बेरु आफ़रीन ख़्वानदन्द
वरा शाहे ईरान ज़मीन ख़्वाननन्द

(ईरान के सारे सिपाही भी ज़हाक़ की ओर आकर्षित हो गए और उसको ईरान का बादशाह कहकर उसका स्वागत करने लगे।)

इधर जमशेद का बुरा हाल था। उसने अपना सब कुछ ज़हाक़ के हवाले कर दिया। क्योंकि अरब एवं ईरानी दोनों फौजें उसके विरोध में एक साथ खड़ी थीं। वह बादशाह जो सौ साल तक किसी की ओर नज़र उठाकर नहीं देखता था, वही आज लोगों की नज़रों से ओझल हो गया।

❖❖

चु जहाक़ बर तख़्त शुद शहरयार
बेरु सालियान अंजुमन शुद हज़ार

(ज़हाक़ जब शाही तख़्त पर बैठा तो उसकी बादशाहत हज़ार साल तक चलती रही।)

जमशेद ने जान छुड़ाने के चक्कर में ईरानियों ने जो क़दम उठाया था, उसने साबित कर दिया कि वे पहले से भी बुरी हालत में पहुँच गए हैं। ज़हाक़ ने जुल्म व सितम का बाजार गर्म कर दिया। कोई भी भलाई और नेकी का काम नहीं होता था।

जमदेश की दो बहनें थीं। एक का नाम शहरनाज़ और दूसरी का नाम अरनबाज़ था। दोनो को ज़हाक़ ने जबरदस्ती अपने पास बुलाया। दोनों शहजादियाँ काँपती हुई उस साँप वाले बादशाह के पास पहुँची। ज़हाक़ के पास कड़वी ज़बान थी और उसका काम कत्ल, ग़ारतगरी और आतशज़नी थी। उसमें एक काम यह भी शामिल था कि—

चुनान बुद की हर शब दो मर्दे जवान
चे कहतर चे अज़ तुख़्म-ए-पहलवान
खुरिशगर बेबुरदी बेएवान-ए-शाह
व अज़ उ साखती राहे दरमान-ए-शाह
बेकुशती व मग्ज़श बेरुन आखती
मर आन अज़दहा रा ख़ुरिश साखती

(रोज़ रात को पहलवानों की नस्ल से दो जवान लाए जाते। जिनको शाही रसोइया महल में ले जाता और शाह की बीमारी दूर करने की दवा उनको मारकर उनके भेजे से बनाता था, जिसको दोनों अजदहे रात को खाते थे।)

शाह के देश के दो सदाचारी आदमी थे। एक का नाम अरमायल था और दूसरे का करमायल था। जब वे आपस में मिले तो ज़माने भर की बातों के बाद-शाह ज़हाक़ के ज़ुल्म और शाही फौज के अत्याचार के साथ दो इंसानों के दिमागों से बने भोजन का भी ज़िक्र आया। दोनों दुःखी होकर तरकीबें सोचने लगे कि किस तरह इस मुसीबत से लोगों को मुक्ति दिलाई जाए।

बहुत सोचने के बाद उनको एक तरकीब समझ में आई कि वह शाह के पास हाज़िर हो कर अपने को शाही व्यंजनों का रसोइया बताएँ। जब उनको शाह नौकरी पर रख लें तो वह दो जवानो को मारने की जगह एक को मारें और दूसरे को आजाद कर दें। इस तरह से वह एक इंसान को मरने से बचा सकते हैं और उसकी जगह भेड़ का भेजा इंसान के भेजे के साथ पकाकर साँपों को खिला दें।

जब यह दोनों सदाचारी शाही रसोई तक पहुँच गए तो उन्होंने अपना कार्यक्रम आरम्भ कर दिया और हर महीने तीस जवानों को मरने से बचाने लगे। धीरे-धीरे लोगों के मन में ज़हाक़ के लिए नफ़रत बढ़ने लगी। उनका गुस्सा इस बात पर भी था कि वह शाह की बेटियों को बिना विवाह के महल में रखे हुए हैं।

चू अज रुज़गारश चहल साल मान्द
निगर ता बेसर बरश यजदान चे रान्द

(जब चालीस साल उसकी हुकूमत के बचे तो देखो, उस समय खुदा ने उसको कौन से दिन दिखाए।)

एक दिन ज़हाक़ अरनबाज़ के साथ अपने बिस्तर पर सोया था कि उसने सपना देखा कि तीन योद्धा उसकी तरफ बढ़ रहे हैं। उसमें सबसे छोटे ने जो सबसे ज़्यादा ताकतवर नज़र आ रहा था, अपनी गदा से उसके सिर पर वार किया। उसके बाद उसका हाथ चमड़े के फीते से बाँधा और उसे खींचता हुआ दमाबन्द पर्वत की तरफ ले गया। उसके पीछे लोगों की बहुत बड़ी भीड़ चल रही थी। ज़हाक़ एकाएक सपने से चौंककर उठ बैठा और इतनी भयानक चीखें मारने लगा कि महल के खम्भे तक थर्रा उठे।

अरनबाज़ तो उसके पास मौजूद थी। वह ज़हाक़ के इस तरह भयभीत होकर चीखने का कारण पूछने लगी। ज़हाक़ के मुहँ से सपने के बारे में सुनकर उसने राय दी कि शाह को देश के कोने-कोने से ज्योतिषियों को बुलाकर उनसे इस सपने का अर्थ जानना चाहिए।

ज़हाक़ ने वैसा ही किया। जब सपने का अर्थ बताने वाले बुद्धिमान ज़मा हो गए तो ज़हाक़ ने अपना सपना कह सुनाया। सुनकर सब चुप रह गए। आखिर एक निडर ज्योतिषी ने कहा—शाह! यह सपना तो यह बताता है कि आपकी बादशाहत के दिन अब बहुत कम रह गए हैं। आपकी जगह अब इस तख़्त पर कोई दूसरा राजा बैठेगा। उस राजा का नाम फ़रीदून होगा जो एक बड़ी गदा से आप पर आक्रमण करेगा और आपको कारावास में डाल देगा।

इन बातों को सुनकर ज़हाक़ बेहोश हो गया। जब होश में आया तो उसने इस समस्या का समाधान ढूँढ़ना आरम्भ किया। सबसे पहले उसने हुक्म दिया कि देश भर में फरीदुन नाम के जितने भी लोग हों, उनको पकड़कर लाया जाए और उसके बाद उसने चैन की साँस ली।

❖❖

ईरान में 'आतवीन' नाम के एक आदमी का रिश्ता ईरान के पुराने शाह तहमूरस देवबन्द से था। उसकी पत्नी का नाम फ़रांक था। उसके दो पुत्र थे जिनमें से एक का नाम फरीदुन था। उसका चेहरा भी शाही खानदान की तरह शानदार था।

एक दिन शाह के आदमी साँप के भोजन के लिए जवान ढूँढ़ रहे थे। एकाएक उनकी नज़र आतबीन पर पड़ी। वह उसको पकड़कर ले गए। बेचारी फरांक शौहर के बिना रह गई। जब उसने सुना की ज़हाक़ की तबाही फरीदुन नाम के युवक के हाथों होगी, तो वह बुरी तरह भयभीत हो उठी। फरीदुन जो अभी नवजात शिशु था। उसको फरांक ने गोद में उठाया और चरागाह की तरफ चली गई! चरागाह के मालिक के पास दूध देने वाली एक गाय थी। उसके पास पहुँचकर फरांक ने अपनी दुःख भरी कहानी उसे सुनाई और कहा कि वह फरीदुन को अपने बेटे की तरह पाले और इसकी सुरक्षा के लिए बेहतर है कि उसको गाय के दूध पर ही पाले। चरागाह के शरीफ मालिक ने फरीदुन को पालने की जिम्मेदारी कबूल कर ली।

चरागाह के रखवाले ने तीन साल तक फरीदुन की भली-भाँति देख भाल की। मगर यह भेद ज़हाक़ से छुपा नहीं रह सका कि फरीदुन नाम के एक बच्चे की देखभाल एक दुधारू गाय कर रही है। जिसके थन मोर के परों के रंग के है जिससे निकला दूध पीने वाला मगरमच्छ की तरह बलवान बन जाता है। ज़हाक़ ने अपने गुमाश्तों को भेजा कि वह फरीदून को पकड़कर लाएँ। जैसे ही फरांक को इस बात का पता चला, वह भागती हुई चरागाह गई और वहाँ से फरीदूत को उठाकर सहरा की तरफ भागी और दमाबन्द पहाड़ की ओर निकल गई।

अलबुर्ज़ पर्वत पर एक सदाचारी का घर था। फरांक ने फरीदुन को उसे सौंपते हुए कहा कि ए नेक मर्द! इस लड़के का बाप ज़हाक़ के साँपों को भोजन बन चुका है। यह लड़का फरीदून एक दिन ज़हाक़ की मौत का सबब बनेगा। मेरी विनती है कि आप इसको अपने बेटे की तरह पालें। संसार के सारे झंझटों से दूर, तनहा जीवन व्यतीत करने वाले उस सदाचारी ने यह ज़िम्मेदारी अपने ऊपर ले ली।

❖❖

कई वर्ष गुजर गए। फरीदुन धीरे-धीरे बड़ा होता चला गया और कुछ दिन बाद एक लम्बे क़द के मजबूत जवान में ढल गया। लेकिन यह नहीं जानता था कि वह किसका पुत्र है। जब वह सोलह साल का हुआ तो, एक दिन पहाड़ से उतरकर मैदान की तरफ आया और सीधे माँ के पास पहुँचकर पूछने लगा कि आखिर मेरे बाप का नाम क्या है?

उसकी माँ फरांक ने फरीदुन के सामने भेद को खोलते हुए कहा कि बेटे! तुम्हारा बाप एक आजाद इंसान था। वह ईरानी था और कियानि नस्ल का था। उसके खानदान का सिलसिला शाह तहर्मस से था। वह बुद्धिमान और सदाचारी था। किसी को कभी दुःख नहीं पहुँचाता था। एक दिन शाह के आदमी उसको पकड़ ले गए ताकि उसका भेजा निकाल कर उससे ज़हाक़ के साँपों का भोजन तैयार किया जा सकें बस, उस दिन से मैं बिना शौहर की और तू बिना पिता का हो गया।

फरांक ने फरीदुन को दूसरा भेद बताते हुए आगे कहा कि सपने का अर्थ बताने वालों और जगोतिषियों ने ज़हाक़ को बताया कि एक दिन फरीदुन नाम का लड़का उसके विरोध में खड़ा होगा और अन्त में ज़हाक़ को खत्म कर देगा। सपने का यह अर्थ जानकर ज़हाक़ आतंकित हुआ और वह तेरी जान के पीछे पड़ गया। मैंने तुम्हें चरागाह के मालिक के पास छुपाया। मगर इसकी खबर ज़हाक़ तक पहुँच गईं उसने उस गाय को मरवा डाला और हमारा घर बर्बाद कर दिया। मैं तुम्हें वहाँ से लेकर अलबुर्ज़ पहाड़ की तरफ भागी और वहाँ उस बूढ़े सदाचारी को तुम्हारी ज़िम्मेदारी सौंप आई। इतना कहकर फरांक चुप हो गई।

इतनी दर्दनाक कहानी सुनकर फरीदुन के मन में नफ़रत की आग भड़क उठी। उसका खून जोश मारने लगा। उसने माँ से कहा—"माँ, जब ज़हाक़ ने हमें बरबाद कर ही डाला है और ईरानियों के खून का प्यासा है, तो फिर मैं इसको ज़िन्दा नहीं छोडूँगा। हाथ में तलवार उठाऊँगा और सीधा राजमहल पहुँचकर उसको खाक खून में डूबो दूँगा।"

फरांक ने बेटे को शान्त करते हुए कहा—"मेरे बहादुर बेटे! यह समझदारी की निशानी नहीं है। तुमने अभी दुनिया देखी नहीं है। ज़हाक़ ज़ालिम और ताक़तवर है और उसके पास हज़ारों सिपाही हैं। जब भी वह चाहेगा एक लाख फौजी उसकी सेवा में हाज़िर हो जाएँगे। जवानी के जोश में नादानी मत दिखाओ। माँ की बात गिरह में बाँध लो कि जब तक इस समस्या के समाधान की कोई तरकीब समझ में न आए, तब तक तलवार हाथ में मत उठाना।

❖❖

इधर ज़हाक़ फरीदून के खयाल से हरदम भयभीत रहता और बेख़्याली और घबराहट में कई बार उसके मुँह से फरीदुन का नाम निकल जाता। ज़हाक़ को मालूम था कि फ़रीदुन जिन्दा है और उसके खून का प्यासा है, मगर वह कहाँ छुपा है, इसका पता ज़हाक़ को नहीं था। इसी उलझन और परेशानी में उसके दिन गुज़र रहे थे।

एक दिन ज़हाक़ ने बारगाह सजाने को कहा और स्वयं हाथी दाँत के तख़्त पर बैठा। सर पर फीरोज़े का ताज रखा और हुक्म दिया कि शहर के इबादत करने वाले सभी लोगों को हाज़िर किया जाए। जब ये सारे पुजारी शाह ज़हाक़ के सम्मुख पहुँचे, तो उसने उनकी तरफ चेहरा घुमाकर कहा कि "क्या तुम लोगों को पता है कि एक जवान मेरी जान का प्यासा हो रहा है। मेरे तख़्त व ताज को उलटने के पीछे लगा है। कहने को जवान है, मगर बहुत ताक़तवर और दिलेर है। मेरी जान को हमेशा उस जवान से ख़तरा लगा रहता है। मुझे इस भय से मुक्त होने का कोई रास्ता निकालना पड़ेगा। इसलिए आप लोगों की लिखित गवाही मुझे चाहिए कि मैं एक दयावान, न्यायप्रिय, क्षमादान करने वाला, जनता-प्रेमी शाह हूँ। जब तक कोई दुश्मन मुझे हानि पहुँचाने की नीयत से मेरी तरफ नहीं देखता, तब तक मैं सच्चाई और नेकी के गुणों से भरे रास्ते को नहीं छोड़ता। आप सबसे प्रार्थना है कि आप मेरे गुणों को लिखित गवाही अपने हस्ताक्षरों के साथ दें।"

शाह ज़हाक़ की बात सुनकर धार्मिक, बुद्धिमान, सदाचारी जो भी बड़े-बड़े व्यक्ति वहाँ मौजूद थे, उन्हें साँप सूँघ गया। उन्हें मालूम था कि ज़हाक़ एक क्रूर राजा है। उसका आज्ञा से इंकार करने का क्या हाल होगा उन्हें यह पता था, लेकिन कोई दूसरा चारा न देखकर सबने अपनी लिखित गवाही देना स्वीकार कर ली।

एकाएक दरबार के दरवाज़े पर तेज़ शोर उठा और एक आदमी न्याय की दुहाई देता हुआ सीधा शाह के सम्मुख आन खड़ा हुआ और बोला—"शाह! मैं कावेह आहंगर [लोहार] हूँ। आपसे न्याय की भीख माँगने आया हूँ। अगर

आपका काम न्याय देना है, तो थोड़ा-सा न्याय मेरी झोली में भी डाल दें, क्योंकि मैंने आपके कारण बहुत दुःख उठाए हैं। यदि आप इंकार करते हैं कि आपने मुझ पर कोई अन्याय नहीं किया है, तो बताएँ कि मेरे बेटों की मुझसे क्यों छीना गया?"

मरा बूद हिजदेह पिसर दर जहान
अज़ इशान यकी मान्देह अस्त इन ज़मान
बे बखशाई (व) बर मन यकी दर निगर
कि सुज़ान श्वद हर ज़मानम जिगर

(मेरे अट्ठारह लड़के थे जिसमें से यह आखिरी लड़का बचा है। इसको जीवन-दान दे दें, क्योंकि मैं पहले ही हर बेटे का जख़्म खाया हुआ हूँ।

यकी बीज़बान मर्द आहंगरअम
ज़े शाह आतिश आयद हमी बर सरम

(मैं एक बेज़बान लोहार हूँ, जिस पर शाह के हाथों यह मुसीबत आन पड़ी है।)

काबेह लोहार ने रोते हुए कहा–"शाह! आप तो सात देशों के शहंशाह है फिर यह सारे दुःख हमारे भाग्य में क्यों आए? आप मेरा गुनाह बताएँ कि मुझे यूँ एक-के-बाद एक दर्द से तड़पने की सजा क्यों दी जा रही है। आपको न्याय देना होगा। मेरे आखिरी बेटे की मौत के मुँह से छुड़ाना होगा।"

शाह ज़हाक़ ने बड़े दयालु अन्दाज से कावेह लोहार को देखा और चेहरे पर दुःख के भाव लाया और मन-ही-मन इस लोहार की दिलेरी पर आश्चर्य करते हुए कोई तरकीब सोचने लगा। फिर उसने बड़ी नम्रता से लोहार को दिलासा दिया और सिपाहियों को हुक्म दिया कि फौरन इसके बेटे को रिहा कर दें। सिपाही शीघ्रता से गए और उस लोहार के बेटे को लेकर वापस आए और बाप के हवाले कर दिया। कावेह आहंगर बेटे को देखकर सारा दुःख भूल गया।

अकस्मात ज़हाक़ ने कावेह लोहार से कहा कि देखा तुमने मेरा न्याय? अब तुम दयावान, नेकदिल शाह होने की गवाही इन बुद्धिमानों की तरह लिख दो। कावेह लोहार ने घृणा से भरकर प्रताड़ना भरी फटकार सारे उपस्थित धार्मिक जनों एवं बुद्धिमानों को सुनाई "ओ कायर हृदयहीन लोगों! तुमने अपनी जान की क़ीमत पर अपना नरक खरीदा है। इस ज़ालिम के भय से तुम सबने ग़लत गवाही दे दी, लेकिन यह काम मैं हरगिज़ नहीं करूँगा।" इतना कहकर वह काँपता हुआ उठा और उस गवाही को फाड़कर टुकड़े-टुकड़े कर दिए और बेटे को लेकर दरबार से बाहर निकाल गया।

काबेह लोहार ने अपनी कमर पर बंधा चमड़े का वह टुकड़ा जो आग की चिंगारी से बचाव के लिए बाँधता था, खोला और उसको अपने भाले पर लगाकर उससे पताका बनाई और बाज़ार की तरफ गया और चौराहे पर खड़ा होकर जनता को सम्बोधित करने लगा—"सुनो लोगों! साँपों वाला ज़हाक़! एक अत्याचारी दुष्ट बादशाह है। उससे छुटकारा पाने के लिए उठो और चलो मेरे साथ ताकि फरीदुन आए और इस अपवित्र दैत्य से हमें छुटकारा दिलाए।"

यह ललकार हर खासो-आम के मन की इच्छा थी। जिसने सुनी वही कावेह लोहार के पीछे हो लिया। सभी के दिलों में ज़हाक़ की नफरत का ज्वालामुखी धधक रहा था। कावेह को फरीदुन के रहने की जगह पता थी। यह जुलूस लेकर उसी तरफ गया ताकि अपने नये हाकिम के नेतृतव में यह फौज़ ज़हाक़ के विरोध में युद्ध शुरू करे।

❖❖

फरीदुन ने ऊपर से जो नीचे नजर डाली तो सामने लोगों का समन्दर अपनी तरफ आते देखा। नारे लगाने वालों में सबसे आगे कावेह आहंगर (लोहार) चमड़े का झण्डा लेकर चल रहा था। उसी निशान को फरीदुन ने अपने लिए मुबारक जाना और उसके पास पहुँकर उसने अत्याचार सहने वाली जनता का दुःख-दर्द सुना। फिर फरीदुन ने उनसे कहा कि इस चमड़े के झण्डे को रोम की दीबा और हीरे-जवाहरात से सजाकर इसका नाम 'कावियानी पताका' रखा जाए। इतना कहने के बाद वह लौटा और उसने ज़िरह-बख्तर पहन, कमर पर तलवार कसी और सीधे फरांक के पास पहुँचा और बोला :

"माँ! प्रतिशोध का समय आ गया है। मैं रणक्षेत्र की ओर जा रहा हूँ ताकि ज़हाक़ के ज़ुल्म के इस क़िले को ध्वंस कर दूँ। आप खुदा पर भरोसा रखें। डरने की कोई बात नहीं है। खुदा हमारे साथ है।"

फरांक की आँखें बेटे की बातें सुनकर आँसुओं से भर गईं। उसने बेटे को खुदा की शरण में दिया। फरीदुन के दो बड़े भाई और थे। उनके पास फरीदुन गया और उनसे कहने लगा : भाई! हमारे सर उठाने का समय आ गया है और ज़हाक़ के अस्तित्व के मिटने की घड़ी आन पहुँची है। इस संसार में जीत तो अन्त में नेकी की होती है। यह कावियानी राज सिंहासन हमारा है। और हमको वापस मिलेगा। अभी मैं ज़हाक़ से युद्ध करने ज़ा रहा हूँ। आप लोग लोहे और लोहार का इन्तज़ाम करें ताकि मेरे लिए एक बड़ी और मज़बूत गदा तैयार हो सके।

दोनों भाई लोहारों को मोहल्ले की तरफ गए और देख-भालकर सबसे बढ़िया काम करने वाले लहारों के फरीदुन के पास ले आए। फरीदुन ने ज़मीन पर, एक

काॅवेह आहंगर का विद्रोह

गदा की तस्वीर जो गाय के मुख के आकार से मिलती थी, खींची। उसी को देखकर लहारों ने गदा गढ़ना शुरू कर दिया।

जब गाय के मुख की शक्ल वाली गदा तैयार हो गई तो उसको लेकर फरीदुन घोड़े पर बैठा और उस जन-समूह का नेतृत्व करने लगा जो ज़हाक़ के विरोधी थे। ईरानियों का यह जन-समूह पल-पल संख्या में बढ़ रहा था। फ़रीदुन ज़हाक़ के राजमहल की तरफ इस विरोधी समन्दर के सँग बढ़ा। चलते-चलते शाम हो गई। रात के अन्धेरे में एक स्वर्ग की अप्सरा सुगन्ध से लिपटी हुई उस फौजी पड़ाव में दाखिल हुई और सीधे फरीदुन के सम्मुख प्रकट हुई। उसकी शक्ल देखकर फरीदुन ने सोचा, कहीं यह शैतान तो नहीं है। मगर जब उस परी ने ज़हाक़ को मारने की तरकीब बताई, तो वह समझ गया कि यह खुदा का भेजा फरिश्ता है और मेरे लिए नेक शगुन है।

थोड़ी देर बाद रसोइया स्वादिष्ट खाने का थाल फरीदुन के पास ले आया, जिसको बड़े चाव से भरपेट फरीदुन ने खाया। खाते ही उसको नींद ने आ दबोचा और वह गहरी नींद में सो गया। फरीदुन के दोनों बड़े भाई यह अवसर पाकर सीधे ऊँचाई पर चढ़कर बड़ा पत्थर लुढ़काने लगे ताकि वह ऊपर से सीधे फरीदुन के सर पर गिराकर उसका काम तमाम कर दे। मगर पत्थर ठीक फरीदुन के सर के पास जाकर गिरा और वहीं अटक गया। उस धमाके की आवाज से घबराकर फरीदुन जाग गया। उसने इस घटना की चर्चा किसी से भी नहीं की।

सुबह होते ही वह दजला नदी की तरफ चल पड़ा। नदी किनारे पहँच कर उसने मल्लाहों को आज्ञा दी कि वह अपनी नावें और किश्तियाँ लेकर हाज़िर हों ताकि फौज नदी के पार उतर सके। मल्लाहों के सरदार ने अपनी मज़बूरी बताते हुए कहा कि बिना शाह ज़हाक़ के आज्ञा-पत्र के वह ऐसा नहीं कर सकता। यह सुनकर फरीदुन को क्रोध आया। वह घोड़े पर बैठा और पानी पार करने लगा। उसको देखकर सारे सिपाही अपने-अपने घोड़े के साथ नदी पार करने लगे। उनके कंधे और सर पानी में डूब रहे थे। यह देखकर मल्लाह दूर हट गए और कुछ ही देर में सारे सिपाही नदी के उस पार पहुँच गए।

जब वे बग़दाद शहर के समीप पहुँचे तो, मील भर दूर से उन्हें गगनचुम्बी महल नज़र आया, जो किसी नयी दुल्हन की तरह सजा हुआ था। समझने में देर नहीं लगीकि यह ज़हाक़ सितमगर का ही महल है। सारा लश्कर उसी महल की ओर फरीदुन के पीछे-पीछे चल पड़ा। पता चला कि शहर में ज़हाक़ ज़ालिम मौजूद नहीं है। महल के दरबान दैत्यों की तरह रास्ता रोककर खड़े को गए। फरीदुन ने अपनी गदा के वार से दरबानों को मार गिराया और अन्दर दाखिल हुआ। उसी

तरह से आगे बढ़ता रहा। आखिर वह ज़हाक़ के तख़्त के क़रीब पहुँच गया। तख़्त खाली था। फरीदुन ने तख़्त पर कब्ज़ा कर लिया और उस पर बैठ गया। इस तरह से सारे सिपाही पूरे महल मैं फैलकर अपने-अपने आसन पर जम गए।

इसके बाद फरीदुन ज़हाक़ के हरम में दाखिल हुआ जहाँ पर ज़हाक़ ने शाह जमशेद की बहनों शहरनवाज़ और अरनवाज़ को क़ैद कर रखा था। वे दोनों ज़हाक़ से भयभीत मौत के समीप पहुँच गई थीं। उनको फरीदुन ने आज़ाद किया और बाहर निकाला। शाह जमशेद की दोनों बहनें खुशी के मारे रोने लगीं और कहने लगीं कि हम वर्षों से ज़हाक़ की क़ैद में थे। उसके साँपों ने हमकों बहुत परेशान किया। खुदा का हज़ार शुक्र है कि आपने हमें उस सितमगर के पंजे से आज़ाद कर दिया।

फरीदुन ने उन दोनों शहज़ादियों से कहा कि वह दोनों अब अपने को ज़हाक़ द्वारा दिये गए दुःखों से पाक करें और इत्र व अम्बर से बसे लिबासों और जवाहरात से अपने को सजाएँ। अब उनके दुःख के दिन दूर हो चुके हैं।

फरीदुन जब तख़्त पर बैठा तो उसने एक तरफ शहरनबाज को बिठाया और दूसरी तरफ अरनवाज़ को और कहा कि वह जल्द से जल्द ईरान से ज़हाक़ का बजूद उखाड़ फेंकेगा। इस ज़ालिम ने उस बेज़ुबान गाय को मरवा डाला था, जिसका दूध पीकर मैं बड़ा हुआ था। वास्तव में वह गाय मेरी माँ थी। मैं आतवीन का बेटा हूँ और गेरा प्रण है कि :

सरश रा बेदिन गुर्ज-ए-गाउ चहर
बेकूबम न बख़्शाइश आरम न महर

(उसका चेहरा उसी गाय के चेहरे वाली गदा से गुचल दूँगा। न उसको क्षमा करूँगा और न ही उस पर तरस खाऊंगा।)

ये बातें सुनकर अरनवाज़ ने अपने दिल की बात कहने में कोई झिझक महसूस नहीं की। और निडर होकर कहा कि :

कुजा हुशे जहाक् बर दस्ते तुस्त
गुशाद जहान अज़ कमर बस्ते तुस्त

(ज़हाक़ की समाप्ति आपके हाथों ही लिखी है। इसके प्रभाव को उखाड़ना आपके ही बस की बात है।)

अरनवाज़ की इच्छा सुनकर फरीदुन ने उसको विश्वास दिलाते हुए कहा कि वह उस अपवित्र साँपों वाले ज़ालिम को मारकर इस संसार को उसके आतंक और अत्याचारों से ज़रूर मुक्त कराएगा। मगर अरनबाज़ को बादशाह का पता बताना पड़ेगा कि वह आखिर हैं कहाँ?

शहरनबाज़ औरअरनवाज़ ने फरीदुन की बात सुनकर ज़हाक़ का भेद खोल दिया और बताया कि "वह हिन्दुस्तान की तरफ गया हुआ है। उसको फरीदुन द्वारा मारे जाने का भय सताए हुआ था कि इसी बीच उसको किसी ज्योतिषी ने बताया है कि अगर तुम्हारा सर और बदन खून से धो दिया जाए, तो उस सपने का अर्थ बदल जाएगा, ज्योतिषी झूठा साबित होगा और तुम पर से मनहूस साया हट जायेगा। स्वयं ज़हाक़ के लिए अब यह धरती भारी पड़ रही है। उसके दोनों कन्धे के साँप उसे कहीं चैन नहीं लेने देते और साँपों के खाने के लिए हज़ारों लोगों के खून से अपने हाथ रँगने पड़ रहे हैं, जिसके लिए उसको एक मूल्क़ से दूसरे मुल्क़ की ओर जाना पड़ता है।"

❖❖

ज़हाक़ का एक वफ़ादार नौकर था जिसका नाम 'क़न्दवर' था। ज़हाक़ ने जाते हुए अपने ख़जाने की कुंजी, राजमहल की ज़िम्मेदारी उसको सौंपी थी। कन्दवर राजमहल की तरफ दौड़ा आया। महल में पहुँचकर उसने देखा कि राजसिंहासन पर तो एक सजीला जवान बादशाह बना बैठा है। जिसके एक तरफ शहरनवाज़ और दूसरी ओर अरनवाज़ बैठी हैं। पूरा शहर फौज से भरा हुआ है और यहाँ भी हथियारबन्द सिपाही क़तार से खड़े हैं। क़न्दवर ने किसी से कुछ न कहा, न सुना, न आश्चर्य प्रकट किया बल्कि बिना मुँह से कुछ बोले अन्दर गया और चुपचाप फरीदुन के समीप जाकर सम्मान से झुका और आदर के साथ उसने कहा : "शाह! आप ही इस सात देशों के शहनशाह बनने के क़ाबिल हैं।"

फरीदुन ने उसको महफिल सजाने का हुक्म दिया। क़न्दवर ने सारा बन्दोबस्त कर दिया, जिसका हुक्म फरीदुन ने उसको दिया था। गायकों ने तान उठाई और साक़ी ने जाम भरे। वातावरण खुशी से झूम उठा। फरीदुन भी प्रसन्नता से शराब के घूँट भरने लगा।

जैसे ही सुबह का तारा डूबा, कन्दवर घोड़े पर सवार हुआ और तेज़ी से ज़हाक़ की तरफ लपका। वहाँ पहुँचकर उसने जो देखा था वह ज़हाक़ को कह सुनाया कि "ए शाह! आप यहाँ पर बैठे हैं और तीन जवान एक लम्बी फौज के साथ ईरान से बग़दाद पहुँच गए हैं। उनमें से सबसे छोटे लड़के का मुखमण्डल एक विचित्र तेज़ से प्रकाशमान है। उसके पास एक गदा है और वह पहाड़ों को भी उखाड़ने का बल रखता है। वह इस तरह हाकिम बना आपके तख़्त पर बैठा है जैसे कि हाथ बाँधे सारे दरबारी, बुद्धिमान और सिपाही उसके आज्ञाकारी बन चुके हैं!"

ज़हाक़ ने कन्दवर की बात सुनकर बड़ी लापरवाही से जवाब दिया कि हो

सकता है कि वह अतिथि हो और उसकी आवभगत में आँखें बिछाई जा रही हों। यह सुनकर कन्दवर बोला कि वह आपके तख़्त व ताज सब पर अधिकार जमाए हुए है।

ज़हाक़ ने उसी लहजे में कहा कि अतिथि की इतनी गुस्ताख़ी को अच्छा शगुन मानकर टाल दो, इसको लेकर दुखी मत हो।"

क़न्दवर ने शाह ज़हाक़ का यह सहज उत्तर सुनकर तनिक कटाक्ष भरे स्वर में कहा "अगर वह दिलावर आपका मेहमान है, तो उसको आपके हरम से क्या लेना-देना। वह शबरनवाज़ और अरनवाज़ को ज़नानखाने से बाहर निकाल लाया है जो कभी आपके दिल का सुकून थीं। अब वह दिलावर एक तरफ शहरनवाज़ का हाथ पकड़ता है और दूसरी तरफ अरनवाज़ के होठों का स्पर्श करता है। रात को उनके लम्बे बालों के साए में तकिये पर सर रखता है। इन बातों को सुनकर एकाएक ज़हाक़ की ग़ैरत जाग गई और वह आग-बबूला हो उठा। उसने बड़े कठोर स्वर से कन्दवर को फटकारते हुए कहा 'तुमसे महल की रक्षा भी न हो सकी। मैंने तुमको वहाँ किसलिए छोड़ा था? आज से तुम मेरे रक्षक नहीं हो।'

शाह ज़हाक़ ने घोड़े पर ज़ीन कसने का हुक्म दिया और उसी समय बग़दाद की तरफ चल पड़ा। उसके पीछे उसके सिपाही भी थे। इधर फरीदुन की फौज को ज़हाक़ की वापसी की खबर मिली। सारे फौजी उस तरफ चल पड़े। शहर के बूढ़े जवान सभी ज़हाक़ के विरोध में उठ खड़े हुए जो आज तक उसके अत्याचारों से भयभीत घरों में छुपे हुए थे। उसके नारों की आवाज़ से पहाड़ गूँज रहे थे और घोड़ों की टापों से ज़मीन धमक रही थी। वातावरण में धूल के काले बादल छा गये थे। एकाएक आतिशकदेह से आवाज़ उभरी कि अब शाह ज़हाक़ को सहन करना कठिन है।

उस उत्तेजित भीड़ में सूरज की तरह चमकता एक चेहरा नजर आया जो जिरह-बख्तर पहने हुए था ताकि उसको राजमहल में कोई पहचान न सके। वह वास्तव में शहरनबाज़ थी, जो फरीदुन की सहायता के लिए निकली थी और ज़हाक़ के विरोध में हथियार उठाना एक नेक काम समझ रही थी। फरीदुन की गदा काम आई और ज़हाक़ को क़ैद कर लिया गया। उसके हाथ-पैर चमड़े की रस्सी से बाँध दिए गए। फिर उसको आग में डाल दिया गया और उसके मूँह पर पत्थर रख दिए गए ताकि संसार के लोग सुख की साँस ले सकें। इसके बाद फरीदुन ने शहर के बुजुर्गों और बुद्धिमानों को जमा करके कहा कि "ज़हाक़ जैसे अत्याचारी शाह ने वर्षोंराज किया और इस ज़मीन को लोगों के खून से रंगा। उसने न खुदा को याद किया और न नेकी की राह पर चला। ख़ुदा ने मुझे भेजा

शाह ज़हाक़ व फरीदून

ताकि मैं उसके ज़ुल्म से जनता को मुक्त करूँ। खुदा ने मुझे इस क़ाबिल बनाया और मैं इस परीक्षा में सफल हुआ। अब आप मुझसे नेकी के अतिरिक्त कुछ और नहीं देखेंगे। आप सब खुदा का शुक्र अदा करें। हथियार और युद्ध को भूलकर अपने परिवार के साथ सुख-चैन से रहें।"

ये बातें सुनकर जनता खुश हुई। फरीदुन शाही तख़्त पर बैठा और न्याय और सत्य के रास्ते पर चला। ज़ुल्म की रस्म खत्म हुई और लोगों ने चैन की साँस ली।

दास्तान-ए-साम व सीमुर्ग़

ज़ाबुलिस्तान का अमीर साम नरीमान अपने ज़माने का नामवर पहलवान था। उसके पास आराम की सारी वस्तुएँ मौजूद थीं। मगर औलाद न होनेसे दुःखी रहता था। वर्षों गुजर गए। आखिर साम की पत्नी नौ बहार गर्भवती हुई और उसने एक लड़के को जन्म दिया। बच्चे का चेहरा लाल, आँखें काली और सर के बाल बिल्कुल सफेद थे। अपने बेटे की यह शक्लसूरत देखकर माँ ग़म में डूब गई। सप्ताह भर तक साम से यह बात छुपाई गई, क्योंकि उसको यह समाचार सुनाने की हिम्मत किसी में नहीं थी।

बच्चे की दाई दिलेर औरत थी। उससे नहीं रहा गया और वह साम के पास गयी और कहने लगी–“स्वामी! बधाई हो, आपके यहाँ एक नेक चेहरे वाले मोटे-ताज़े तन्दुरुस्त बच्चे ने जन्म ले लिया है, जिसका चेहरा सूर्य की तरह सुर्ख व तेजस्वी है, बस उसके सर के बाल सफेद हैं। आपके भाग का लिखा यही था। इसक दुःख न करें। यह खुशी की घड़ी है इसलिए आप खुशी मनाएँ!”

दाई की बात सुनकर साम तख़्त से उतरा और लपककर अन्दर नौबहार के पास पहुँचा, जहाँ बच्चा था। बच्चे को देखकर साम सहम गया और भयभीत होकर सोचने लगा कि मुझसे क्या ग़लती हुई जो खुदा ने मुझे ऐसा बच्चा दिया। फिर उसको इस बात की चिन्ता सताने लगी कि सफ़ेद बाल, काली आँखें और लाल मुँह के इस बच्चे को देखकर सब उसका मज़ाक उड़ाएँगे कि वर्षों बाद पुत्र जन्मा, वह भी विचित्र शक्ल-सूरत के साथ। साम को लगा कि वह बच्चा मनहूस है। शैतान का दूसरा रूप है। इसका यहाँ रहना ईरान के लिए अपशकुन हो सकता है। इसलिए इसको यहाँ नहीं रखना है, बल्कि कहीं दूर फिकवा देना है। इतना सोचकर साम बाहर आया और सिपाहियों को हुक्म दिया कि यहाँ से दूर जो अलबुर्ज़ पर्वत है, जिस पर सूरज सीधा चमकता है, वहाँ इस शैतान बच्चे को फेंक आएँ।

सिपाही नवजात शिशु को माँ के प्यार से दूर, बिना दूध व लिबास के अकेला

सीमुर्ग़ व ज़ाल

पहाड़ पर छोड़ आए, जिसको यह भी नहीं पता था कि काला रंग क्या होता है और सफेद रंग किसे कहते हैं। वह पहलवान का बेटा रात दिन अकेला पड़ा कभी भूख से रोता, तो कभी अंगूठा चूसता। उस अलबुर्ज़ की चोटी पर सीमुर्ग़ पक्षी का घोंसला था। अपने भूखे बच्चों के लिए चारे की तलाश में जब वह नीचे की तरफ उड़ा, तो इन्सानी बच्चे के रोने की आवाज़ से सारा पहाड़ गूँजता पाया। सीमुर्ग़ और नीचे उतरकर बच्चे के पास पहुँचा और देखा कि :

यकी शीर ख़्वारे, ख़रुशन्दे दीद
ज़मीन हम चू दरियाए जूशन्दे दीद
जे ख़ाराश गहवारा व दाया खाक
तन अज़ जामे दूर, व लब अज़ शीर पाक

(एक बच्चा जलती ज़मीन पर पड़ा रोए चला जा रहा है, जिसका पालना काँटों की झाड़ थी और धाय थी गर्म जमीन। उसके होंठ दूध के बिना सूखे हुए थे और तन पर कोई कपड़ा मौजूद न था।)

सीमुर्ग़ को बच्चे पर दया आ गई और वह अपने भूखे बच्चों को भूल कर नीचे उतरा, जलते पत्थर पर से बच्चे को चोंच से उठाया और दमान की तरफ उड़ा, जहाँ उसका घोंसला था। उसके बच्चे इस रोते हुए सुन्दर बालक को देखकर ताज्जुब में पड़ गए। उसके मन में भी सीमुर्ग़ की तरह प्यार उमड़ा और प्यार से बच्चे का बदन अपने पैरों से सहलाने लगे। सीमुर्ग़ के मन में इस बच्चे के लिए ममता उमड़ आई थी। उसने बड़े प्यार से अपने बच्चों के साथ उसको भी पाला। यहाँ तक कि वह एक लम्बा तगड़ा जवान बन गया।

एक दिन अलबुर्ज़ पर्वत से एक क़ाफिला गुज़र रहा था क़ाफिले वाले सफेद बालों वाले इस लड़के और सीमुर्ग़ को देखकर ताज्जुब में पड़ गए। लौटकर उन्होंने यह कहानी सब लोगो को सुनाई। धीरे-धीरे, जंगल की आग की तरह यह बात एक से दूसरे तक फैल गई कि पर्वत पर एक जवान रहता है जिसकी आँखें काली और बाल सफेद हैं। आखिर यह खबर साम नारीमान के मानों तक भी पहुँची।

एक रात साम ने सपने में घोड़े पर एक हिन्दुस्तानी सवार को देखा जो खुशखबरी सुना रहा है कि उसका बेटा ज़िन्दा है। यह देख, साम एकाएक जागा और चौंककर बिस्तर से उठ बैठा। उसने बुद्धिमानों एवं ज्योतिषियों को जमा किया। उसके सामने क़ाफिले वालों की बातें और अपना सपना कह सुनाया ताकि उलझी गुत्थी को सुलझा सकें और साम को उचित सलाह दे सकें।

सभी ने हक़ीक़त जानकर साम की निन्दा की और कहा कि उसने खुदा की दी हुई नियामत का अनादर किया है जबकि—

कि बर संग व बर ख़ाक शीर व पलंग
चे माही बेआब अन्दरुन या नहंग
हमे बच्चे रा परवारान्दे अन्द
सताइश बेयज़दान रसान्दे अन्द

(क्या गुफा, क्या ज़मीन, हर जगह शेर और चीते; पानी में मछली और घड़ियाल अपने बच्चों को पालते हुए खुदा का शुक्र अदा करते हैं।)

इसके बाद उन्होंने साम को बुरा-भला कहते हुए समझाया भी कि सिर्फ सफेद बाल होने के कारण तुमने उस मासूम बच्चे को अपने से अलग कर दिया और बियाबान पहाड़ पर छोड़ आए। याद रखो, खुदा जिसको ज़िन्दा रखना चाहता है, उसको कोई भी नहीं मार सकता है। इसलिए सारे कष्ट झेलने के बाद भी तुम्हारा बेटा ज़रूर ज़िन्दा होगा। जाकर उसको वापस लाओ और ख़ुदा से माफी माँगो।

रात को जब साम सोया, तो फिर उसने एक सपना देखा कि हिन्दुस्तान की पहाड़ियों की ओर से सिपाहियों के साथ एक जवान हाथ में झण्डा उठाए चला आ रहा है। उसके दोनों तरफ दो बुद्धिमान चले आ रहे हैं! उनमें से एक आगे बढ़ा और डपट कर बोला—"ओ नापाक मर्द! तू इतना कठोर दिल का भी हो सकता है कि जिस बच्चे को तूने ख़ुदा से रो-रोकर माँगा था, उसी को पहाड़ पर फिंकवा दिया? उसको तो तूने सफेद बालों की सजा दे दी, मगर अपने को भी देख! तेरे सर के बाल भी सफेद हो रहे हैं। क्या इन पर रोज़ नये रंग लगायेगा? तू अपने को किसी तरह बाप कहलाने का हक़दार नहीं है, जबकि तेरे बेटे को एक पक्षी ने पाल-पोस कर बड़ा किया है।"

साम घबराकर सपने से जागा और अलबुर्ज़ की ओर जाने की तैयारी करने लगा। जब पर्वत के पास पहुँचा तो देखा कि उसकी चोटी पर सीमुर्ग़ का बड़ा-सा घोंसला किसी किले की तरह नीचे से नज़र आ रहा है, जिसमें एक जवान बड़े आराम से टहल रहा है। साम समझ गया कि वह फुर्तीला मज़बूत जवान उसी का बेटा है घोंसले तक जाने के लिए साम पहलवान रास्ता ढूँढ़ता रहा, मगर वहाँ पहुँचने की कोई राह उसे नज़र नहीं आई। उसे महसूस हुआ जैसे सीमुर्ग़ का घोंसला सितारों के नज़दीक हो, जहाँ पहुँचना ग़ैरमुमकिन है। साम ने ख़ुदा के आगे सर झुकाया, उससे क्षमा याचना करते हुए कहा कि "ओ मालिक! मुझ पर रहम कर और मुझे रास्ता दिखा ताकि मैं अपने बेटे तक दोबारा पहुँच सकूँ।"

एकाएक घोंसले से सीमुर्ग़ ने नीचे नज़र डाली, तो साम को चोटी के नीचे पहाड़ पर खड़े पाया। समझ गया कि यह बच्चे को बाप है। सीमुर्ग़ जवान के पास आया और कहने लगा "बहादुर! मैंने तुम्हें आज तक एक दाया की तरह

पाला है। तुमको बोलना सिखाया है। अब वक्त आ गया है, जब तुम्हें अपने घर लौट जाना चाहिए। तुम्हारा बाप तुम्हें ढूँढ़ रहा है। आज से मैंने तुम्हारा 'दस्तान' रखा है और आज के बाद तुम्हें इसी नाम से पुकारा जायेगा।"

"क्या आपका दिल मुझसे भर चुका है जो मुझे मेरे बाबा के पास भेज रहे हैं?" सीमुर्ग़ की बात सुनकर दस्तान की आँखों में आँसू भर आए और वह कहने लगा कि–

नशीमे तो रखशन्दे गाह, मनअस्त
दो पर्रे तो, फर्रे कुलाह, मन अस्त

(मैं इस घोंसले और इस चोटी के साथ पलकर बड़ा हुआ हूँ। आपके इन दो डैनों ने मुझे ज़िन्दगी दी है।)

दस्तान की बातें सुनकर सीमुर्ग़ ने उसको दिलासा देते हुए कहा "मैं तुझसे रिश्ता नहीं तोड़ रही हूँ। मैं हमेशा ही दाया की तरह तुम्हें प्यार करूँगी, लेकिन तुमको ज़ाबुलिस्तान लौटना होगा जहाँ तुम्हें पहलवानी व जंग करनी पड़ेगी। यह पक्षी का घोंसला तुम्हारे किस काम आयेगा। लेकिन मेरी तरफ से एक निशानी लेते जाओ। यह मेरे पंख हैं जब तुम पर कोई कठिनाई आए, इन परों को आग

पहलवान साम का नीचे से बेटे ज़ाल व सीमुर्ग़ को देखना

में डाल देना, मैं फौरन उड़कर तुम्हारी सहायता करने पहुँच जाऊँगी!" इतना कहकर मादा सीमुर्ग़ ने अपनी पीठ पर दस्तान को बिठाया और पहाड़ की चोटी से उड़कर नीचे साम के पास पहुँचा दिया।

अपने सामने एक लम्बे-चौड़े मजबूत जवान को देखकर साम की आँखें भर आईं। उसने सीमुर्ग़ को धन्यवाद दिया, जिसने उस नवजात को पाल-पोसकर आज तक ज़िन्दा रखा। फिर बेटे से अपने किये की क्षमा माँगी। ज़ाबुलिस्तान के पहलवानों एव जवानों ने जो इतना बलवान जवान देखा तो उसको चारों तरफ़ से घेरकर उसकी तारीफें करने लगे। खुशी के नारों के साथ साम नरीमान खुदा के आगे सिज़दे में गिरा और बोला कि इस गुनहगार बन्दे पर अब दया कर।

हमीं पूर रा ज़ालज़र ख़्वान्द साम
चू दस्ता वरा कर्द सीमुर्ग़ नाम

[साम ने बेटे का नाम ज़ालज़र रखा जिसको सीमुर्ग़ दस्तान पुकारता था।]

दास्तान-ए-ज़ालज़र व रुदाबे

शाह फरीदुन के तीन बेटे थे जो आपस में बहुत लड़ते-झगड़ते थे। यह देखकर शाह फरीदुन बहुत चिन्तित रहता था। एक दिन उसने सलाह-मशविरा करने के बाद अपने साम्राज्य को तीन हिस्सों में बाँट दिया ताकि एक-एक हिस्सा अपने बेटों में बाँट दे। इससे वे अपने-अपने मुल्क और अपनी हुकूमत में व्यस्त हो जायेंगे और आपसी मन मुटाव एवं कड़वाहट समाप्त हो जायेगी। यह सोचकर उसने सबसे बड़े बेटे सलम को रोम और बाख़्तर का हिस्सा दिया। मँझले बेटे तूर को चीन और तुर्किस्तान का, तीसरे बेटे इरज को ईरान और अरबिस्तान का भाग दिया।

इस बटवारे के बाद भी उनके अपसी झगड़े समाप्त नहीं हुए और एक दिन इरज अपने दोनों बड़े भाइयों के हाथों मारा गया। फरीदुन को अपने छोटे बेटे से बहुत-सी आशाएँ थीं। सब धूल में मिल गईं। इरज की पत्नी 'माहआफरीद' गर्भवती थी। पति के देहान्त के बाद उसने चाँद-सी बेटी को जन्म दिया।

फरीदुन पोती पर जान छिड़कता था। जब वह जवान हुई, तो उसने अपने भाई के बेटे से जो ईरान का नामी पहलवान था और जिसका नाम पिसंग था, अपनी पोती की शादी कर दी। कुछ समय बाद पिशंग एवं इरज की पुत्री के घर एक पुत्र का जनम हुआ। उस पुत्र का नाम मनुचहर रखा गया। फरीदुन पड़पोते का मुँह देख-देखकर खुश होता था।

समय के उतार-चढ़ाव के साथ फरीदुन भी बूढ़ा होता चला गया और एक दिन उसने अपने हाथों से मनुचहर के सर पर ताज रखा और कहा कि "मैं अब इस संसार से विदा ले रहा हूँ। मैंने तीनों बेटों के जख्म उठाए हैं। अब केवल तुमसे ही आशा है कि तुम इस हुकूमत की बागडोर अच्छी तरह सँभालोगे।"

इसी के साथ फरीदुन ने साम नरीमान नाम के पहलवान से कहा कि मैं तो जा रहा हूँ, मगर मेरे पीछे ईरान और मेरे पड़पोते मनुचहर का ध्यान रखना। इतना कहकर फरीदुन ने आसमान की तरफ सर उठाकर कहा—खुदाया! मैं तुम्हारा शुक्र अदा करता हूँ कि तुमने मुझे तख़्त व ताज दिया। कठिनाई के समय में

मेरी सहायता की और मुझे इन्साफ़ की राह पर चलाया।

❖❖

माज़नदरान के दैत्यों और भेड़ियों ने जो उपद्रव मचाया उसने ईरान के शहंशाह मनुचहर चिन्तित हुआ। जाबुलिस्तान के सरदार नरीमन पहलवान ने उन दैत्यों और भेड़ियों को खत्म करने के लिए ईरान की यात्रा की तैयारी शुरू कर दी और जाने से पहले उसने अपनी ज़िम्मेदारी अपने बेटे ज़ालज़र को सौंपते हुए कहा कि–

चुनान दान कि ज़ाबुलिस्तान खान तुस्त
जहान सर बे सर ज़ीरे फरमान तुस्त

(अब तुम अपने को ज़ाबुलिसतान का शासक समझो। सारा राज्य तुम्हारी आज्ञा का पालन करेगा।)

इसके बाद साम ने आगे ज़ालज़र को उपदेश देते हुए कहा कि "सारे खज़ाने की कुंजी तुम्हारे हाथ में है। तुम जहाँ आराम और ऐश करना वहीं पर न्याय के कामों के लिए युद्ध करने से पीछे भी न हटना! मुझे तुम पर विश्वास है क्योंकि तुम युद्ध की सारी कलाओं में निपुण हो!"

पिता की बातें सुनकर 'ज़ालज़र' ने जवाब दिया कि–

कसी ब गुनाहगर ज़े मादर बे ज़ाद
मन आनअम सज़द गर बे नालम बेदाद

(मैं माँ के पेट से ही गुनाहगार पैदा हुआ हूँ। मगर मैं वह हूँ जो कभी फरियाद में रोता नहीं हूँ)

ज़ालज़र ने पिता की जुदाई को अपने अन्दाज़ से बयान करते हुए कहा कि आपने मुझे हमेशा अपने से अलग रखा। कभी मुझे पहाड़ पर छोड़ आए थे, जहाँ मैं अकेला था। मेरी गिनती पक्षियों में होती थी। अब आप मुझे यूँ अकेला छोड़कर युद्ध में जा रहे हैं।

साम ने ज़ालज़र को सीने से लगाया। तभी फौज के कूच का नगाड़ा बज उठा। पिता पुत्र भारी मन से एक-दूसरे से अलग हुए।

❖❖

साम के ईरान की तरफ चले जाने के बाद काबुल के नये शासक ज़ालज़र ने एक दिन तो शिकार खेलकर गुज़ारा और दूसरे दिन वह सहरा की तरफ चल पड़ा।

सुए किश्वरे हिन्दुवान कर्द राई
सुए काबुल व दनबर व मुर्ग व माइ
बेहर जाइगाही बिया रास्ती
मय व रुदो व रामिशिगरान ख़ास्ती

(ज़ालज़र दोस्तों बहादुरों व चन्द सिपाहियों के संग हिन्दुस्तान और काबुल की तरफ चल पड़ा। यह काफ़िला किसी झरने या चश्मे के समीप सुस्ताने को ठहरता, तो ज़ालज़र संगीत की फरमाइश करता और गायकों की तान पर दोस्तों के संग शराब के जाम उठाता।)

इसी हँसी-खुशी के साथ क़ाफ़िला आख़िर काबुल पहुँचा। काबुल के शासक का नाम मेहराब था। वह एक बुद्धिमान और दिलेर आदमी था। मेहराब ज़हाक़ की नस्ल से था। जब उसने सुना कि साम का बेटा ज़ाल काबुल की ओर जा रहा है, तो वह बहुत खुश हुआ और उसके स्वागत के लिए उसने ज़र जवाहर, खिलअत, दीबा, दीनार, याक़ुत, इत्र व अम्बर के साथ गुलाम और सिपाहियों को उपहार भेजा जिसमें एक सोने का कामदार हार और मोतियों का ताज भी था।

जब ज़ालज़र के पास उपहार लेकर मेहराब पहुँचा तो ज़ालज़र ने उसे सम्मान के साथ फिरोज़े के तख़्त पर बिठाया। महफिल सज गई। गायकों ने तान छेड़ी और संगीतकारों ने साज बजाने शुरू कर दिए। शराब से भरे जाम आए और अतिथि के आगे पेश किये गये। व्यंजन से भरा खान (थाल) सामने रखा गया। मेहराब ने जब साम के बेटे ज़ालज़र की ओर निगाह भरकर देखा, तो उसका दिल धड़क उठा। चेहरे पर खुशी की लाली फैल गई। मन में ज़ालज़र के लम्बे कद और बलिष्ठ भुजाओं को देखकर सोचने लगा कि जिसके पास ऐसा पुत्र हो, उसको और क्या चाहिए, उसको तो संसार की सारी दौलत मिल गई है।

चू मेहराब बरख़ास्त अज़ ख़्वाने ज़ाल
निगह कर्द ज़ाल, अनदरआन बरज़ोयाल
चनीन गुफ्त व मेहतरान ज़ालज़र
कि ज़ीबन्दे तर अज़ इन कि बन्दद कमर

(जब मेहराब अपनी जगह से उठा और चलने लगा तो ज़ालज़र उसके बलिष्ठ कन्धे और सीने को देखकर चकित रह गया। यह देखकर ज़ालज़र को उसके एक दिलेर साथी ने बताया कि मेहराब से कहीं सुन्दर उसकी बेटी है।)

फिर उसने बेटी का ब्यान इन शब्दों में किया : जिसका मुखड़ा सूर्य की तरह ओजवान है। उसका चरित्र हाथी दाँत की तरह उज्ज्वल और बेदाग। क़द सर्व के वृक्ष की तरह लम्बा और अनार के फूल की तरह लाल और होंठ अनार दाने की तरह जो देखने में बहार की तरह तरोताज़ा है। जिसकी आँखें जैसे बाग़ में खिले दो नरगिस के फूल जिस पर कौवे के परों की तरह काली पलकें और भौंहें कमान की तरह हैं।

मेहराब की बेटी की प्रशंसा सुनकर उसको देखने के लिए ज़ालज़र बेचैन हो

उठा। उस लड़की के प्रति ज़ालज़र का मन अनुराग से भर उठा। और आँखों से नींद उड़ गई। एक बेचैनी उसको सारी रात तड़पाती रही।

चूँकि मेहराब ज़ालज़र के खेमे में उस दिन गया था और ज़ालज़र ने उसका अच्छा आदर-सत्कार किया था। इसलिए चलते समय ज़ालज़र ने बड़े प्यार से पूछा भी था कि यदि कोई इच्छा हो तो कहें। मेहराब ने ज़ालज़र के इस सम्मानपूर्वक कथन को सुनकर जवाब दिया था कि "ऐ नामदार! मेरी सिर्फ एक इच्छा है कि आप अपनी महानता का परिचय दें और एक दिन हमारे अतिथि बनने का सौभागय हमें बख़्शें।" उसकी बात सुनकर ज़ालज़र के मन में मेहराब की लड़की को एक नज़र देखने की इच्छा मचल उठी। मगर फिर सहज होकर उसने मेहराब को जवाब दिया कि इसके अलावा आप मुझसे और कुछ भी चाहते तो, मैं इंकार कभी न करता। लेकिन मेरे पिता साम नरीमान और ईरान के बादशाह मनुचहर यह कभी पसन्द नहीं करेंगे कि मैं ज़हाक़ के खानदान के किसी सदस्य का अतिथि बनकर उसके साथ 'ख़ान' (भोजन का थाल) पर बैठूँ।

ज़ालज़र का जवाब सुनकर मेहराब उदास होकर लौट आया मगर ज़ालज़र के दिल व दिमाग़ से उसकी लड़की का ख़्याल नहीं उतरा।

❖❖

मेहराव जब ज़ालज़र से मिलकर लौटा तो उसने अपनी पत्नी सीनदुख़्त से उसकी खूब प्रशंसा करी। उसकी बेटी 'रुदाबे' भी वहीं बैठी थी। गिता के मुख से ज़ालज़र के गुणों की विस्तार के साथ चर्चा और उसके चेहरे एवं व्यक्तित्व का बयान सुनकर रुदाबे को लगा कि उसका मन ज़ालज़र को देखने के लिए व्याकुल हो उठा है।

रुदाबे की पाँच सखियाँ ऐसी थीं जो उसके दिल का हर भेद जानती थीं। रुदाबे ने अपने मन की इच्छा उनके सामने खोल दी। सुनकर सखियाँ उसको समझाने लगीं कि यह कैसी दीवानगी तुम पर तारी हो गई है, जो तुम उस सफेद बालों वाले की ओर खिंची जा रही हो, जबकि सात देशों के दिलेर और सुन्दर राजा एवं राजकुमार तुम्हारे सौन्दर्य पर मुग्ध हैं?

उपदेश भरी ये बातें सुनकर रुदाबे ने उनको झिड़का कि कैसी बेवकूफी भरी बातें कर रही हो। तुम लोगों के सोचने का अन्दाज़ ग़लत है। असल में जब मैं चाँद की दीवानी हूँ, तो फिर सितारे मेरे किस काम के? मैं तो ज़ालज़र की दिलेरी और बहादुरी पर मिटी हूँ न कि उसके चेहरे पर। उसके प्यार के आगे रोम और चीन के बादशाह भी मेरे सामने कोई क़ीमत नहीं रखते हैं।

रुदाबे के ये तेवर देखकर सखियाँ समझ गईं कि रुदाबे के मन में ज़ालज़र

का अनुराग अपनी गहरी जड़े जमा चुका है। यह बात समझकर उन्होंने रुदाबे से कहा कि ओ चाँद जैसे चेहरे वाली मेरी सखी! हम तुम्हारी बात मानने को तैयार हैं। हम तो तुम्हारी एक बात पर हज़ार जान से निछावर हैं। जो कहोगी, हम वही करेंगी। तुम अगर चाहती हो कि हम जादू सीखकर ज़ालज़र को तुम्हारे पास ले आएँ तो हम वहीं करेंगी, यहाँ तक कि अगर इस राह में हमारी जान भी चली जाए, तो हम पीछे नहीं हटेंगीं।

पाँचों सखियों ने एक तरकीब सोची। अपने को खूब सजाया, अच्छे कपड़े पहने और ज़ालज़र के खेमे की तरफ वल पड़ी। बहार का मौसम था। हर तरफ हरियाली और रंग-बिरंगे फूल खिले थे। सखियाँ नदी किनारे पहुँचीं। ज़ालज़र का खेमा नदी के पास था। फूल चुनती हुईं वे ज़ालज़र के खेमे के ठीक सामने खड़ी हो गईं। उन्हें खड़ा देखकर ज़ालज़र ने पूछा कि ये सुन्दर परियाँ कौन हैं? उनको जवाब मिला कि ये मेहराब की बेटी की सखियाँ हैं, जो रोज यहाँ नदी किनारे फूल चुनने आती हैं।

यह सुनकर ज़ालज़र बेचैन हो उठा। धैर्य जाता रहा। तीर-कमान मँगवाया और एक नौकर के साथ धीरे-धीरे नदी किनारे टहलने लगा। रुदाबे की सखियाँ नदी के दूसरे किनारे पर थीं। ज़ालज़र अवसर की ताक में था कि किसी बहाने सखियों से बात करने की राह निकाल सके और रुदाबे का हालचाल मालूम हो सके। तभी पानी पर एक मुर्गाबी तैरती हुई नज़र आई। फौरन ज़ालज़र ने कमान पर तीर चढ़ाया और देखते-देखते मुर्गाबी पर निशाना लगा दिया। तीर खाकर मुर्गाबी उड़ी और सखियों की तरफ जाकर गिर पड़ी। ज़ालज़र ने नौकर को मुर्गाबी लेने दूसरे किनारे की तरफ भेजा। उसको मुर्गाबी उठाते देखकर सखियों ने पूछा कि यह तीर चलाने वाला कौन है? ऐसा निशानेबाज़ तो हमने आज तक नहीं देखा?

नौकर ने उसको जवाब दिया कि यह साम दिलावर के बेटे ज़ालज़र बहादुर हैं। इनके मुकाबले का बलवान कोई दूसरा नहीं है और न ही इनका जैसा कोई दूसरा हसीन मर्द किसी ने आज तक देखा है।

सुनकर सखियाँ खिलखिलाकर हँस पड़ीं और कहने लगीं कि ऐसा नहीं है। मेहराब की लड़की सौन्दर्य में चाँद और सूरज से भी ज़्यादा है। इसके बाद उनमें से एक ने कहा कि :

सजा बाशद व सख्त दर खूर बुअद
कि ज़ाल रुदाबे व हमसर बुअद

(एक जहान का नामवर पहलवान है, तो दूसरी अपने ज़माने की रूपवती

पहली मुलाक़ात – ज़ालज़र व रुदावे की

है। क्या अच्छा हो कि रुदाबे व जाल का विवाह हो जाए।)

सखियों का यह प्रस्ताव सुनकर नौकर खुश हुआ और कहने लगा कि इससे बढ़कर क्या बात हो सकती है कि चाँद व सूरज का गठबंधन हो जाए। इतना कह कर नौकर मुर्ग़ाबी उठकर नदी के उस पार वापस चला आया और ज़ालज़र को सारी बातें कह सुनाईं। ये बातें सुनकर ज़ालज़र इतना खुश हुआ कि उसने आदेश दिया कि रुदाबे की सखियों को खिलअत व ज़र-जवाहर भेंट में दिया जाए। सखियों ने उपहार स्वीकार किया और कहा कि यदि कोई पैग़ाम कहना हो तो पहलवान ज़रूर हमसे कह दें।

ज़ालज़र थोड़ा-सा आगे बढ़ा और सखियों के समीप पहुँचकर उसने रुदाबे के बारे में प्रश्न पूछे। उसके गुणों को सुनकर ज़ालज़र के मन में रुदाबे का प्रेम और भी गहराई से ठाठें मारने लगा। उसके चेहरे के भाव देखकर सखियाँ ज़ालज़र के मन का हाल समझ गई और कहने लगीं कि हम ज़रूर आपके बारे में रुदाबे को बतायेंगी। यदि आपको उनका दीदार करना है तो रात को रुदाबे के महल की ओर आएँ और उनकी झलक देख लें।

सखियों ने वापस जाकर यह शुभ समाचार रुदाबे को सुनाया। जब रात हुई तो रुदाबे ने सखियों को छुपाकर पहलवान को लेने भेजा और स्वयं महल की छत पर खड़ी होकर उसकी प्रतीक्षा करने लगी।

जब रुदाबे ने ज़ालज़र को आता देखा, तो खुशी से चिल्लाई और उसके स्वागत में आँखें बिछाईं। ज़ालज़र ने भी दूर से छत पर खड़ा चाँद देखा तो खुश होकर उसने रुदाबे के सलाम का जवाब उसी गर्मी और मोहब्बत से दिया।

रुदाबे ने अपने लम्बे बाल खोलकर नीचे कमन्द की तरह ज़ालज़र के पास गिरा दिए ताकि ज़ालज़र उसके सहारे ऊपर छत तक पहुँच जाए। यह देखकर ज़ालज़र ने रुदाबे के बालों का चुम्बन लिया और कहा कि यह न समझना कि तुम्हारी सुगन्धित जुल्फों को मैं कमन्द बनाऊँगा। इतना कहकर उसने अपनी कमन्द निकाली और उसके सहारे वह ऊपर चढ़कर रुदाबे के पास पहुँचा। रुदाबे को अपनी बाँहों में भरकर ज़ालज़र ने कहा कि मैं तुम्हारा आशिक हूँ और तुम्हारे अलावा किसी और से विवाह करने वाला नहीं हूँ, लेकिन यह भी हक़ीक़त है कि किसी भी क़ीमत पर मेरे पिता और ईरान के शाह इस बात पर राज़ी नहीं होंगे कि मैं ज़हाक़ के परिवार में विवाह करूँ।

ज़ालज़र की यह बात सुनकर रुदाबे उदास हो गई और उसके आँसू उसके गालों पर बह निकले। रुदाबे ने भरे कंठ से कहा कि अगर ज़हाक़ ज़ालिम था तो मेरा इसमें क्या अपराध है। मैंने तो आपकी बहादुरी के किस्से सुन-सुनकर

अपना दिल आपको सौंप दिया और यह प्रण किया कि आपके अतिरिक्त कोई दूसरा इंसान मेरा पति नहीं बन सकता। मुझसे शादी करने वालों की सूची बहुत लम्बी है, मगर मैं तो आपके प्यार में डूब चुकी हूँ।

ज़ालज़र ने मोहब्बत भरी नज़रों से रुदाबे को देखा और उसकी बातें सुनकर किसी गहरी सोच में डूब गया। थोड़ी देर बाद उसने दिलासा देते हुए रुदाबे से कहा कि ऐ दिले आराम! तुम दुखी न हो। मैं खुदा से दुआ करूँगा कि वह साम और मनुचहर के दिलों से घृणा को खत्म कर दे और तुम्हारे लिए उनके मन में प्रेम का बीज बो दे। मुझे यक़ीन है कि ईरान का नेक और रहमदिल शाह हम पर जुल्म नहीं करेगा।

रुदाबे ने सौगन्ध खाई कि ज़ालज़र के अतिरिक्त वह इस दुनिया में किसी को अपना पति नहीं मानेंगी और न ही अपना दिल किसी और को देगी। इस तरह से दो खूबसूरत चेहरे वालों ने अपस में वचन दिया, मोहब्बत की कसमें खाईं और एक-दूसरे के प्रति वफादार रहने का दृढ़ निश्चय करके वे दोनों एक-दूसरे से जुदा हुए। ज़ालज़र लौटकर अपने खे़मे की तरफ चला गया।

❖❖

ज़ालज़र पल भर के लिए भी रुदाबे के ख़याल से मुक्त नहीं हो पाया। बार-बार उसको एक ही चिन्ता खाए जा रही थी कि इस बंधन को पिता साम और शाह मनुचहर कभी स्वीकार नहीं करेंगे। इस परेशानी में एक दिन गुज़र गया।

दूसरे दिन ज़ालज़र ने बुद्धिमानों व धर्म पंडितों को बुलाया और उनसे बातें करनी आरम्भ कीं, और अपने दिल का भेद कुछ इस तरह से बताना शुरू किया कि—"मैं जानता हूँ कि निवाह की रस्म की शुरूआत इंसानों के बीच बहुत पुरानी है। मर्द औरत से शादी इसलिए करता है कि वह उसकी नस्ल आगे बढ़ाए और यह संसार आबाद और खुशहाल बना रहे! अफसोस इसी बात का है कि साम नरीमान की नस्ल आगे नहीं बढ़ पायेगी, क्योंकि ज़ालज़र के कोई औलाद पैदा नहीं होगी। पहलवान और दिलेरी की रस्म इसी ज़मीन से उठ जायेगी। मेरा खयाल था कि मेहराब की बेटी रुदाबे से विवाह करूँ, जिसके प्रेम का बीज मेरे दिल की ज़मीन में अंकुरित हो गया है। मुझे दूसरी कोई लड़की रुदाबे से अधिक गुणवान एवं सुन्दर नजर नहीं आती है। अब आप इस बारे में क्या राय देंगे?"

ज़ालज़र की बात सुनकर सारे बुजुर्गों ने सर नीचे कर लिये और गहरी चिन्ता में डूब गए। ज़ाल ने दोबारा अपनी बात जारी रखी कि मुझे पता है, आप सब मुझे उपदेश देंगे। मगर मैंने रुदाबे को इतना नेक पाया है कि मैं उसके बिना खुश रहना तो दूर, ज़िन्दा भी नहीं बचूँगा। आप सब मेरी मदद करें ताकि मैं इस

संकट से उबर सकूँ। यदि आपने मेरे इस लक्ष्य को सफल बनाया तो, विश्वास कीजिए मैं आप सबके प्रति इतनी नेकी करूँगा, जितनी आज तक बुजुर्गों, बुद्धिमानों के प्रति किसी ने नहीं दिखाई है।

बुजुर्गों ने जब ज़ालज़र की मोहब्ब की बुनियाद रुदाबे के प्रति इतनी मजुबूत देखी तो उन्होंने कहा—"ऐ नामदार! हम सब आपके हुक्म के नौकर हैं। आपके सुख के अतिरिक्त और कुछ नहीं सोचते हैं। विवाह की इच्छा करना कोई बुरी बात नहीं है। माना कि रुदाबे आपकी महानता के मुकाबले की नहीं है, मगर वह दिलेर और नामदार है। उसमें शान व शौकत की कमी नहीं है! ठीक है कि शाह ज़हाक़ एक अत्याचारी शासक था। उसने ईरानियों पर बहुत ज़ुल्म किये थे, मगर साथ ही वह एक बलवान, सुव्यवस्थित हाकिम भी था। इस गिरह को सुलझाने की एक तरकीब समझ में आती है कि आप अपने दिल का हाल अपने पिता साम नरीमान को लिख भेजें और उनको अपने इस राज में शरीक करें। यदि अमीर साम आपके प्रति नम्र रहे, तो उनकी इच्छा के विरुद्ध शाह मनुचहर कोई भी क़दम नहीं उठायेंगे।"

ज़ालज़र ने पिता को एक लम्बा ख़त लिखा जिसमें अपने बचपन का जिक्र, माँ-बाप के प्यार की कमी के बयान के बाद उसने रुदाबे की तारीफ लिखी और फिर उसने शादी करने की अपनी इच्छा लिखी। बेटे का पत्र पढ़कर साम सकते में आ गया। आश्चर्य से उसकी आँखें फटी रह गईं। उसको यह बात हज़्म नहीं हो पा रही थी कि उसकी नस्ल का सिलसिला फरीदुन से है और अब उसी ज़हाक़ से वह कैसे ख़ानदानी रिश्ता जोड़ सकता है? अन्त में साम नरीमान ने कहा कि आखिर ज़ाल ने अपनी असलियत दिखा ही दी! जो परिन्दों के बीच पलकर पहाड़ पर बड़ा हुआ हो, उससे इसी तरह की उम्मीद की जा सकती है।

दुःखी उदास साम रणक्षेत्र से वापस आया और सारे दिन इस उधेड़बुन में रहा कि अगर बेटे को रोकता हूँ तो अपना वचन तोड़ता हूँ। अगर उसका साथ दूँ तो जान-बूझकर खाने में ज़हर कैसे मिला सकता हूँ? परिन्दे द्वारा लालन-पालन किए गये इस लड़के का और उस दैत्य के घर में बड़ी हुई लड़की का आपस में निर्वाह कैसे होगा? तब ज़ाबुलिस्तान का शासक कौन बनेगा? साम यह सब सोचते हुए टूटे दिल से बिस्तर पर लेट गया।

सुबह उठते ही साम ने सबसे पहले आदेश दिया कि बुद्धिमानों, ज्योतिषियों और धर्म पण्डितों को बुलाया जाए। जब वे सब जमा हो गए, तो साम नरीमान ने रूदाबे एवं ज़ालज़र की समस्या उनको बताते हुए कहा कि किस तरह दो विभिन्न गुणों का मेल हो सकता है। एक आग है तो दूसरा पानी है। फरीदुन और

ज़हाक़ के खानदान का अपसी मिलाप कैसे सम्भव है? ज्योतिषी सितारे देखें और बुद्धिमान सोचें कि आखिर ज़ाल की भाग्यरेखा क्या कहती है और हमारे खानदान की क़िस्मत में आगे क्या लिखा है?

ज्योतिषियों ने पूरा दिन इस काम में लगा दिया। अन्त में वे प्रसन्नचित्त साम के पास पहुँचे और यह शुभ समाचार सुनाया कि रुदाबे एवं ज़ालज़र का मिलन शुभ है। इन दोनों से एक दिलेर औलाद पैदा होगी जो अपनी तलवार के दम पर दुनिया को झुकायेगी। ईरान के दुश्मनों के दाँत खट्टे करेगी और पहलवानों का नाम रोशन करेगी।

साम ज्योतिषियों की बातें सुनकर खुश हुआ। और उनको दरहम और दीनारें बख़्शीं। उसके बाद सन्देश वाहक को ज़ालज़र के पास इस पैग़ाम के साथ भेजा कि मैं तुम्हारे फैसले से पूरी तरह राज़ी नहीं हूँ, मगर चूँकि तुम्हें वचन दे चुका था कि तुम्हारी हर इच्छा पूरी करूँगा इसलिए तुम्हारी खुशी में ही मेरी खुशी है। मैं यहाँ से शहंशाह मनुचहर के पास जा रहा हूँ ताकि उन्हें यह सूचना देकर उनसे इजाज़त लूँ।

❖❖

रुदाबे और ज़ालज़र के बीच पैग़ाम ले जाने वाली औरत बहुत चालाक थी। जब जाल के पास साम का पत्र पहुँचा, तो उसने यह खुशखबरी उस औरत के द्वारा रुदाबे के पास पहुँचाई। रुदाबे ने खुश होकर उरो ईनाम दिया। जब वह औरत रुदाबे के कमरे से निकल रही थी, उस समय सीनदुख्त ने उसको देख लिया और पूछा कि वह कौन है और यहाँ क्या कर रही है? औरत ने बड़ी चालाकी रो बात बनाई कि मैं दुखियारी औरत हूँ। कपड़े व ज़ेवर लेकर बड़े घरों में बेचने जाती हूँ। शाह काबुल की बेटी ने मुझसे कुछ क़ीमती कपड़े मँगाए थे, वही देकर लौट रही थी। सीनदुख्त ने पूछा कि रुदाबे ने जो क़ीमत उन चीजों की दी है, वह कहाँ है? इस पर उस औरत ने फौरन जवाब दिया कि शहज़ादी ने कल देने को कहा है।

इस बात को सुनकर सीनदुख्त का शक पक्का हो गया। उसने उस औरत के पास रुदाबे का दिया कपड़ा और अंगूठी देखी तो क्रोध से उबल पड़ी। उस औरत को महल से बाहर निकलवाकर फिर रुदाबे के पास पहुँची और बोली—"बेटी, यह कौन-सा तरीका तुमने अपनाया है? सारी जिन्दगी मैंने तुम्हें प्यार से रखा, पाला-पोसा, तुम्हारी हर इच्छा पूरी की और अब तुम मुझसे अपने दिल की बात छुपा रही हो? यह औरत कौन है? यहाँ क्यों आई थी? वह अँगूठी तुमने किसके लिए भेजी है? तुम शाही ख़ानदान की लड़की हो। तुसे ज़्यादा खूबसूरत व गुणी

ज़ालज़र व रुदावे

कोई दूसरी लड़की नहीं है। क्यों तुम अपनी बदनामी करवाना चाहती हो और माँ को शोक में डुबोना चाहती हो?"

माँ की फटकार सुनकर रुदाबे ने सर झुका लिया। उसकी आँखों से दो मोटे-मोटे आँसू लुढ़क कर गालों पर बह आए। उसने माँ से कहा—"मैं ज़ालज़र के अनुराग में उसी दिन से बँध गई हूँ, जब से वह ज़ाबुल से काबुल आया। मैं उसकी वीरता की दीवानी हो चुकी हूँ। मेरा चैन और आराम सब कुछ छिन गया है। हमने साथ-साथ बैठकर बातें की, एक दूसरे को वचन दिया है; मगर ऐसा कोई क़दम नहीं उठाया जिससे आपकी इज़्ज़त को ठेस पहुँचे। ज़ालज़र मुझसे विवाह करना चाहता है। इजाज़त पाने के लिए उसने इस बात की सूचना अपने वालिद साम को दी। पहले वह ग़मग़ीन हुए फिर उन्होंने बेटे की खुशी देखी। यह औरत वही खुशखबरी लेकर आई थी और उसी की खुशी से मैंने यह अँगूठी ज़ाल की भेजी थी।"

सीनदुख्त ने बेटी के मुँह से जब ये बातें सुनीं तो ठगी-सी रह गई!

उसके बाद उसने रुदाबे से कहा कि ज़ालज़र नामवर पहलवान साम नरीमान का बेटा है। ईरान का शाह यह विवाह होना कभी पसन्द नहीं करेगा क्योंकि उसके मन में ज़हाक़ के प्रति विष भरा हुआ है। हो सकता है कि वह इस खबर को जानकर क्रोध में आकर कहीं पूरे काबुल को ही वीरान न कर दे और हमारे ख़ानदान को जड़ से उखाड़ फेंके। इसलिए इस बात को लेकर इतनी खुशी ठीक नहीं है। इतना कहकर सीनदुख़्त ने उस औरत को बुलाकर उससे प्यार से व्यवहार किया और इस भेद को छुपाए रखने के लिए कहा। फिर वह बेटी के बिस्तर के सिरहाने गई जहाँ रुदाबे लेटी रो रही थी।

❖❖

मेहराब जब रात को महल में दाखिल हुए तो उसने सीनदुख्त को दुःखी और परेशान पाया। मेहराब ने सीनदुख्त से पूछा कि क्या बात है, जो वह इतनी उदास और परेशान नज़र आ रही है?

सीनदुख्त ने चिन्तित होकर कहा कि मैं आने वाली मुसीबत की घड़ी से भयभीत हूँ। जब यह महल, यह दौलत, ये दोस्त, यह महफिल, कुछ भी बाक़ी नहीं रहेगा। हमने कितनी मेहनत और लगन से पौधा लगाया था। उसकी किस प्यार से सिंचाई और गुड़ाई की थी। अब जब उसके साये में बैठने का समय आया, तो वह ज़मीन पर गिर गया। उस दरख्त ने केवल दुःख और चिन्ता के अलावा कुछ न दिया। बस इसी सोच-विचार से मेरा मन व मस्तिष्क परेशान है। साफ दिखाई दे रहा है कि कुछ भी स्थिर नहीं है। पता नहीं, इसका क्या अंजाम होने वाला है।

मेहराब को यह सुनकर ताज्जुब हुआ। फिर उसने सीनदुख्त से कहा कि हाँ, यही ज़माने का दस्तूर है। हमसे पहले जिनके पास महल और खज़ाना था, वह भी इस संसार से चले गए। इस संसार में स्थिर कुछ भी नहीं है। एक आता है, दूसराचला जाता हें मगर यह फलसफा तो बहुत पुराना है। इसमें नई क्या बात है, जो आज तुम इस पर इतनी चिन्ता करके अपने को दुःखी बना रही हो? सीनदुख्त की आँखें भर आईं। उसने धीरे से कहा कि मैंने इशारे-इशारे में तुमसे बात कही थी। मगर वह भेद नहीं खोला था। लेकिन कैसे मैं तुमसे वह भेद छुपा सकती हूँ। हमारी बेटी, ज़ालज़र की ही बातें करती है। उसको हर तरह के उपदेश देकर; समझा-बुझाकर हार गई। मगर उसका दिल ज़ालज़र की ओर से नहीं हटता।

इतना सुनते ही मेहराब अपनी जगह से उठ खड़ा हुआ। म्यान से तलवार निकाली और चीख पड़ा कि रुदाबे को मेरी इज़्ज़त का भी खयाल नहीं। वह खानदान की इज़्ज़त ख़ाक में मिलाना चाहती है। अच्छा है कि मैं उसी का खून इस धरती पर बहा दूँ।

सीनदुख्त ने लपककर पति का दामन पकड़ा और कहा कि कुछ मेरी भी सुनो। जो चाहो सो करो, मगर बेगुनाह का खून मत बहाओ। मेहराब ने पत्नी को धक्का देकर अलग कर दिया और और चीखा कि काश! मैं रुदाबे को उसी दिन दफना देता ज़िस दिन वह पैदा हुई थी। वह कम से कम इस तरह का क़दम उठाकर मुझे बदनाम तो न कर पाती। अगर साम और मचुचहर ने यह भेद जान लिया कि ज़ालज़र ने ज़हाक़ के खानदान की लड़की को दिल दे दिया है, तो हममें से किसी को भी ज़िन्दा नहीं छोड़ेंगे। उसी दम हमें क़तल कर देंगे।

सीनदुख्त ने जल्दी से कहा—"भयभीत मत हो! साम को यह भेद पता है और वह शाह के पास गया हुआ है ताकि उसका मन फेर सके!"

मेहराब सीनदुख्त की बात सुनकर आश्चर्यचकित रह गया और बोला—"ऐ औरत! साफ-साफ कहो, मुझसे कुछ भी न छुपाओ! मैं कैसे इस बात पर यक़ीन कर लूँ कि पहलवानों का सरताज साम हमसे रिश्ता करने की बात सोच सकता है! अगर मनुचहर व साम का भय न हो तो सच्ची बात तो यह है कि ज़ाल से बेहतर दामाद हमें नहीं मिलेगा। किस तरह शाह को क्रोध से बचा जाए?"

सीनदुख्त ने कहा—मैंने तुमसे सब कुछ सच कहा है। मेराब की उत्तेजना कम नहीं हुई थी। उसने आदेश दिया कि फौरन रुदाबे को बुलाओ।

सीनदुख्त पति के तेवर से डरी हुई थी कि कहीं रुदाबे को कोई दुःख न पहुँचे सो पति से उसने वचन लिया कि वह रुदाबे को किसी प्रकार की हानि

नहीं पहुँचायेगा। तभी वह बेटी को आवाज़ देगी, वरना नहीं। मेहराब ने वचन दिया कि वह रुदाबे को वैसी ही लौटायेगा जैसी वह मेरे पास आयेगी। सीनदुख्त बेटी के पास पहुँची। उसको खबर सुनाई कि मेहराब उसके भेद को जान गया है और उसकी जान बख्श दी है। रुदाबे बिना किसी भय के ज़ालज़र के प्यार में शराबोर पिता के सम्मुख पहुँची। उसको देखते ही मेहराब गुस्से में चीख उठा और बेटी को फटकारना शुरू कर दिया। रुदाबे ने जो पिता का क्रोध देखा, तो चुपचाप आँखें बन्द किए मोटे-मोटे आँसू गिराती रही और थोड़ी देर बाद अपने कमरे में वापस आ गई।

❖❖

यह समाचार जब शाह मनुचहर के कानों तक पहुँचा तो उसके माथे पर बल पड़ गए और वह सोचने लगा कि फरीदुन का खानदान वर्षों ज़हाक़ के जुल्म को समाप्त करने में संघर्ष-रत रहा। अब ज़ाल और रुदाबे का यह मिलन कौन-सी खुशी देगा। कहीं ऐसा तो नहीं है कि ज़ाल ज़ाबुल का यह शासक बन हमारे विरोध में खड़ा होकर ईरान का शाह बनने का सपना देखने लगे। अच्छा यही है कि ज़ाल को इस विवाह के लिए मना करूँ!

इस बीच साम जंग से वापस लौट आया था। मनुचहर ने अपने बेटे और बुज़ुर्गों को उसके स्वागत के लिए भेजा। जब साम मनुचहर के दीदार के लिए पहुँचा तो, स्वयं मनुचहर ने उठकर उसको अपने तख्त पर साथ बिठाया और जंग के हालात तथा रास्ते की थकन के बारे में विस्तार से जानना चाहा। साम ने शाह को दुश्मनों के क़िस्से सुनाए और जीत की खबर भी सुनाई। फिर सोचने लगा कि इसी समय रुदाबे व ज़ाल की बात भी छेड़ दे तो अच्छा है। शाह मनुचहर अभी खुश भी है। उसकी बात ध्यान से सुनेंगे। मगर शाह मनुचहर ने फौरन ही साम से कहा कि अब जहाँ तुमने इतना कष्ट उठाया है, वहीं पर लश्कर लेकर काबुल और हिन्दुस्तान की तरफ जाओ और ज़हाक़ के परिवार की आखिरी निशानी को भी खत्म कर दो ताकि यह संसारउसके नापाक नाम से पाक हो जाए और मुझे भी सन्तोष मिले।

यह सुनते ही साम की ज़बान पर आए शब्द वहीं दम तोड़ गए! चुपचाप उसने झुककर शाह के क़दमों का बोसा लिया और कहा—आपकी यदि यही इच्छा है तो मैं ऐसा ही करूँगा। इतना कहकर वह फौज के साथ सीस्तान की तरफ चल पड़ा।

❖❖

शाह मनुचहर के इरादे की खबर जब काबुल पहुँची, तो पूरे शहर में सनसनी फैल

गई और लोग उत्तेजित हो उठे। मेहराब का परिवार निराशा में डूब गया रुदाबे की आँखों में आँसू की लड़ियाँ गिरने लगीं। ज़ालज़र के पास यह खबर पहुँची तो, सोचा कि यह कैसा अन्याय है? ज़ालज़र यह सुनकर परेशान हो उठा। उसी हालत में वह पिता की फौज के पीछे काबुल की ओर हो लिया।

साम नरीमान ने अपने बड़े अफसरों को बेटे के स्वागत के लिए भेजा। ज़ालज़र थका, उदास चेहरा लिये अन्दर आया जिस पर शिकायत का भी भाव था। ज़मीन चूमी और साम पहलवान को अभिवादन करने के बाद कहा—"ऐ बेदार दिल वाले पहलवान!" आपका वैभव सदा बना रहे। सारा ईरान आपकी दिलेरी का गुणगान करता है। सारी जनता आपसे खुश हैं, मगर मैं अकेला आपसे नाखुश हूँ। वही लोग आपसे न्याय पाते हैं और मुझे आपसे सदा अन्याय मिलता रहा है। मैं परिन्दे के साथ बड़ा होने वाला ऐसा इंसान हूँ जिसने आज तक किसी को दुःख नहीं पहुँचाया है। अभी तक किसी का बुरा नहीं चाहा। मेरा सिर्फ इतना अपराध है कि मैं साम का बेटा हूँ। मुझे पैदा होते ही माँ से अलग करके पहाड़ पर फेंक दिया। फिर काले और सफेद का प्रश्न उठाकर खुदा से झगड़ा किया। तब से आज तक मैं माँ-बाप दोनों के प्यार से महरूम रहा तो भी खुदा ने मुझ पर दया की और सीमुर्ग़ ने मुझे पाला, जवान किया। मैं युद्ध कला में निपुण सभी गुणों से सुसज्जित एक ऐसा पहलवान हूँ, जिसका जवाब इस धरती पर दूसरा नहीं है। जबसे आपको देखा और पाया, मैंने आपकी हर आज्ञा का पालन किया और आपकी सेवा करनी चाही। सारी दुनिया में बस मेहराब की लड़की को ही सच्चे दिल से पाने की इच्छा की जो सुन्दर और मर्यादा वाली है; संक्षेप में कहूँ तो हर तरह से महान है!

निश्तम बे काबुल बेफरमान तो
निगेह दाश्तम राई व पैमान तो
बेगुफ्ती कि हरगिज़ नेया आज़ारमत
दरख्ती कि कश्ती बेबार आरामत

(मैंने आपके हुक्म के खिलाफ़ कभी कदम नहीं उठाया। आपके कहने से काबुल का शासक बना। आपने वचन दिया था कि मुझे अब कभी दुःख नहीं देंगे और जो पेड़ आपने लगाया है, उसमें फल लगेंगे और आप उसे कभी नहीं काटेंगे।)

ज़े माज़ेन्दरान हदिए इन साख़्ती
हम अज़ करगरान बेदिन ताख़्ती
कि विरान कुनी काख-ए आबादे मन
चनीन दाद ख़्वाही हमी दादे मन

(आपने मेरी हर इच्छा पूरी करने का वायदा किया था, मगर जब मैंने अपनी इच्छा आपसे कही तो आप माज़न्दरान से फ़ौज लेकर लड़ने आ जए। ताकि मेरी इच्छाओं का महल ख़ाक में मिला दें। इसी तरीक़े से शायद आप मुझे वचन देकर न्याय करना चाहते हैं।)

मन इनक पीशे तो इस्तादेह अम
तन जिन्दे ख्श्म तोरा दादेह अम
बर्रेह मि आयम बे दू नीमेह कुन
जे काबुल मपैमाइ ब मन सुखन

(मैं आपके आगे आपका सेवक बना खड़ा हूँ। यदि आप चाहें तो इस ज़िन्दा बदन को अपने गुस्से से ख़्म कर दें और आदेश दें कि मेरे तन को आरी से दो टुकड़े कर दें, मगर आप काबुल के बारे में मुझसे एक शब्द भी नहीं कहेंगे!)

आख़िर में ज़ालज़र ले पिता से कहा–

बे कुन हर चे ख्वाही फरमान तोरास्त
बे काबुल गज़न्दी बुअद आन मरास्त

(यह बात आपसे साफ कह दूँ कि आप जो चाहें करें मगर मैं काबुल को नुकसान नहीं पहुँचने दूँगा। जब तक मैं ज़िन्दा हूँ, मेहराब को आप हाथ नहीं लगा सकते हैं। पहले आप मेरा सर तन से ज़ुदा करें फिर काबुल की तरफ कदम बढ़ाएँ।)

ज़ालज़र की ये बातें सुनकर साम खामोश हो गया और चिन्ता में डूब गया। आखिर कुछ देर बाद अपना सर उठाया और कहा–"मेरे दिलेर बेटे! तुम्हारी शिकायत उचित है कि मैंने तुमको प्यार देने गें आगना कर्त्तव्य नहीं निभाया। मैंने तुम्हारी कोई इच्छा पूरी नहीं की जबकि मैंने तुम्हारी हर आरज़ू पूरी करने का वचन दिया था। शाह का आदेश मैं टाल नहीं सकता था। इसलिए फौज लेकर आना पड़ा। मगर तुम ग़मग़ीन मत हो अपने तेवरी के बल तोड़ो। मेरे साथ बैठो। हम मिलकर इस समस्या का समाधान ढूँढ़ेंगे। लेकिन साथ ही साथ यह भी ज़रूरी है कि मैं शाह को तुम्हारे प्रति मेहरबान और उनका दिल तुम्हारे लिए नर्म बनाऊँ। यह भी बहुत जरूरी है।"

इसके बाद साम ने ख़तनवीस को बुलाने का आदेश दिया ताकि वह शाह के नाम पत्र लिखवा सके। साम ने शाह मनुचहर को सम्बोधित करते हुए लिखा कि शहंशाह! मैं एक सौ बीस साल से आपकी सेवा कर रहा हूँ। इस लम्बे समय के दौरान, मैंने दुश्मनों की फौजों को हराकर देशों के दरवाज़े शाह के लिए खोले हैं। ईरान का जो भी शत्रु मुझे जहाँ कहीं दिखा, मैंने उसको गदा से मार

गिराया। देश का बुरा चाहने वालों को कुचल डाला। मेरी तरह का पहलवान घुमावदार घटनाओं को इतना याद नहीं रखता, फिर भी मैं कुछ दिन पहले ही माज़नदरान के दैत्यों को जो शाह के विरोध में खड़े हुए थे, उन्हें हराकर लौटा था। इसी तरह से उस अज़दहे को भी मार गिराया, जो पशु-पक्षी और इंसान का जीना मुश्किल किये हुए था। संक्षेप में इन गुज़रे वर्षों में मेरा बिस्तर घोड़े की ज़ीन और आराम के नाम पर रणक्षेत्र का मैदान रहा है। मैंने आपकी सेवा और सुरक्षा में यह ज़िन्दगी गुज़ार दी। मेरी मनोकामना आपकी विजय और खुशी थी।

अब मैं बूढ़ा हो रहा हूँ। मुझे खुशी है कि मैं शाह की सेवा करते-करते बुढ़ापे तक पहुँचा हूँ। अब बारी मेरे ज़ालज़र की है! उसको सारे गुणों से सजाकर मैंने शाह की सेवा के लिए तैयार किया है। आप उसको देखेंगे तो खुश हो जायेंगे। उसके दिल में आपकी मोहब्बत और निष्ठा के पैर जमा दिए हैं। अब ज़ालज़र की आरज़ू है कि वह आपकी सेवा में हाज़िर हो और ज़मीन का चुम्बन ले।

कुछ वर्षों पहले मैंने कुछ बुजुर्गों के सामने ज़ालज़र को यह वचन दिया था कि मैं अब उसे कभी अपने से अलग नहीं करूँगा और उसकी हर इच्छा पूरी करूँगा। अब काबुल की तरफ भी मैं शाह के आदेश के कारण ही आया हूँ। ज़ालज़र ने मेरा वचन मुझे याद दिलाते हुए यह प्रण लिया है कि मैं काबुल में तभी दाखिल हो सकता हूँ जब उसकी लाश पर से गुजरूँ। ऐसा करने के पीछे कारण यह है ज़ालज़र मेहराब की लड़की से विवाह करना चाहता है, जो ज़हाक़ के खानदान से है।

शाह! मेरा सिर्फ एक बेटा है। मुझे इस बात की भी चिन्ता है कि उस को दिया वचन कहीं टूट न जाए। ऐसे संकट के समय में आप हमारी मदद करें।

जैसे ही पत्र का लिखना समाप्त हुआ, फौरन ज़ालज़र वह पत्र लेकर तेज़ रफ्तार घोड़े पर बैठ हवा में बातें करता हुआ शाह, मनुचहर के दरबार की तरफ दौड़ पड़ा। मनुचहर के पास पहुँचा, तो उसने साम के बेटे के स्वागत के लिए बुजुर्गों का एक गिरोह भेजा। ज़ालज़र महल में दाखिल हुआ। ज़मीन चूमी और शाह मनुचहर को साम का पत्र दिया।

शाह मनुचहर ने बड़े तपाक से उसका स्वागत किया और आदेश दिया कि रास्ते की धूल और थकन झाड़कर ज़ालज़र को मुश्क व अम्बर की सुगन्ध से बसा दिया ज़ाए! जब खत शाह मनुचहर ने पढ़ा और ज़ाल की मनोकामना को जाना तो हंस पड़ा और जाल से कहा—"ओ दिलेर! ऐसी इच्छा करके तुमने मेरी परेशानी बढ़ा दी है। मैं तुम्हारी इस इच्छा से बहुत खुश तो नहीं हूँ। मगर बूढ़े साम की बात को टाल भी नहीं सकता। कुछ दिन तुम मेरे पास रुको ताकि मैं

बुद्धिमानों, धर्म-पण्डितों से सलाह-मशविरा कर सकूँ।"

इसके बाद महफिल सज गईं खाने रखे गए! शराब, शबाब, साज व संगीत से फिजा गुँज उठी। तीन दिन तक ज्योतिषी सितारे मिलाते रहे और अन्त में शाह मनुचहर को यह शुभ समाचार मिला कि यह रिश्ता मुबारक साबित होगा। ज़ाल से जन्मा बेटा बहादुर और नामवर पहलवान होगा। सुनकर शाह मनुचहर बहुत खुश हुआ और उसने बुद्धिमानों और पण्डितों को बुलाया ताकि वे ज़ालज़र की अक़्ल की परीक्षा लें सके और देख सकें कि ज़ालज़र कितना तेजस्वी है।

❖❖

इधर मेहराब को जब साम की फ़ौज का पता चला तो वह सीनदुख्त और रुदाबे पर क्रोधित होकर बोला कि उसकी बेवकूफी से काबुल शेर के चंगुल में फ़स चुका है। काबुल को वीरान करने के लिए शाह मनुचहर ने जो फ़ौज भेजी है, उसका और साम का मुक़ाबला कौन कर सकता है! हम तबाह व बर्बाद हो गए। अब इस तबाही से बचने का एक ही तरीक़ा बचा है कि मैं तुम्हारा सर भरे बाज़ार में तलवार से अलग करूँ ताकि मनुचहर का क्रोध शान्त हो। जनता तबाह और बर्बाद होने से बच जाए।

सीनदुख्त एक समझदार, दयावान औरत थी। उसने मेहराब से विनती करते हुए कहा कि मेरी एक बात ग़ौर से सुनो, बाद में भले ही मेरी हत्या कर देना। ठीक है कि हम पर संकट आन पड़ा है। उसको टालने के लिए अच्छा है कि तुम खज़ाने का मुँह खोल दो। मुझे बहुमूल्य उपहार दो, जिसको लेकर मैं साम के पास जाऊँ और उसको भेंट देकर किसी तरह उसको इस बात पर राजी करूँ कि वह काबुल पर हमला न करें। मेहराब ने जवाब दिया कि हमारी जान खतरे में है। ऐसे समय में खजाने की किसको चिन्ता हैं खज़ाने की कुंजी उठाओ और जैसा चाहो करो।

सीनदुख्त ने चलने से पहले मेहराब से वचन लिया कि वह उसके पीछे रुदाबे को कोई दुःख नहीं पहुँचाएगा। इसके बाद उसने खजाना खोला। उसमें से सोना-मोती निकाले! तीस अरबी घोड़े और तीस ईरानी घोड़े, सोने के साठ जाम, जो मुश्क अम्बर, याक़ूत और फिरोज़े से भरे थे और सौ ऊँटों पर विभिन्न उपहारों को लादकर वह साम के खेमे की तरफ बढ़ी।

साम के पास ख़बर पहुँची कि काबुल से उपहारों का काफ़िला आया है। साम का आदेश मिलते ही सीनदुख्त खेमे में दाखिल हुई और साम के सम्मुख पहुँचकर उसने अदब से झुककर ज़मीन का चुम्बन लिया और कहा कि मैं काबुल के शासक की ओर से उसके भेजे उपहार एवं सन्देश लेकर आई हूँ साम ने नज़रें

उठाकर जो सामने देखा तो, लगभग दो मील तक मेहराब के भेजे घोड़ों-ऊँटों और उपहारों की पंक्ति खड़ी थी। यह देखकर साम आश्चर्य में पड़ गया। साम के सामने फिर समस्या आन खड़ी हुई कि यह उपहार यदि वह स्वीकार करता है तो मनुचहर की प्रताड़ना सुननी पड़ेगी कि वह शत्रुओं की भेंट स्वीकार करता है। यदि यह सब-कुछ लौटा देता है तो बेटे का दिल दुखेगा और साम का वचन टूटेगा।

साम चिन्ता में डूब गया। आखिर उसने सिर उठाया और सीनदुख्त से कहा कि यह भेंट वह ज़ालज़र को दे दे यह आदेश सुनते ही सीनदुख्त की खुशी की सीमा न रही और इस खुशी में उसने साम के पैरों पर मोती बिखेरने का आदेश दिया और कहा, "इस दुनिया में आप जैसा कोई दूसरा मददगार नहीं है। आपकी आज्ञा का पालन बुजुर्ग भी करते हैं और आपके आदेश के आगे संसार का सर झुका हुआ है! यदि मेहराब से कोई अपराध हुआ है, तो इसमें काबुल की जनता का क्या दोष, जो आप फ़ौज के साथ आए? काबुल-निवासी आपके प्रशंसक और आपके समर्थक हैं। आपकी खुशी में वे ज़िन्दा हैं, आपके पैरों की धूल को सिर आँखों पर चढ़ाते हैं। जिस खुदा ने सूरज और चाँद, मौत और ज़िन्दगी बनाई है, उसके बारे में सोचें और निर्दोषों का खून न बहाएँ।"

साम सन्देशवाहक की इस वाक्पटुता को सुनकर चकित रह गया और सोचने लगा कि आखिर मेहराब ने इतने सारे दिलेरों को छोड़ इस औरत को ही क्यों भेजा है? साम ने सीनदुख्त से कहा कि मैं जो पूछूँ, उसका सही जवाब देना। तुम कौन हो और मेहराब से तुम्हारा क्या रिश्ता है? रुदाबे देखने-सुनने में तथा अक़्ल और चाल-चलन में कैसी है? ज़ाल रुदाबे पर किस हद तक मरता है?

सीनदुख़्त ने साम की बात सुनकर कहा कि यदि आप मेरी जान बख़्श दें तो, मैं आपसे सारी बातें साफ-साफ़ कह दूँ। साम ने उसकी जान बख़्श दी। इसके बाद सीनदुख्त ने कहा—"नामवर! मैं मेहराब की पत्नी और रुदाबे की माँ सीनदुख्त, ज़हाक़ के खानदान से हूँ। मेहराब के महल में हम सब आपके प्रशंसक हैं और आपके प्रति हमारे दिलों में सम्मान एवं प्यार भरा है। मैं आपके पास इसलिए आई हूँ ताकि जानूँ कि आपके मन में क्या है? अगर हम पापी व बुरे खानदान से हैं और शाही खानदान से रिश्ता बनाने के काबिल नहीं हैं तो आपके सामने खड़ी हूँ, आप चाहें तो मुझे मार दें और चाहें जंजीर में बँधवाकर क़ैद में डलवा दें। मगर काबुलवासियों के दिन काले न बनाएँ। उन बेगुनाहों के खून से अपने हाथ न रंगे।"

साम ने आँखें उठाकर सीनदुख्त को देखा। समझदार, सुन्दर, खुलेविचार रखने वाली शेर की तरह बहादुर उस औरत की बात का साम ने जवाब दिया

कि ऐ समझदार औरत! इस तरह से दुःखी एवं परेशान न हो। तुम्हारा परिवार सुरक्षित है! मैं तुम्हारी बेटी से रिश्ता का इच्छुक हूँ। मैंने शाह को इसी सिलसिले में पत्र डाला है ताकि वह इच्छा का ध्यान रखें। मैं भी कोशिश में लगा हूँ इसलिए चिन्ता की कोई बात नहीं है। मगर वह रुदाबे कैसी अप्सरा है, जिसने ज़ालज़र का दिल इस तरह मुट्ठी में जकड़ लिया है। मुझे उसको दिखाओ ताकि मैं उसका रंग व रूप देख सकूँ कि आख़िर वह कैसी है।

ये बातें सुनकर सीनदुख्त खुश हुई और साम से कहने लगी कि आप कष्ट करें और हमारे ग़रीबखाने की रौनक बख्शें। हमें भी खुशी होगी और आप भी वहाँ रुदाबे को देख लेंगे! हमें अगर आपने यह सम्मान दिया तो, आप देखेंगे कि सरा काबुल आपकी किस तरह पूजा करता है!

साम हँसा और कहने लगा कि अब फिक्र की कोई बात नहीं। यह इच्छा भी पूरी हो जायेगी। जैसे ही शाह का आदेश पहुँचेगा। हम बुजुर्गों, सिपाहियों और ज़ाबुल के महत्वपूर्ण लोगों के साथ काबुल के अतिथि बनेंगे। साम के इस जवाब को सुनकर सीनदुख्त मुतमइन हुई और खुश-खुश साम के पास से काबुल लौट आई।

❖❖

उधर शहंशाह मनुचहर ज़ालज़र की अक्ल एवं समझ की परीक्षा लेने जा रहा था। ज़ालज़र बुद्धिमान पण्डितों के सामने बैठा उनके प्रश्नों का उत्तर दे रहा था। उसी में से एक बुद्धिमान ने ज़ाल से पूछा कि मैंने बाहर हरेभरे दरख्त देखे और हर वृक्ष में तीस शाखें थीं। इसका भेद बताओ? दूसरे ने पूछा कि दो घोड़े मैंने देखे हैं। इनमें से एक सफेद और दूसरा काला है। दोनों एक-दूसरे के पीछे दौड़ते रहते हैं, मगर कोई किसी के आगे नहीं निकल पाता। इसका कारण क्या होगा?

इस तरह के उससे अनेक प्रश्न किये गए जिसका जवाब उसने एक के बाद एक इस तरह से दिया कि वह बारह दरख्त साल के बारह महीने हैं!

उसी तरह काले सफेद घोड़े रात और दिन हैं।

इस तरह से ज़ालज़र ने सारे प्रश्नों के उत्तर बड़ी समझदारी से देना आरम्भ किया और अन्त में बुद्धिमानों एवं पण्डितों को अपनी बुद्धि की प्रखरता से प्रभावित किया। उसकी यह तेज़ी और समझदारी देखकर मनुचहर बेहद खुश हुआ!

❖❖

सुबह उठकर ज़ालज़र तैयार हुआ और मनुचहर से चलने की इजाज़त माँगी और कहा कि रुदाबे इन्तज़ार कर रही होगी। सुनकर शाह मनुचहर हँसा और कहने लगा—'आज के दिन तुम मेरे पास और ठहरो। कल तुमको साम के पास भेज

ज़ालज़र सीमुर्ग़ का पर जलाते हुए

दूँगा।'

इसके बाद शाह मनुचहर ने डुग्गी पिटवा दी कि सारे दिलेर, पहलवान, बहादुर, कोने-कोने से जमा हों और अपनी तलवार के जौहर, तीर-कमान का हुनर और जो भी युद्ध कला उनको आती है, उसकी नुमाइश करें और अपनी बहादुरी का प्रदर्शन करके, अपने बल का परिचय दें।

ज़ालज़र तीर वह कमान लेकर घोड़े पर बैठा और मुक़ाबले के मैदान में उतरा, जहाँ पुराने दरख्तों की पंक्तियाँ थीं। ज़ालज़र ने तीर कमान पर चढ़ाया और छोड़ा। तीर पेड़ के तने के अन्दर से सनसनाता हुआ दूर चला गया। यह देखकर दर्शकों की वाहवाही से वातावरण गूँज उठा। एक के बाद एक परीक्षा में वह सफल होता चला गया। उसका बल देखकर शाह मनुचहर बहुत प्रभावित हुआ।

❖❖

शाह मनुचहर ने साम के पत्र का उत्तर लिखवाया कि तुम्हारा पैग़ाम मिला जिससे तुम्हारी खैरियत मालूम हुई। दिलेर बेटे ज़ाल की हर तरह की परीक्षा ली। लड़का बुद्धिमान व युद्ध-कला में दक्ष है। उसकी इच्छा पूरी कर दी है और अब उसको प्रसन्नचित्त उसके पिता के पास भेज रहा हूँ। दिलेरों से बुराई दूर रहे और हमेशा वह कामयाब और प्रसन्नचित्त रहें।

ज़ालज़र के पैर खुशी के मारे जमीन पर नहीं पड़ रहे थे। उसने पिता के पास फौरन सन्देश भेजा कि शाह ने हमारी आरजू पूरी कर दी है। यह खुशी से खिल उठा और बेटे के स्वागत की तैयारी करने लगा। उसने मेहराब व सीनदुख्त के पास ख़बर भेजी कि ज़ाल शाह के हुक्म से वापस लौट आया और साथ में शुभ समाचार भी लाया है कि शाह ने उसकी इच्छा मान ली है। इसलिए अपने वायदे के अनुसार अपने सारे दलबल के साथ आपके महल में हम आने की तैयारी कर रहे हैं।

मेहराब के गालों के गुलाब खिल उठे। सीनदुख्त को अपने पास बुलाया और उसकी प्रशंसा करते हुए कहा कि तुम्हारी राय नेक थी, जिससे सारे हालात ठीक हो गए! एक बड़े शाही खानदान से हमारे सम्बन्ध बने और हमको आदर एवं सम्मान मिला। खजाने का मुँह खोल दो। मोती लुटाओ और ज़ाबुलिस्तान के शाह की खातिर में जो चाहो करो। स्वादिष्ट भोजन, शराब, गाना, साज व आवाज़ का बढ़िया इन्तज़ाम करो।

ज़्यादा देर नहीं गुजरी थी कि साम दिलेर अपने बहादुर बेटे ज़ालज़र और सिपाहियों के संग बड़ी शान से मेहराब के महल में पधारे। जैसे ही साम की नज़र रुदाबे पर पड़ी जो स्वर्ग की अप्सरा की तरह सजी हुई थी, उसके रूप और गुण

को देखकर ठगा रह गया और मन-ही-मन बेटे की पसन्द की प्रशंसा करने लगा।

एक महीना हँसी-खुशी से गुज़र गया। इसके बाद साम नरीमान ने सीस्तान का रुख किया। ज़ाल एक सप्ताह और महराब के महल में रहा। इसके बाद रुदाबे व सीन दुख्त के साथ और बुजुर्गों के साथ ज़ाबुल लौट आया।

ज़ाबुल आइने की तरह सजा हुआ था। साम ने बहुत बड़े जश्न का इन्तज़ाम किया था। बहू और बेटे के स्वागत में उसने सोना और मोती निछावर कर दिये थे। इसके बाद ज़ालज़र ज़ाबुलिस्तान के तख़्त पर बैठा और शाह मनुचहर के आदेश अनुसार पताका हाथ में उठा युद्ध करने माज़न्दरान की तरफ चल पड़ा।

❖❖

कुछ महीने बाद रुदाबे का उदास उतरा चेहरा देखकर सीनदुख्त चिन्तित हुई और बेटी से पूछने लगी कि–

बेदू गुफ्त मादर एइ जाने माम
चे बुदत कि गश्ती चनीन ज़र्दफ़ाम

(माँ की जान कुछ कहो तो तुम्हें क्या तकलीफ़ है जो इस तरह से तुम दिन-ब-दिन पीली होती जा रही हो?)

माँ की बात सुनकर रुदाबे ने अपनी परेशानी कही–

चुनान गश्ते बी ख्वाब व पशमुरदे अम
तो गुई कि मन ज़िन्दे या मुरदे अम

(पता नहीं मुझे क्या हो गया है जो नींद नहीं आती और मैं थकी-थकी रहती हूँ ज़िन्दा हूँ या मुर्दा यह श्री अहसास नहीं)

सीनदुख्त को पता चला कि बेटी रुदाबे गर्भवती है। जैसे-जैसे महीने चढ़ रहे थे। रुदाबे की बुरी हालत थी। एक दिन रुदाबे मुच्छित हो गई। यह देखकर सीनदुख्त परेशनी के मारे रोने-चिल्लाने लगी! यह ख़बर जब ज़ालज़र के पास पहुँची, तो वह परेशान होकर, रुदाबे के सिरहाने पहुँचा। रुदाबे का यह हाल देखकर उसकी आँखें भर आईं और दिल दर्द से फटने लगा। रात के समय जब रुदाबे पसीने से नहा गई तो उसकी यह हालत देखकर ज़ालज़र को याद आया कि चलते हुए उससे सीमुर्ग़ ने क्या कहा था। ज़ालज़र के चेहरे पर मुस्कराहट फैल गई और उसने सीनदुख्त को यह बात बताई।

ज़ालज़र ने आग का अलाव सुलगवाया और उसमें सीमुर्ग़ का पंखो को डाल दिया। एकदम से चारों तरफ अन्धेरा छा गया। थोड़ी देर बाद ही सीमुर्ग़ वहाँ पहुँच गया! सीमुर्ग़ को देखकर ज़ालज़र ने आदर से सर झुकाया। सीमुर्ग़ ने ज़ालज़र को प्यार किया और दिलासा देते हुए कहा कि–

चनीन गुफ़्त सीमुर्ग़ कइन ग़म चेरा अस्त
बेचश्म हज़्ज़ बर अन्दरून नम चेरा अस्त
अज इन सर व सीमीन बर माह रुइ
यकी शीर बाशद तोरा नाम जुई

(दस्तान! तुम्हारी आँखें क्यों नम है? परेशानी की जगह खुशखबरी है कि यह चाँद से चेहरे वाली एक पुत्र को जन्म देने वाली है, जो बड़ा नामवर होगा।)

सीमुर्ग़ ने आने वाले बच्चे की प्रशंसा में ज़मीन व आसमान के क़ुलाबे मिला दिए और अन्त में कहा कि चूँकि बच्चा बहुत बड़ा है इसलिए एक तेज़ खंजर में दे रही हूँ। इसको अपने पास रखो। सीमुर्ग़ की बताई तरकीब के अनुसार नौ महीने बाद हकीमों को बुलाया गया। उन्होंने रुदाबे को शर्बत पिलाया जिससे वह बेहोश हो गई। तब हकीम ने रुदाबे का पेट काट कर रुस्तम को बाहर निकाल लिया।

रुस्तम ने बहुत बचपन में ही युद्ध की सारी कला सीख ली। उसकी इच्छा थी कि वह ईरान के दुश्मन को पछाड़ने रणक्षेत्र में जाए। रुसतम को पिता ज़ालज़र ने अपने पिता साम नरीमान का गदा दिया। इसके बाद रुस्तम घोड़े की ज़िद करने लगा। वह जो घोड़ा देखता और उस पर बैठता तो उसकी कमर झुक जाती। आखिर उसने एक दिन घोड़े का बच्चा मैदान में घास चरता देखा। रुस्तम उसको देखकर आगे बढ़ा, मगर रखवाले ने उसको रोका और कहा कि इस पर कोई सवारी नहीं कर सकता है। यह बहुत अड़ियल है। इसका नाम रख़्श है। इसको चाहने वाले बहुत हैं। जो भी इस पर ज़ीन कसता है और बैठने की कोशिश करता है, उस पर इसकी माँ हमला कर देती है।

यह बात सुनकर भी रुस्तम ने रख़्श पर चढ़ने का अपना इरादा नहीं छोड़ा। जैसे ही मादा घोड़ी आगे बढ़ी, रुस्तम ने उसके सर पर एक घूँसा मारा। मादा घोड़ी सर झुकाए, बिना लात मारे, अस्तबल में जाकर खड़ी हो गई और रुस्तम उचककर रख़्श की पीठ पर जा बैठा। रख़्श की पीठ झुकी नहीं। उसी तरह वह अकड़ी पीठ किये रुस्तम को बिठाए दौड़ती रही।

रुस्तम और रख़्श सदा साथ रहते। रुदाबे और ज़ालज़र रुस्तम जैसे बेटे को पाकर निहाल हो गए थे।

रुस्तम का रख़्श को काबू में करना

दास्तान-ए-रुस्तम व सोहराब

एक दिन जब रुस्तम सोकर उठा तो उसने अपने को उदास पाया। तरकश में तीर भरे और कमर कस वह शिकारगाह की तरफ जाने का इरादा कर अपने घोड़े रख़्श पर जा बैठा और उसको एड़ लगाई। रख़्श हवा में बातें करता तूरान सीमा के पास पहुँच गया। उस बियाबान में उसने गूरखरों के झुण्ड बिखरे देखे, जिन्हें देखकर रुस्तम के उदास चेहरे पर ख़ुशी की लाली दौड़ गई और ख़ुशी से उसने रख़्श की लगाम खींची और नीचे कूदा। तीर व कमान, गदा और कमन्द से देखते-ही-देखते उसने कई गूरखर मार गिराए।

झाड़ और पेड़ों की सूखी टहनियों को जमा करके उसने एक अलाव सुलगाया और उस पर एक गूरखर को भूनना आरम्भ कर दिया। उसके बाद पेट भरकर शिकार खाया और चैन की नींद सो गया। रख़्श घास चरता हुआ रुस्तम के पास ही घूमता रहा।

उस शिकारगाह से सात-आठ तूरानी घुड़सवारों का गुज़रना हुआ। घोड़े के खुरों के निशान देखते, उनका पीछा करते हुए एक पानी के झरने के पास पहुँचे, जहाँ रख़्श पानी पी रहा था। रख़्श को देखते ही उन्होंने उसको पकड़ना चाहा और कमन्द उसकी गर्दन की तरफ फेंकी। रख़्श ने गुस्से में जबाबी हमला किया और किसी को लात मारी, किसी की गर्दन अपने दाँतों से दबाई। इस तरह से उनमें से तीन सवारों को मार गिराया। यह देखकर अन्य सवारों ने रख़्श की दीवानगी पर क़ाबू पाने के लिए हर तरफ़ से कमन्द फेंकी और उसको क़ैद कर लिया। फिर रख़्श को हर ओर से खींचते हुए वे सवार उसे अपने शहर तूरान की तरफ ले गए।

रुस्तम जब सोकर उठा तो उसे रख़्श कहीं नज़र नहीं आया। थोड़ी देर इधर-उधर ढूँढ़ने के बाद वह रख़्श के लिए चिन्तित हो उठा। दुःख में डूबा मन बार-बार यही सवाल कर रहा था कि वायुवेग से दौड़ने वाले उस घोड़े को आखिर वह कहाँ ढूँढ़े? अबा, तरकश, गदा और म्यान में तलवार बाँधे रुस्तम

पैदल चलते हुए इस बात से भी उत्तेजित था कि कैसे इस बियाबान को पैदल पार करे और युद्ध की इच्छा रखने वालों के साथ क्या अव्यवहार करे। उसको इस खयाल से अपमान का अहसास हो रहा था कि जब तुर्क पूछेंगे कि रख़्श केसे चोरी हुआ, तो उसको बताना पड़ेगा कि उस समय रुस्तम जैसा होशियार पहलवान बेख़बर पड़ा सो रहा था। अपने मन को कड़ा कर वह रख़्श के पैरों के निशानों के पीछे-पीछे हो लिया।

रुस्तम जैसे ही समनगान शहर के समीप पहुँचा, उसके आने की खबर जंगल की आग की तरह वहाँ के बादशाह व जनता के बीच फैल गई कि ताजबख्श पहलवान पैदल ही चला आ रहा है। उसका घोड़ा रख़्श शिकारगाह में कहीं भाग गया है।

हमीं गुफ़्त हर कस कि इन रुस्तम अस्त
व या आफ़ताब सपीदेह दम अस्त

(हर कोई यही कह रहा था कि यह रुस्तम पहलवान है या सुबह का उगता सूरज है।)

शाह अपने दरबारियों के संग रुस्तम के स्वागत के लिए राजमहल से निकला और रुस्तम के समीप पहुँच कर घोड़े से उतरा और कहा कि तुम मेरे दोस्त हो। तुमसे जंग क्या करना। इरा शहर में तुम्हारे आने से हम सब खुश हैं। तुम्हारी हर इच्छा हमारे सर आँखों पर है।

रुस्तम के मन में सिपाहियों से घिरे बादशाह को देखकर जो शंका उठी थी, वह बादशाह के विनम्र सम्बोधन से जाती रही। उसकी बातों को ध्यानसे सुनने के बाद, रुस्तम ने कहा कि इस चरागाह रो रख़्श बिना लगाम और ज़ीन के जाने कहाँ चला गया है। सिरकण्डों के झुण्ड के पास जो छोटा-सा झरना है, वहाँ से रख़्श के पैरों के निशाान समनगान शहर तक हैं। मैं अहसानमन्द हूँगा यदि आप रख़्श को वापस दिला दें। इस नेक काम के लिए आपको धन्यवाद दूँगा। यदि रख़्श नहीं मिला तो, मैं बहुतों के सर धड़ से अलग कर दूँगा।

बादशाह ने रुस्तम के क्रोध को देखकर उसको धीरज बँधाया कि ऐसी बातें उसके व्यक्तितव से मेल नहीं खातीं। वह शाही मेहमान है। रख़्श को ढूँढ़ने में उग्रता दिखाने से कोई लाभ नहीं। बेहतर है कि वह आराम से चलकर शाही महल में आराम करें और शराब व लजीज़ खाने से अपनी थकान दूर करें। इस बीच रख़्श भी मिल जायेगा–

कि तुनदी व तेज़ी नयायद बेकार
बे नर्मी बरआयद ज़े सूराख़ मार

(तेज़ी और उग्रता से काम नहीं बनता है। नर्मी से साँप भी अपने सूराख से निकल आता है।)

रुस्तम शाह की बातों को सुनकर खुश हुआ और उसका चिन्तामुक्त मन अब शाही महल में मेहमान बन थकान उतारने पर राज़ी हो गया। बादशाह रुस्तम को अपने महल में सम्मान के साथ ले गया और प्रेमपूर्वक अपने पास बिठाया और हुक्म दिया कि ज्योतिषियों को फौरन हाज़िर किया जाए ताकि वह रख़्श के पाए जाने की सम्भावना पर स्वयं रुस्तम पहलवान के सामने विचार-विमर्श कर सकें। इसके बाद साज व आवाज़ और शवाब व शराब की महफिल जमीं। रुस्तम थका हुआ था। उसको जल्द ही नींद आने लगी। वह तेज़ी से महफिल से उठा तो सेवकों ने उसका बिस्तर लगा कर गुलाब व अम्बर से बसा दिया। वह लेटते ही सो गया।

आधी रात गुजर चुकी थी। समय ने रात के ढलने का गजर बजाया, तभी सुगन्धित शमा हाथ में उठाए एक काया आहिस्ता-आहिस्ता चलती हुई रुस्तम के सिरहाने आकर खड़ी हो गई। रुस्तम सोते से अचानक जाग उठा ओर उसे लगा पर्दे की सरसराहट में कोई रहस्य छुपा हो। वह भेद यह था कि उस पर्दे के पीछे एक सुन्दर चाँद जैसी कन्या थी, जिसका चेहरा अन्धेरे में सूरज की तरह दमक रहा था। उसके जिस्म से रंग व खुशबू का सैलाब उमड़ रहा था। उसका लम्बा क़द सूर्व के दरख़्त की तरह ऊँचा और सीधा था। उसके दोनों गाल यमन के अक़ीक़ की तरह सुर्ख थे और उसके होंठ ऐसे थे जिन्हें देखकर आशिकों को दिल उनके सीने में तड़पकर रह जाए। खुदा के बनाए इस हसीन शाहकार को अपने सामने पाकर रुस्तम जैसा बहादुर भी हैरान रह गया। उसने खुदा की महानता क आगे मन-ही-मन सर झुकाया और पूछा :

बे पुरसीद अज़ व गुफ़्त नाम तो चीस्त
चे जुई शबे तीरेह? काम तो चीस्त?

(तुम कौन हो, तुम्हारा नाम क्या है? इतनी रात गए तुम यहाँ किसलिए आई हो?)

उस सुन्दर कन्या ने रुस्तम को जवाब दिया : "मैं समननान बादशाह की लड़कियों में से एक हूँ। मेरा नाम तहमीना है। मैं अपने दुःख के बारे में आपको बताना चाहती हूँ कि इस संसार में मेरा जोड़ा इन बादशाहों के बीच कोई नहीं है, जिसको मैं चुन सकूँ। फिर आगे बोली :

ज़े परदे बेरून कस नदीदेह मरा
नह हरगिज़ कस आवा शनिदेह मरा

(मुझे बेनक़ाब आज तक किसी ने नहीं देखा है। यहाँ तक कि मेरी आवाज़ भी किसी ने नहीं सुनी है।)

कुछ पल ठहरकर तहमीना ने कहा कि आपकी बहादुरी के बेहद चर्चे सुने थे कि आप दैत्य, शेर, चीते, घड़ियाल से भी नहीं डरते। आपके बाजूओं में इतना बल है कि आप सबको पछाड़ कर रख देते हैं। काली अन्धेरी रात में आप इस तरह तूरान की सीमा में दाखिल होने से भी नहीं हिचके। एक गूरखर को भूनकर अकेले ही खा लेते हैं। जब भी आपकी गदा चलती है, तो शेर व चीते तक थर्रा उठते हैं। उकाब अगर आपकी नंगी तलबार देख लेता है तो भय से शिकारगाह की तरफ जल्द उड़ान भरने का साहस नहीं जुटा पाता है। आपके द्वारा फेंकी कमन्द का निशाना अचूक है और आपके चलाए तीरों के भय से बादल तक खून के आँसू रोने लगते हैं। आपके बारे में ये सारी बातें सुन-सुनकर, मैं दाँतों तले उँगली दबाती थी। ऐसे ही मर्द को पाने की कामना मेरे मन में थी कि खुदा ने आपको इस शहर में भेजा। मुझे तो आपको पाने की इच्छा है। यदि आप भी ऐसा सोचते हैं तो, मैं हाज़िर हूँ। परिन्दों व मछलियों के अलावा यहाँ हमें देखने वाला कोई नहीं है। सच पूछें तो मैं आपको अपने पूरे वजूद के साथ पसन्द करती हूँ और खुदा की मर्ज़ी हुई तो आपसे एक पुत्र की इच्छा रखती हूँ। चूँकि आप शूरवीर हैं, इसलिए खुदा मुझे वैसी ही सन्तान भी देगा जो पहलवानी में हमारा नाम रोशन करेगा। तीसरी जो सबसे महत्वपूर्ण बात है कि आपके घोड़े रख़्श को मैं कहीं से भी ढूँढ़कर ले आऊँगी, चाहे मुझे पूरा समननान ही क्यों न छानना पड़े। इतना कहकर तहमीना खामोश हो गई।

रुस्तम ने अपने सामने यूँ परी चेहरे वाली हसीना को जो बात करते देखा तो उसके होश उड़ गए। चूँकि उसने रख़्श को ढूँढ़ निकालने का प्रण लिया था, जिसके लिए उसको धन्यवाद देना जरूरी था, इसलिए रुस्तम ने तहमीना की बातों का जवाब दिया कि—

बेफ़रमूद ता मोबदी पुर हुनर
बियायद बेख़्वाहद वराअज़ पिदर

(एक हुनरमन्द बुजुर्ग आकर तहमीना के पिता से उसका हाथ रुस्तम के लिए माँगने का निवेदन करेगा।)

शाह शमगान के पास जब यह खबर पहुँची, तो उसने खुशी से यह रिश्ता मंजूर किया। अपने रस्म व रिवाज के अनुसार उसने दोनों का विवाह कर दिया।

❖❖

जब सूरज का गोला अन्धेरी जुल्फों को झटककर ऊपर आया, उस समय रुस्तम ने तहमीना से विदाई ली। रुस्तम ने अपने बाजू पर बंधा बाज़ूबन्द खोला जिसकी बड़ी चर्चा थी। उसको तहमीना के हवाले करता हुआ बोला—"यदि लड़की हुई तो उसके बालों में यह सजा देना ताकि उसके भाग्य का सितारा चमके। यदि लड़का हुआ तो उसके बाजू पर बाप की यह निशानी बाँधना और बताना कि वह साम व नरीमान जैसे पहलवानों के वंश से है।" इतना कहकर रुस्तम ने उस परी चेहरा तहमीना की आँखों का चुम्बन लिया। तहमीना रोते हुए रुस्तम से अलग हुई और रुस्तम ने अपने दुःख को छुपा लिया।

सुबह, शाह समनगान ने रुस्तम से उसका हाल-चाल पूछा कि उसकी आवभगत में कोई कमी तो नहीं रह गई। फिर रख़्श के मिलने की खुशखबरी रुस्तम को सुनाई। अपने सामने रख़्श को पाकर रुस्तम ने उसको प्रेम से थपथपाया। शाह से विदा ली और रख़्श की पीठ पर जीन कसी और हवा से बातें करता हुआ समनगान से सीस्तान की तरफ चल पड़ा और रास्ते भर गुज़री यादों की मिठास में डूबा रहा। सीस्तान से ज़ाबुलिस्तान की तरफ घोड़ामोड़ा मगर वतन पहुँचकर किसी के आगे ज़बान न खोली कि इस बीच उसने क्या देखा और क्या पाया।

❖❖

चू नोह माह बेगुज़श्त बर दुख़्त-ए-शाह
यकी कूदक आमद चू ताबन्देह माह

(नौ महीने बाद शाह की बेटी ने एक चाँद से बेटे को जन्म दिया।)

चू ख़नदान शुद व चेहरा शदाब कर्द
वरा नाम तहमीन सोहराब कर्द

(वह हँसता था तो उसका चेहरा खिल उठता था। उसका नाम तहमीना ने सोहराब रखा।)

चू यक माह शुद हमचू यक साल बूद
बरश चुन बरे रुस्तम व ज़ाल बूद

(जब वह एक महीने का हुआ तो लगता था साल भर का है। उसका सीना रुस्तम और जाल पहलवानों जैसा था।)

चू सह साल शुद साज़े मैदान गिरफ्त
पंजुम दिल-ए-शेर मर्दान गिरफ्त

(जब वह तीन साल का हुआ तो युद्ध कला में दक्ष हो गया। जब पाँच साल का हुआ तो वह पूरा शेर दिल मर्द बन गया।)

चू दह साल शुद ज़ेआन ज़मीन कस नबूद
कि यार अस्त बा उ नबर्द आज़मूद

(बो दस साल का हुआ तो उसके बराबर का कोई इस ज़मीन पर न था जो उससे युद्ध कर सके।)

बरे मादर आमद बेपुरसीद अज़ वई
बे दु गुफ्त गुस्ताख़ व मन बेगुई

(एक दिन सोहराब माँ के पास आया और बड़ी निडरता से पूछने लगा कि–)

ज़े तुख़्मे कियम वज़ कुदामीन गोहर
चे गुयम चू पुरसद कसी अज़ पिदर
गर इन पुरसिश अज बेमान्द नहान
नमानम तोरा ज़िन्देह अन्दर जहान

(मैं किसके वंश से हूँ, किसका बेटा हूँ–जब कोई मुझसे मेरे बाप का नाम जानना चाहेगा, मैं क्या जवाब दूँगा। मेरे इस सवाल के जवाब को अगर छुपाया तो मैं तुम्हें जिन्दा नहीं छोड़ूँगा।)

सोहराब की बातें सुनकर तहमीमा ने कहा कि इतनी जल्दबाज़ी ठीक नहीं है। पहले मेरी बात सुनो, सुनकर खुश हो।

तो पूरे गबे पीलतन रुस्तमी
ज़े दस्ताने सामी व अज़ नीरमी

(तू हाथी जैसी काया रखने वाले रुस्तम पहलवान के बेटे हो जिसके बाप और दादा साम नरीमान और ज़ालज़र जैसे पहलवान थे।)

इतना कहकर तहमीना अपनी जगह से उठी और रुस्तम का भेजा ख़त बेटे के पास लाई और बोली कि तुम्हारे बाबा ने इस खत के साथ अपने बेटे के जिए तीन थैली सोने से भरी और तीन क़ीमती याक़ूत ईरान से भेजे थे। जो क़ासिद यह खत लेकर आया था, उसने यह ज़बानी पैग़ाम भी दिया था कि इस भेद को शाह अफ़रासियाब को कभी पता नहीं चलना चाहिए क्योंकि वह रुस्तम पहलवान का जानी दुश्मन है और तूरान के लिए भी किसी लानत से कम नहीं है। हो सकता है कि वह तुमसे बदला ले और माँ और बेटे दोनों को मरवा डाले। तहमीना ने सोहराब से आगे कहा–

पिदर गर बेदानद कि तो जेन निशान
शुदस्ती सरअफ़राज़ गर्दनकुशान
हमानगह बेख़्वानद तोरा निज़्देह खीश
दिल-ए-मादरत गदर्द अज़ दर्दे रीश

तहमीना व रुस्तम की पहली मुलाक़ात

(तेरे बाबा को मैंने भेजे पैगाम में तेरे बारे में कुछ नहीं बताया। यदि उन्हें पता चल जाता कि उनका पुत्र उन्हीं की तरह है, तो वह फौरन तुझे अपने पास बुला लेते और तेरी माँ का कलेजा तेरी जुदाई का ग़म न सह पाता।)

यह सुनकर सोहराब ने माँ से पूछा—"आखिर इस भेद को तुमने मुझसे क्यों छुपाया जबकि रुस्तम जैसे नामी पहलवान के नाम से जंग की तारीख लिखी जायेगी। ऐसे खानदान की हक़ीकत को मुझसे छुपाने का क्या तुक था। अब मैं एक फौज तैयार करूँगा और तुर्कों से युद्ध करूँगा। शाह काऊस के विरोध में खड़ा हो ईरान से तूस तक जाऊँगा। उस समय मेरे आगे गुरगीन, गुदर्ज, गिव, नौज़र, बहराम जैसे नामी पहलवान भी नहीं टिक पायेंगे।"

बे रुस्तम दहम गंज व तख़्त व कुलाह
निशानामश बरगाहे काउसे शाह

(रुस्तम को ताज, खजाना दूँगा और उसको काउस के तख़्ते शाही पर बादशाह की तरह बिठाऊँगा।)

मैं ईरान से तूरान तक युद्ध करूँगा और सब जगह विजय-पताका फहराता हुआ अफ़रासियाब से उसका तख्त छीनूँगा और आपको ईरान की मालिका बनाऊँगा।

चू रस्तम पिदर बाशद व मन पिसर
बेगेती नामानद यकी ताजवर
जो रोशन बुवद रुए ख़ुरशीद व माह
सितारे चिरा बर फ़राजद कुलाह

(यदि रुस्तम जैसा बाप और सोहराब जैसा बेटा हो तब संसार में कोई भी बादशाह नहीं टिक पायेगा। जब सूरज और चाँद चमक सकते हैं तो फिर सितारों के सिर पर मुकुट क्यों?)

इतना कहने के बाद सोहराब माँ से बोला कि पहले तुम मुझे एक घोड़ा लेकर दो। जिसके खुर फौलाद के हों, जो हाथियों का बल और परिन्दे की उड़ान मछली की फुर्ती और हिरन की चुस्ती रखता हो। फिर देखना मैं क्या करता हूँ। तहमीना ने बेटे की बात सुनी और बेहतरीन घोड़ा देने का वचन दिया। अस्तबल खोले गए। लोग अपने बेहतरीन घोड़ों को लेकर सोहराब के पास पहुँचें सोहराब ने घोड़ा पसन्द करना आरम्भ किया। मगर जिस घोड़े पर वह उचककर बैठता, उसकी की पीठ ज़मीन से आ लगती। यह देखकर सोहराब उदास हो गया। सारे घोड़ेवाले अपने धोड़ों के साथ निराश लौटने लगे। तभी उनमें से एक आदमी आगे बढ़ा और सोहराब से कहा कि उसके पास रख़्श की नस्ल से घोड़े का एक

बच्चा है जो सोहराब के बताए गुणों से भरपूर है। यह सुनकर सोहराब का चेहरा खुशी से खिल उठा।

रख़्श की नस्ल का वह घोड़ा पल भर में सोहराब के आगे पेश किया गया। उसका क़द और बल देखकर सोहराब ने उसको पसन्द कर लिया। प्यार से उसकी पीठ थपथपायी और उस पर ज़ीन कसकर सवारी की। सोहराब उसकी फुर्ती व चुस्ती देखकर कह उठा कि बेहतरीन घोड़ा मेरे हाथ लगा है। इसके बाद सोहराब घर लौटा और एक बड़ी फौज जमा की जिसमें दक्ष योद्धा थे।

सोहराब ने अपने नाना से सहायता व नेतृत्व का अनुरोध किया और बताया कि वह ईरान की तरफ फौज लेकर बढ़ने वाला है। शाह समनगान ने नवासे की जो यह दिलेरी देखी तो, उसका मन रखने के लिए उसको हर प्रकार का समर्थन देने का वचन दिया। ताज़, तख़्त, जिरह बख़्तर, घोड़े, हथियार, सोना-चाँदी, मोती, हीरे, उसको दिए और दूध पीते बच्चे की इस बहादुरी पर आश्चर्यचकित हो उसे पूरे शाही ठाठ से लड़ने के लिए विदा किया।

❖❖

शाह अफरासियाब को सूचना मिली की सोहराब ने युद्ध का बेड़ा उठा लिया है। अपनी फौज़ में वह इस तरह अलग दिखता है जैसे चमन में सर्व का दरख़्त जबकि उसके मुँह से दूध की बू आती है मगर शाह काऊस से लड़ने का हौसला रखता है। संक्षेप में उसकी प्रशंसा में यही कहा जा सकता है कि देखने में जैसा दिखता है, उससे कही ज़्यादा गुणवान है।

शाह अफरासियाब यह सुनकर खुश हुआ और हँसा। फिर उसने हुक्म दिया कि हुमान और बारमान जैसे युद्ध में दक्ष योद्धाओं की सिपेहसालारी में बारह हज़ार दिलेर सिपाहियों से तैयार फौज सोहराब को दी जाए। इस सहायता द्वारा सोहराब आगे बढ़ेगा और उस फौज से जूझने के लिए रुस्तम आगे बढ़ेगा। ऐसे समय में यह भेद खुलने न पाए कि रुस्तम और सोहराब बाप-बेटे हैं। रुस्तम जैसे परिपक्व पहलवान इस बहादुर नन्हें पहलवान के हाथों मारा जाएगा। जब ईरान बिना रुस्तम के कमज़ोर पड़ जायेगा, उस समय में शाह काऊस का जीना हराम कर दूँगा। मान लो कि रुस्तम के हाथों सोहराब की हत्या हो जाती है तो भी उस पहलवान का दिल खून के आँसू रोएगा।

इस षड्यन्त्र का नक्शा बना लेने के बाद दोनों पहलवान योद्धा सोहराब के समीप पहुँचे और फरासियाब का भेजा उपहार जो दस घोड़ों और दस ऊँटों पर लदा हुआ था, और साथ ही शाह का लिखा खत भी दिया जिसमें उसने सोहराब को प्रोत्साहन देते हुए लिखा था कि अगर तुम ईरान के तख्त को हासिल कर

पाए तो समझो इस संसार में न्याय का राज होगा। यहाँ से वहाँ तक रास्ते में कोई रुकावट नहीं होगी। समनगान और तूरान व ईरान एक हो जाएँगे। तुम्हारे पास कुछ सिपाही भेज रहा हूँ तुम हाथी दाँत के तख़्त पर मोतियों का ताज़ पहनकर बैठो और मेरे भेजे सिपाहसालार हुमान और बरमान पर विश्वास रखो। वे तुम्हारा साथ देंगे और तुम्हारी आज्ञा का पालन करेंगे। अब सोहराब ने शाह अफरासियाब के उपहार देखे तो प्रसन्न हुआ। मगर हुमान अपने सामने लम्बे-चौड़े शूरवीर को देखकर ठगा-साग रह गया। सोहराब ने शाह का पैगाम सुना और उसका खत पढ़ा।

सोहराब ने फौज को ईरान की तरफ कूच करने का आदेश दिया। सोहराब को देखकर कोई भी उससे युद्ध की चुनौती नहीं ले सकता था। चाहे वह शेर हो या मगरमच्छ! फौज के कूच से सब तरफ एक हंगामा मच गया। रास्ते में जो भी आया, वह कुचला गया।

❖❖

ईरान सीमा पर एक सफेद क़िला था, जिसका रक्षक हुजीर जैसा बलवान जंगजू योद्धा था। वहाँ गज़दहुम की एक बेटी गुर्दआफ़रीद भी थी, जो बाप की तरह ही युद्ध-कला में निपुण थी। मगर गज़दहुम अब बूढ़ा हो चुका था। हुज़ीर ने क़िले के ऊपर से सोहराब की फौज को आते देखा और नीचे उतरा ताकि सोहराब को अच्छा सबक़ सिखा सके। सोहराब ने हुजीर को देखकर अपने घोड़े को एड़ लगाई औरसफेद क़िले की तरफ तेज़ी से बढ़ा।

सोहराब को तन्हा देखकर हुजीर ने पूछा कि क्या तुम अकेले ही युद्ध करने आए हो, तो समझो तुम घड़ियाल के जबड़े में फँस चुके हो। सोहराब ने पूछा कि 'तुम कौन हो, तुम्हारा नाम क्या है? तुम्हारे चाहने वाले कहीं तुम्हारी मौत पर रोएँ न!' यह सुनकर हुजीर ने कहा कि मेरे मुक़ाबले का कोई दूसरा योद्धा ज़मीन पर नहीं है। मेरा नाम हुजीर है और मैं इस किले का रक्षक हूँ। अभी तुम्हारा सर धड़ से अलग किए देता हूँ। उसकी ललकार सुनकर सोहराब हँस पड़ा। भाले, तलवार और तीरों से दोनों के बीच युद्ध छिड़ गया। अन्त में सोहराब हुजीर का सर धड़ से अलग करना ही चाहता था कि हुजीर ने उससे जान बख़्शने की विनती की; जिसे सुनकर सोहराब ने उसको क्षमा कर दिया और बन्दी बनाकर हुमान के पास भेज दिया। हुमान यह देखकर दाँतों तले उँगली दबाकर रह गया। सफ़ेद क़िले के अन्दर जब खबर पहुँची कि हुजीर बन्दी बना लिया गया है, तो वहाँ कोहराम मच गया। औरतों-मर्दों के रोने-चिल्लाने की आवाजें बुलन्द हो गईं।

जब गज़दहुम की बेटी गुर्दआफ़रीद को पता चला कि सिपाहसालार बन्दी

बना लिया गया है, तो दुःख से उसने ठंडी साँस भरी और उदास होकर गहरी सोच में डूब गई। गुर्दआफ़रीद एक ऐसी लड़की थी जो युद्ध-कला में निपुण थी और उसके मुक़ाबले का दूसरा कोई हमउम्र नहीं था। वह हुजीर की इस पराजय से अपने को बहुत अपमानित महसूस कर रही थी। बिना समय गँवाए उसने छटपट एक फौजी दस्ता तैयार किया। और अपने बालों को जिरह में छुपाया, कमर पर तलवार कसी और घोड़े पर बैठ वह किसी शेरनी की तरह क़िले के दरवाज़े से बाहर आई। अपने फौजी दस्ते के पास पहुँचकर उसने सिपाहियों को ललकारा, तो ऐसा महसूस हुआ जैसे बादलों के बीच बिजली कड़की हो। पहलवानों को समाप्त करने की चुनौती सुनकर सोहराब मुस्कुराया, फिर होंठ भीचकर मन-ही-मन कहा कि अब कौन मुसीबत में फँसने इधर आ रहा है। सोहराब ने जिरह-बख़्तर पहना और बाहर की तरफ निकला।

गुर्दआफ़रीद ने कमान पर तीर चढ़ाया और एक के बाद एक सोहराब की तरफ फेंकने लगी। सोहराब ने ढाल सिर के सामने करके घोड़ा दुश्मन की तरफ दौड़ाया। गुर्दआफ़रीद ने कमान कन्धे पर टाँगी और भाले को उछालकर सोहराब की तरफ निशाना बाँधा और साथ ही कमन्द फेंकी। सोहराब को देखकर क्रोध तो आया, पर वह यह भी समझ चुका था कि दुश्मन युद्धकला में निपुण है। अपनी तरफ आने वाले भाले को सोहराब ने हाथ से रोका और फौरन गुर्दआफ़रीद की कमर पर दे मारा और उसको जीन से नीचे गिरा दिया। गुर्दआफ़रीद ने तेज़ तलवार म्यान से निकाली और सोहराब के भाले पर मार दी। भाले के दो टुकड़े हो गए। और गुर्दआफ़रीद जीन पर सँभलकर बैठ गई। मगर यह भी समझ गई कि उसका मुकाबला सोहराब से है, जिसके सामने टिकना कठिन है। कुछ सोचकर उसने घोड़े को एड़ लगाई और सरपट दौड़ाती हुई क़िले की तरफ भागी।

सोहराब ने जो यह देखा कि दुश्मन हाथ से निकला जा रहा है तो उसने घोड़े को गुर्दआफ़रीद के पीछे दौड़ाया। जब क़रीब पहुँचा तो उसने लपककर हाथ बढ़ाया और सवार की टोपी पर हाथ मारकर उसका तुर्क पकड़ लिया। टोपी के हटते ही गुर्दआफ़रीद के लम्बे बाल कन्धे पर बिखर गए। यह देखकर सोहराब चकित रह गया और सोचने लगा यदि ईरान की औरतें इतनी दिलेर हैं, तो उनके मर्दों का क्या हाल होगा। वह समझ गया कि अभी तक वह लड़की से युद्ध कर रहा था। गुर्दआफ़रीद उसी हालत में घोड़ा दौड़ाती भागती जा रही थी। यह देखकर सोहराब ने कमन्द निकाली और उसकी तरफ फेंकी, जो उसे कमर में जाकर कस गई। सोहराब के खींचने से गुर्दआफ़रीद घोड़े की पीठ से नीचे जमीन पर आन गिरी। सोहराब ने उसके पास पहुँचकर चेतावनी देते हुए

कहा कि मुझसे अब आजाद होने की कोशिश मत करना। पहले यह बताओ कि तुम जैसी सुन्दर लड़की को मुझसे युद्ध करने की ऐसी क्या मजबूरी आन पड़ी?

गुर्दआफ़रीद ने सोहराब से कहा कि हमारे बीच हो रहे इस युद्ध को दोनों तरफ खड़े योद्धाओं ने देखा है। मेरे खुले बालों से सब कुछ समझ गए हैं। वे ज़रूर आपस में बात कर रहे होंगे कि आप जैसा शेरों का शेर पहलवान, लड़की से लड़ रहा है। यह बात आपकी बदनामी का कारण बनेग़ी। इसलिए बेहतर है कि हम आपस में समझौता कर लें। इसी में हमारी भलाई और अक़्लमन्दी है। चूँकि दोनों फौज़ें आमने-सामने खड़ी हैं। ऐसी हालत में इस युद्ध-विराम को फिर से रणक्षेत्र में बदलने की कोशिश उचित नहीं है। वास्तव में वह सफेद क़िला, उसका ख़ज़ाना, यह फौज,यहाँ तक कि उसका स्वामी भी तुम्हारे आदेश का नौकर है और तुम इन सबके मालिक बन चुके हो। इतना कहकर गुर्दआफ़रीद ने अपने चेहरे का नक़ाब हटाया और चेहरा सोहराब की तरफ घुमाया।

सोहराब उसके काले बालों की ओर तो पहले ही आकर्षित हो चुका था। अब जो उसका चेहरा देखा तो लगा जैसे वह स्वर्ग वाटिका में पहुँच गया हो। उसके गाल रस भरे ख़ोशे थे। उसकी हिरनी जैसी दोनों आँखों पर कमान जैसी भवें थीं। सोहराब के दिल पर उस लड़की के हुस्न का जादू चल गया और मन-ही-मन कहने लगा तुमसे मुलाक़ात भी हुई तो रणक्षेत्र में।

सोहराब ने चन्द पल बाद गुर्दआफ़रीद की बात का जवाब देते हुए कहा कि ठीक है। मगर एक बात याद रखना कि तुममें मुझसे लड़ने की ताक़त नहीं है।

गुर्दआफ़रीद ने चेहरा क़िले की तरफ घुमाया और चलने को मुड़ी। सोहराब भी उसके पीछे-पीछे हो लिया। जैसे ही क़िले के दरवाज़े के पास गुर्दआफ़रीद पहुँची, दरवाजा खुला और उसके अन्दर दाखिल होते ही फौरन दरवाजा बन्द हो गया। सोहराब बन्द दरबाजे के पीछे ही रह गया।

क़िले के बूढ़े, जवान, बच्चे सभी हुजीर के क़ैद हो जाने और गिदआफ़रीद के इस तरह युद्ध पर निकल जाने से दुःखी और चिन्तित थे। गिदआफ़रीद के पिता गज़दहुम को जैसे ही बेटी के आने की ख़बर मिली, वह गुर्दआफ़रीद की तरफ लपका और उससे कहने लगा : 'मेरी नेकदिल शेरनी। तेरी जुदाई से तेरे बाप का दिल वीरान हो गया था। एक तरफ तुझे युद्ध में जाने का शौक़ है, तो दूसरी ओर अपना वह रूप दिखा रही है। कहीं ये दोनों बातें हमारी बदनामी के कारण न बन जाएँ। बहरहाल खुदा का लाख-लाख शुक्र है कि तू शत्रुओं के चंगुल से सही-सलामत लौट आई है।'

पिता की बात सुनकर गुर्दआफ़रीद खिलखिलाकर हँस पड़ी। सिपाहियों को

देखने के लिए उसने जो क़िले के बाहर झाँका तो क़िले के बन्द दरवाज़े के सामने सोहराब के घोड़े पर बैठा देखा। उसको देखकर गुर्दआफ़रीद बोली कि ए जवान मर्द! क्यों बेकार में कष्ट उठा रहे हो। लौट जाओ क्योंकि अब तुम मुझे नहीं पकड़ सकते हो! सोहराब ने गुर्दआफ़रीद की बात सुनकर कहा कि वह सारे वायदे क्या हुए जिसमें तुमने यह क़िला, यह फौज और खज़ाने का मालिक मुझे बनाया था? सुनकर गुर्दआफ़रीद हँसी। सोहराब क्रोध से बोला :

बेदू गुफ़्त सोहराब कि एइ ख़ूब चहर
बे ताज व बेतख़्त व बेमाह व बेमहर
कि इन बारहे बा ख़ाक पस्त आवरम
तोरा एइ सितमगर बेदस्त आवरम

(ऐ अच्छे चेहरे वाली परी! मैं तख़्त व ताज, चाँद और चकोर की सौगन्ध खाकर कहता हूँ कि इस क़िले की बुनियाद को खाक़ में मिला दूँगा। एक बार तुम मेरे हाथ लग जाओ तो फिर मज़ा चखाऊँगा।)

सोहराब की बातें सुनकर गुर्दआफ़रीद हँसी और जवाब में बोली : ईरान और तूरान में दोस्ती प्रलय तक नहीं हो पाएगी। इसलिए इस बात का ग़म मत करो। यह भी हक़ीक़त है कि तुम तुर्क नहीं हो। यह क़द, यह काठी, यह पेशानी, यटसीना तुम्हारे यहाँ पहलवानों का हो ही नहीं सकता। लेकिन जब शाह को खबर मिलेगी कि एक तुर्क फौजी पहलवान आया हुआ है तो शाह और रुस्तम दोनों ही तुम्हारे विरोध में खड़े हो जाएँगे और याद रखो कि तुम रुस्तम जैसे नहीं हो। ये दोनों मिलकर तुम्हारी सारी फौज का सफाया कर देंगे। मैं नहीं कह सकती कि तुम्हारा क्या हश्र करेंगे। बहरहाल अब तुम्हारे लिए सिर्फ एक ही रास्ता बचा है कि तुम अपनी फौज़ को तूरान कूच करने का हुक्म दो और स्वयं अपने देश लौट जाओ।

गुर्दआफ़रीद की बात सुनकर सोहराब ने अपने को अपमानित महसूस किया। क्रोध में उसने जवाब दिया कि आज़ तो शाम हो गई है, मगर कल सुबह मेरी तलवार और तीर तुम्हारे इस अपमान का करारा जबाब देंगे। इतना कहकर सोहराब लौट गया।

सोहराब की इस तरह क्रोध भरी चुनौती सुनकर सफेद किले में रोना पीटना मच गया। गज़्दहुम विचारों में डूब गया ताकि कोई तरकीब निकाल सके। आखिर में थक कर उसने मुंशी को बुलाया और शाह के नाम एक खत लिखने को कहा। खत के शुरू में बादशाह की प्रशंसा में चन्द पंक्तियाँ लिखवाईं, फिर इधर की खबर देते हुए आगे लिखवाया कि एक पहलवान आया था, जो मुश्किल

सोहराब पहलवान की पहली जंग
जंगजू गुर्दआफ़रीद के साथ

से चौदह साल का था। वह सर्व की तरह लम्बा और सूरज के समान ओजस्वी मुखमण्डल वाला था जिसके कन्धे शेर की तरह बलिष्ट थे। ऐसे हाथ-पैर रखने वाला पहलवान आज तक तुर्कों में मैंने नहीं देखा था।

चू शमशीर हिन्दी बेचंग आयदश
ज़े दरिया व अज़ कूह नंग आयदश
चू आवाज़-ए-उ रअद गुरन्देह नीस्त
चू बाज़ूएइ-उ तीग़ बर्रनदह नीस्त
ब ईरान व तूरान चनो मर्द नीस्त
जे गुर्दान कस उराहम आवुरद नीस्त
बे नाम अस्त सोहराब गुर्दे दिलेर
न अज़ दीव पीचद न अज़ पील व शेर

(जब वह अपनी हिन्दुस्तानी तलवार चलाता है तो समुन्दर और पहाड़ शरम से गड़ जाते हैं। उसकी आवाज़ का मुकाबला बिजली की कड़क और बाजुओं की मजबूती के सामने तेज तलवार भी नहीं टिक सकती। ईरान व तूरान में ऐसा बाँका जवान नहीं है। उसकी तुलना किसी भी पहलवान से नहीं की जा सकती है। उस शूरवीर का नाम साहेराब है, जो न तो शेर, न हाथी और न दैत्य से डरता है।)

गज़दहुम ने सोहराब की बहादुरी की चर्चा करते हुए पत्र में आगे लिखवाया कि जो भी कहा जाये, मगर ऐसा विश्वास जागता है कि यह या तो रुस्तम का या रुस्तम के समान किसी पहलवान का वंशज है। हुजीर अभी उसी का बन्दी बना हुआ है। संक्षेप में कहूँ, तो मैंने तूरान के सब सवारों को देखा, मगर ऐसा ओजस्वी पहलवान मेरी नज़रों से अब तक नहीं गुजरा।

गज़दहुम ने यह पत्र खुफिया तरीक़े से शाह के पास भेजा ताकि तुर्क सवारों की निगाह सन्देशवाहक पर न पड़ सके।

❖❖

सुबह होते ही तूरान सिपाहियों ने कमर कसी और अपने सिपहसालार सोहराब के पीछे हो लिए, मगर सफेद किले के पास जाकर उन्होंने देखा कि दरवाजा खुला है और किले में न आदम है न आदमजात। क़िले के तहखाने के चोर रास्ते से गजदहुम के साथ सभी भाग लिए थे। अब किला खाली पड़ा था। सोहराब किसी शेर की तरह दहाड़ रहा था मगर उसको उस चोर रास्ते का पता नहीं था। इसलिए हाथ मलता हुआ सोच रहा था गुर्दआफ़रीद कहीं नज़र नहीं आ रही है।

❖❖

इधर जब खत ईरान शाह काउस के पास पहुँचा तो उसे यह जान कर दुःख हुआ

कि तूरान का पहलवान फौज के साथ चढ़ाई करने को आगे बढ़ रहा है। बादशाह ने फौरन फौज के महत्त्वपूर्ण योद्धाओं वे पहलवानों की सभा बुलाई ताकि सब मिलकर इस समस्या पर विचार करें। तूस; गूदर्ज, गिव गुरगीन, बहराम, फरहाद सभी नामी पहलवान जमा हो गए। उन सबने अब गज़दहुम का पत्र पढ़ा तो एकमत होकर बोले कि इस जैसे पहलवान का मुकाबला करना हमारे बस की बात नहीं। अच्छा हो कि इस बड़े काम के लिए रुस्तम की सहायता माँगी जाए। गिव को ज़ाबुलिस्तान भेजा जाए ताकि वह रुस्तम को सविस्तार इस तूरानी पहलवानों का विवरण देते हुए कहे कि ईरान का तख्त व ताज खतरे में है।

❖❖

गिव खत-लेकर जाबुलिस्तान की तरफ रवाना हुआ। जब जाबुलिस्तान करीब आया तो उसने खुशी का नारा लगाया, जिसको सुनकर रुस्तम को पता चल गया कि ईरान से सवारी आई है। फौरन स्वागत की तैयारी की गई। गिव ने रुस्तम को शह काऊस का खत दिया। रुस्तम ने पत्र खोलकर पढ़ा, जिसमें उसकी बहादुरी की तारीफ में शाह ने संसार की कोई उपमा नहीं छोड़ी थी और अन्त में लिखा था :

दिल व पुश्त गर्दान-ए-ईरान तोइ
बेचंगाल व नीरूई शेरान तोई

(तुम ईरान के दिल और उसके रक्षक हो जिसके हाथों में शेर के जैसा बल है।)

रुस्तम पूरा खत पढ़कर मुस्कराया और गिव से तूरानी पहलवान सोहराब का बयान सुनकर सोच में पड़ गया। उसको याद आया कि शाहसमनगान की बेटी से उसका एक पुत्र है, जिसके लिए उसने उपहार भेजा था। मगर वह तो अभी बच्चा है। वह इस उम्र में फौज लेकर कैसे ईरान पर आक्रमण की सोच सकता है और हुजीर जैसे पहलवान को बन्दी बना सकता है।

रुस्तम ने गिव से कहा कि ईरान जाने से पहले आओ कुछ देर गप-शप कर लें। जमाने बाद मिले हैं। बहुत कुछ है कहने और सुनने को। दोनों ने शराब पीनी शुरू की और इतना मस्त हो गए कि ईरान जाना ही भूल गए। जब एक दिन गुजर गया तो गिव ने रुस्तम को ईरान जाने की याद दिलाई। इस पर रुस्तम ने ज्योतिषियों को बुलाया। उन्होंने कहा कि एक ख़ान सामने है। सुनकर रुस्तम ने खाने की महफिल जमाई। साज-आवाज़ का भी इनतज़ाम हुआ और इस तरह से स्वादिष्ट भोजन व शराब में तीन दिन और गुज़र गए। रुस्तम इस बात को भूल ही गया कि उसको शाह काऊस ने बुलाया है। गिव ने रुस्तम से कहा कि अब देर करना ठीक नहीं है। एक तरफ वह

तूरानी पहलवान आफ़त मचाए है और दूसरी तरफ शाह काऊस उत्तेजित हो रहा है। उसका क्रोध तुम जानते हो और यह भी जानते हो कि वह अधिक बुद्धिमान भी नहीं है कि धैर्य रख सके। गिव के समझाने से रुस्तम ने ईरान जाने की तैयारी शुरू कर दी। रख़्श पर जीन कसी और सिपाहियों के संग ज़ाबुलिस्तान से धूल के बादल उड़ाता ईरान की तरफ चल पड़ा।

रुस्तम जब ईरान पहुँचा तो रास्ते से ही तूस, गूदर्ज़ आदर के कारण अपने घोड़ों से उतर रुस्तम के पीछे पैदल चलने लगे। शाह काऊस के पास पहुँचकर रुस्तम घोड़े से उतरा और पैदल चलता हुआ शाह काऊस के सम्मान में झुका। उस पर नज़रें पड़ते ही शाह काऊस आक्रोश के कारण पहले ही गिव पर झपटा और शेर की तरह गुर्राकर दहाड़ा कि रुस्तम कौन है, जो मेरा हुक्म मानने से इंकार करे। यदि मैं चाहूँ तो अभी इसके सर को धड़ से अलग कर सकता हूँ। फिर तूस से कहा कि इन दोनों को ले जाओ और ले जाकर फाँसी पर चढ़ा दो। किसी को मुझसे एक भी शब्द कहने की आवश्यकता नहीं है।

पहलवान तूस ने शाह का यह हुक्म सुनकर रुस्तम का हाथ पकड़ा मगर शाह काऊस का यह फैसला सुनकर गिव का कलेजा मुँह को आ गया कि रुस्तम का स्वागत शाह ने किस तरह किया। रुस्तम का यह अपमान देखकर सारे दरबार को साँप सूँघ गया। शाह काऊस के रौद्र रूप और अपमानजनक व्यवहार ने रुस्तम को तो दीवाना ही बना दिया और वह शाह काऊस पर चीख पड़ा कि आपका हर काम पहले से बदतर है। आपको यह तख़्त व ताज शोभा नहीं देता। आप उस तुर्क पहलवान को जिन्दा फाँसी पर चढ़वाएँ क्योंकि जो बुरा चाहता है उसको सजा मिलनी चाहिए। मेरे रख़्श और मेरी तलवार के प्रभाव में रोम, समसार, माज़नदरान, मिस्र, चीन और हामावरान हैं। आप भी मेरे कारण आज ज़िन्दा हैं। फिर आपके दिल में मेरे लिए इतनी दुश्मनी क्यों? इतना कहकर रुस्तम ने जोर से तूस के हाथ पर अपना हाथ मारा और गुस्से से जाने को मुड़ा और रख़्श पर सवार होकर बोला—

चू ख़श्म आवरम शाह काउस कीस्त
चेरा दस्त याज़द बेमन तूस कीस्त
मरा ज़ूर व फीरूजी अज़दावर अस्त
न अज़ बादशा व न अज़ लश्कर अस्त

(यदि मुझे ताव आ गया तो फिर मेरे लिए न शाह काऊस की कोई क़ीमत है और न तूस की, मेरे बाजुओं का बल और विजय मेरी पहचान है, न कि बादशाह और उसकी फौज की।)

ज़मीन बन्देह व रख़्श गाह मनस्त
नगीन गुर्ज व मग़फ़र कुलाह मनस्त
सर नीज़े व गुर्ज़ यार मन अन्द
दो बाज़ू व दिल शहरयार मन अन्द

(यह रख़्श ही मेरा साम्राज्य है और यह गदा व ज़रा मेरा ताज़ है। भाले व गदा मेरे यार हैं। मेरा दिल और ये मेरे दोनों बाजू जिनका मैं बादशाह हूँ।)

शब तीरेह अज़ तीग़ रख़्शान कुनम
बर आवरद गह बर सर अफ़्शान कुनम
चे आज़ार दम उ न मन बन्दे अम
यकी बन्द-ए-आफरीनन्दे अम

(अन्धेरी रात को मैं अपनी तलवार से रोशनीदेता हूँ। यदि इसको चला दूँ तो कटे हुए सिर ही सिर बिखर जाएँगे इस ज़मीन पर। मैं आज़ाद पैदा हुआ हूँ न कि किसी का गुलाम। इसलिए मैं सिर्फ खुदा का बन्दा हूँ।)

दिलेरान बेशाही मरा ख़्वास्तन्द
हुमान गाह व अफ़सर बियारास्तन्द
सुए तख़्त शाही नकरदम निगाह
निगेह दाश्तम रस्म व आईन-ए-राह

(दिलेर मुझे शाह बनाना चाहते थे और तख्त शाही पर मुझे बिठाना चाहते थे मगर मैंने सिंहासन की तरफ नजरें उठाकर भी नहीं देखा क्योंकि मेरी नज़रें नेकी और सत्य की राह पर टिकी हुई थीं।)

इतना कहने के बाद भी रुस्तम का गुस्सा शांत नहीं हुआ। और उसने कहा कि जब शाह कबाद सहायता माँग रहे थे। उस समय मेरे पितामह साम खड़े न होते, तो आज काऊस को यह ताज व तख़्त नसीब न होता। वे ही उन्हें अलबुर्ज़ पर्वत की क़ैद से आज़ाद कर के ईरान लाए थे। अच्छा है कि अब सोहराब पहलवान इस ईरान की धरती पर आकर बच्चे और बुजुर्ग का वजूद मिटा दे। तुम सब मिलकर इस समस्या का हल ढूँढ़ो। अब ईरान में कोई मुझे आज के बाद नहीं देखेगा। अब इस ज़मीन पर सिर्फ गिद्ध मँडराएँगे। इतना कहकर रुस्तम ने रख़्श को एड़ लगाई और रख़्श हवा से बातें करने लगा।

रुस्तम के इस तरह चले जाने से सबका दिल दुःखी हो उठा क्योंकि रुस्तम मानो गड़रिया था और वे सब उसके रेवड़। सभी गुदर्ज़ को उलाहना दे रहे थे कि तुम्हीं इस घटना के जिम्मेदार हो क्योंकि शाह तुम्हारी ही सुनते हैं। तुम्हीं ने कान भरे हैं अब रूठी क़िस्मत को तुम अपनी चाटुकारिता से वापस बुला सकते हो?

نه بینی بجز کرم و تیمار و رنج
چنین است کردار کردان سپهر

रुस्तम दूसरे पहलवानों के संग

सारे पहलवानों ने मिलकर सलाह-मशविरा किया कि अब क्या करना चाहिए। इसके बाद गुदर्ज़ शाह काऊस के पास गया और शाह को पुरानी दुश्मनी व बुरे दिनों में रुस्तम की सहायता की सारी घटनाएँ याद दिलाई और कहा कि रुस्तम के बिना ईरान तबाह हो जाएगा। शाह काऊस की आँखें खुल गईं। पिछली सारी घटनाएँ नज़रों के सामने घूम गईं और वह अपने व्यवहार पर लज़्ज़ित हुआ। उसने गुदर्ज से कहा कि तुम्हारा उपदेश सही है। तेजी और गुस्से से काम बनता नहीं बिगड़ता है। जैसे भी हो, तुम रुस्तम को बनाकर मेरे पास लाओ ताकि मेरी चिन्ता व दुःख की कालिमा छटे।

गुदर्ज़ शाह काऊस के पास से बाहर आया। जब पहलवानों को काऊस की शर्मिन्दगी का पता चला तो वे घोड़े दौड़ाते हुए रुस्तम की तरफ भागे और चारों तरफ से उसे घेर लिया। सबने रुस्तम का गुणगान करते हुए कहा कि आपके पैरों के नीचे सारी दुनिया है। आपका तख़्त हमारे सर आँखों पर है। आपसे छुपा तो नहीं है कि काऊस बेवकूफ है और बिना सोचे समझे बोलता है। अगर आप शाह से नाराज़ हैं तो ईरानवासियों का गुनाह क्या है? शाह काऊस अपने किए पर शर्मिन्दा है।

उन सबकी बातें सुनकर रुस्तम ने जवाब दिया कि मुझे काऊस की ज़रा भी परवाह नहीं है। मैं उससे क्यों डरूँ। मेरी दुनिया तो यह घोड़ा और मेरे बाजू हैं। वह भूल जाता है कि उनकी हर लड़ाई को मैंने ही जीत में बदला है। मैं खुदा के अलावा किसी से नहीं डरता।

गुदर्ज़ ने जब रुस्तम का क्रोध कम होते देखा तो कहा कि सच्चाई तो यह है कि शाह काऊस बुरी तरह उस तूरानी पहलवान से भयभीत हैं। फिर, ईरान की रक्षा हम सबका कर्तव्य है। गूदर्ज़ की बातों से रुस्तम का दिल व दिमाग़ ठण्डा हुआ और उसके मनाने से वह शाह काऊस के पास जाने के लिए राज़ी हुआ। शाह काऊस ने रुस्तम को दूर से आता देखकर उसके स्वागत से बाँहें फैलाईं और अपने व्यवहार के लिए क्षमा माँगी और कहा कि इस विकट समस्या के समाधान के लिए मैंने तुम्हें बुलाया था। जब तुम देर से पहुँचे तो चिन्ता के कारण मैं उत्तेजित हो गया। यदि मेरे किसी शब्द से तुम्हें दुःख पहुँचा है, तो मैं उसके लिए फिर से क्षमा माँगता हूँ। शाह का विनम्र स्वर सुनकर रुस्तम ने कहा कि आपका हर हुक्म हमारे सिर आँखों पर है। शाह काऊस ने कहा कि साज व आवाज़, ऐश व तरब की महफिल जमती है। कल लड़ाई के लिए फौज कूच करेगी।

शाही बाग़ में जश्न का इन्तज़ाम हुआ। शराब से मस्त और खुशी में डूबे सारे पहलवान व योद्धागण देर रात तक शराबनोशी करते रहे।

❖❖

सुबह ने जब अपनी कोलतार जैसी चादर दूर फेंक दी, उस समय एक लाख सिपाहियों की फौज ने कूच का नगाड़ा बजाया। जब फौज चली तो इस काफिले से हवा नीली और ज़मीन काली हो रही थी। फिर दो मील तक खेमे गाड़े गए। इस शोर को सुनकर दूसरी ओर सोहराब के कान खड़े हुए। उसने दूर से ऊँचाई पर खड़े होकर इस फौज का पड़ाव देखा। हुमान इतनी बड़ी फौज देखकर भयभीत हो उठा। उसको देखकर सोहराब हँसा और बोला : 'इस समय शाह अफरासियाब का नाम लेकर मैं इस मैदान को खून के समन्दर में बदल दूँगा।' इसके बाद सोहराब ने शराब का जाम भरा और बिना किसी फिक्र के खुशी-खुशी उसको पी गया। उसको युद्ध आरम्भ होने की कोई चिन्ता नहीं थी।

मगर दूसरी तरफ शाह काऊस के सिपाही मैदान के चारों तरफ एक दुर्ग की परिधि बनाते हुए फैल रहे थे और धीरे-धीरे करके पहाड़, टीले और मैदान में लोगों व योद्धाओं की संख्या बढ़ती ही जा रही थी। खेमों के अलावा ज़मीन कहीं नज़र नहीं आ रही थी।

शाम ढली, सूरज ने मुँह मोड़ा और अपने काले डैने फैलाए। उस समय रुस्तम शाह काऊस के पास पहुँचा और कहा कि मैं भेष बदलकर दुश्मन का हाल-चाल लेने जाना चाहता हूँ ताकि देखूँ कि उधर के हालात क्या हैं। रुस्तम की बात सुनकर शाह काऊस ने यह काम उसी पर छोड़ते हुए कहा कि रुस्तम स्वयं फैसला कर सकता है क्योंकि रणक्षेत्र का ज्ञान उससे अधिक किसको है!

रुस्तम ने तुर्कों का भेष बदला और हिसार के अन्त तक गया। जब वह क़िले के समीप पहुँचा, तो उसको तुर्क सिपाहियों का शोर सुनाई पड़ा। रुस्तम क़िले में इस तरह दाखिल हुआ। जैसे हिरनों के झुण्ड में शेर पुराता है।

तुर्क योद्धा युद्ध के भय से मुक्त चमकते चेहरे लिए खुशी से एक-दूसरे को प्रोत्साहन देते हुए जाम पर ज़ाम चढ़ा रहे थे। सलामती के नारों से माहौल गूँज रहा था। यह माहौल देखकर रुस्तम को सोहराब की महानता एवं रणक्षेत्र की निपुणता का पता चला कि वह कितना बड़ा योद्धा हैं मन-ही-मन रुस्तम सोचने लगा कि समनगान में जो मेरा बेटा तहमीना के पास पल रहा है, उसको मैं इसी नौजवान पहलवान के पास रण-विद्या सीखने के लिए भेजूँगा, क्योंकि इस उम्र में यूँ लश्कर लेकर ईरान की तरफ रुख करना कोई मामूली बात नहीं है।

जब रुस्तम और अन्दर दाखिल हुआ तो उसको तख़्त पर बैठा सोहराब नज़र आया। उसके बलिष्ट कन्धे, चौड़ा सीना, लम्बा क़द देखकर उसकी आँखें चमकीं जैसे उसने एक शादाब सर्व के दरख्त को सामने खड़ा देख लिया हो।

सोहराब का चेहरा खिले गुलाब जैसा हो रहा था और सीना शेर की भाँति तना हुआ था। उसी के पास एक तरफ अफरासियाब का सरदार हुमान बैठा हुआ था और दूसरी तरफ तहमीना का भाई जिन्दारज़्म बैठा हुआ था। रुस्तम को सोहराब को पहचानने में देर नहीं लगी।

रुस्तम योद्धाओं की भीड़ से दूर एक जैसी जगह जा बैठा, जहाँ से सारा दृश्य उसको एक साथ नज़र आ रहा था। सब अपने में मस्त एक-दूसरे की प्रशंसा करते हुए खुशियाँ मना रहे थे। तभी जिन्दारज़्म किसी काम से बाहर की तरफ आया तो एक लम्बे-चौड़े पहलवान को वहाँ बैठा देखा। वह शंकित हो सोचने लगा कि इस उील-डौल का तो कोई पहलवान हमारे बीच नहीं है। फिर, यह कौन है जो हमारे बीच यूँ बैठा है। उसने आगे बढ़कर रुस्तम से पूछताछ करना आरम्भ कर दिया। रुस्तम उसके पैने प्रश्नों का क्या उत्तर देता सो रुस्तम ने एक भरपूर घूँसा उसकी गर्दन पर जमा दिया। उसकी रूह बदन छोड़ गई और उसकी लाश वहीं छोड़कर रुस्तम बाहर निकल आया। जिन्दारज्म को तहमीना ने बेटे के साथ इसलिए भेजा था ताकि वह सोबराब को, अपने बाप रुस्तम के पहचानने में मदद करेगा।

इधर सोहराब को चिन्ता लगी कि उसके पास से उठा जिन्दारज्म पहलवान यानी उसका मामा अभी तक क्यों नहीं लौटा। बड़ी देर से सोहराब को उसकी खाली जगह अखर रही थी। आखिर सोहराब ने बचैन होकर उसको देखने के लिए अन्य सिपाहियों को भेजा। वे दुःखी लौटे और उन्होंने यह बुरी खबर सुनाई कि बह बहादुर पहलवान तो मुर्दा पड़ा है। सुनते ही सोहराब अपनी जगह से उचका और बाहर की तरफ लपका उसके पीछे सारी महफिल चल पड़ी। सबने देखा कि फौज का सबसे बलवान पहलवान जिन्दारज़्म मुर्दा पड़ा है। सोहराब ने उत्तेजित होकर कहा कि आज कोई भी सिपाही सोएगा नहीं। सारी रात नेज़े पर खड़े होकर पहरा देना होगा क्योंकि हमारे यहाँ एक भेड़िया घुस आया है जिसने सबसे बेहतर भेड़ का शिकार कर लिया है। अगर खुदा मेहरबान रहा तो कमन्द और अपने घोड़े की नाल से ईरान व उसके निवासियों को कुचलकर रख दूँगा।

इतना कहकर सोहराब ने तख्त पर बैठकर सबको बुलाया और कहा कि यदि मैं इस महान युद्ध में मारा जाऊँ तो इसका यह अर्थ हरगिज मत लगाना कि हमारी लड़ाई ख़त्म हो गई।

❖❖

तुर्क लिबास पहने जब रुस्तम शाह काऊस की तरफ लौटा तो उसको देखकर गिव ने म्यान से तलवार निकाल ली। यह देखकर रुस्तम ने उसको डाँटते हुए उसके

सर पर एक ज़ोर का घूँसा जमाया तब गिव ने रुस्तम को पहचान कर हँसना शुरू कर दिया। फिर गिव ने रुस्तम से पूछा कि इस अन्धेरी रात में, यह पैदल कहाँ से आ रहा था। रुस्तम ने हँसकर कहा कि नेकी करने के सिवा और कुछ करने नहीं गया था। यह कहकर रुस्तम शाह काऊस के पास पहुँचा। रुस्तम ने बादशाह से तूरान योद्धाओं का हाल-चाल बताने के बाद सोहराब के व्यक्तित्व का बयान करते हुए कहा कि ऐसा पहलवान तो ईरान में भी नहीं है। उसको देखकर लगता है जैसे साम पहलवान के परिवार का हो! इसके बाद रुस्तम ने तूरानी फौज के पहलवान योद्धा को मार डालने की बात बताई और शाहकाऊस से बिदा लेकर वह सारी रात लश्कर को तरतीब देने में व्यस्त रहा।

❖❖

जब सूरज ने अपनी सुनहरी ढाल उठाई तो सारी दुनिया रोशनी से भर उठी! सोहराब ने जिरह बख़्तर पहना और काले घोड़े पर बैठा। कमर में हिन्दुस्तानी तलवार बाँधी और सिर पर शाही टोपी थी। सोहराब हुजीर के पास जाकर बोला—तुमको मेरी रहनुमाई करनी पड़ेगी। रास्ते के बारे में सारी जानकारी देनी पड़ेगी। एक बात याद रखना कि धोखा और झूठ मेरे साथ नहीं चलेगा। चूँकि तुम मेरे साथ हो और आजाद भी होना चाहते हो तो इस बात का ध्यान रखना कि जरा भी बेईमानी चलने न दूँगा। ईरान के बारे में जो कुछ जानना चाहूँगा, वह सब सच-सच बताना पड़ेगा। इस काम के ईनाम के रूप में तुमको धन व ख़िलअत दूँगा। यदि तुमने खबरें ग़लत दीं तो तुम्हें कारागार में डाल दूँगा।

हुजीर ने सोहराब की बात सुनकर कहा कि आप ईरान के सिपाहियों के बारे में जो कुछ पूछेंगे मैं आपको सच-सच बताऊँगा। झूठ क्यों बोलूँगा। मुझे मालूम है कि सच से अच्छा और झूठ रो बदतर इस दुनिया में दूसरा कुछ नहीं है। सोहराब ने कहा कि मैं गिव, तूस, गूदर्ज़, बहराम और प्रसिद्ध पहलवान रुस्तम के बारे में जानना चाहता हूँ। पहले यह बताओ कि इन तम्बुओं के बीच यह ख़ेमा किसका है जिसका पर्दा दीबा के विभिन्न रंगों से सजाया गया है। वहाँ पर सौ हाथी हैं। एक काला घोड़ा और फिरोज़े का जड़ा तख्त है। उसे खेमे पर सूर्य की तरह सुनहरे रंगों की पताका पहरा रही है, जिसकी छड़ का मूठ सुनहरा है और उस पर ऊदे कासनी रंग का गिलाफ़ चढ़ा हुआ है। जिसका खेमा चारों तरफ से योद्धाओं से घिरा हुआ है। उस पहलवान का नाम बताओ।

हुजीर ने जवाब दिया कि वह खेमा शाह काऊस का है। इसी तरह से उसने सारे पहलवानों के खेमे सोहराब को बताए। आखिर में सोहराब ने पूछा कि हरी पताका वाला वह खेमा किसका है जहाँ पर वह पहलवान भारी और मजबूत

कन्धों के साथ बैठा है। ऐसा व्यक्तित्व तो मैंने ईरान के पहलवानों में नहीं देखा। उसकी पताका भी सबसे बड़ी है। उस पर अजदहा की तस्वीर बनी है और पास बड़ा-सा घोड़ा खड़ा है?

हुजीर ने पल भरा ठहरकर सोचा कि यदि वह रुस्तम का पता बता देगा तो यह अद्‌भुत पहलवान जाने क्या हानि रुस्तम को पहुँचाए! बेहतर है कि मैं रुस्तम का नाम न लूँ और यह भेद सोहराब से छुपाए ही रखूँ। यह फैसला करके हुजीर ने सोहराब को जवाब दिया कि चीन से कोई सालार आया हुआ है। सोहराब ने पूछा कि उसका नाम क्या है तो हुजीर ने बताया कि मैं तो यहाँ किले में था। मुझे इस चीनी पहलवान के बारे में कुछ पता नहीं है।

सोहराब का जिज्ञासु मन उदासी की पर्तों में डूब गया। आखिर उसको रुस्तम का पता नहीं चल पाया। माँ ने चलते हुए पिता की जो पहचान बताई थी, वह तो इसी पहलवान से मिलती-जुलती है। उसका मन शंकित था कि आखिर हुजीर की बताई बात को कितना सच माने। मगर दूसरा कोई चारा भी उसके पास न था। आखिर सोहराब से रहा नहीं गया और उसने हुजीर से पूछा कि क्या बात है कि तुमने सारे पहलवानों के खेमे दिखाकर उनकी प्रशंसा में ज़मीन-आसमान एक कर दिया; मगर जो इन सारे पहलवान का सरदार है, उस महान पहलवान रुस्तम के बारे में एक भी शब्द तुम नहीं बोले। रुस्तम तो पूरी दुनिया का पहलवान है और हर देश हर सीमा का वह रक्षक है। ऐसे योद्धा की यूँ छुपकर रहने का कोई तुक समझ में नहीं आती। तुमने यह बात पहले ही बताई थी कि रुस्तम सबसे महत्वपूर्ण पहलवान है। जब काऊस शाह इतनी बड़ी फौज के साथ स्वयं रण-क्षेत्र में आये हैं, उस समय रुस्तम जैसे पहलवान के न होने पर मन में शक होता है।

सुनकर हुजीर को जवाब देते नहीं बना। फिर भी उसने बात बनाते हुए कहा कि बहार का मौसम है। जरूर रुस्तम ज़ाबुलिस्तान की तरफ गए हुए होंगे। जश्न व महफिल का दौर जारी होगा। हुजीर की बात सुनकर सोहराब ने कहा कि यह बात मत कहो कि जंग से रुस्तम ने पीठ मोड़ ली है। इस युद्ध के लिए ईरान के शाह ने हर कोने से पहलवानों एवं योद्धाओं को जमा किया है। ऐसे संकट के समय रुस्तम जैसा पहलवान गायकों के सामने बैठा संगीत का मज़ा ले रहा होगा? तुम्हारी इस बात को सुनकर सारी दुनिया कहकहा लगाएगी। तुम मुझसे कुछ छिपा रहे हो। याद रखो, तुमने वचन दिया है। यदि वह शर्तनामा तुमने तोड़ा तो मैं तुम्हारा सिर धड़ से अलग कर दूँगा। मैं भेद जानना चाहता हूँ, न कि उल्टी-सीधी बातें सुनने का उत्सुक हूँ। पहले कह

चुका हूँ कि सच बोलने की कीमत दूँगा—मोतियों से भर दूँगा।

सोहराब की बातें सुनकर हुजीर ने जवाब दिया कि जो भी रुस्तम जैसे पहलवान से युद्ध करने का साहस जुटाएगा, वह इस दुनिया में नहीं टिकेगा। रुस्तम की ताक़त के आगे बलवान हाथी भी कुछ नहीं है। और उसके घोड़े रख़्श के आगे सारे घोड़े बेकार हैं। उसके एक बार गदा घुमाने से दो सौ लोग जान से हाथ धो बठते हैं। उसके जिस्म में सौ पहलवानों की ताक़त है और उसका क़द दरख़्त से भी ऊँचा है। यदि रण-क्षेत्र में उसे गुस्सा आ गया तो क्या हाथी, क्या शेर, क्या पहलवान, सबकी गर्दन मरोड़ कर रख देता है।" रुस्तम के बारे में जब हुजीर बता रहा था, उस समय उसके मन में यह बात उमड़ रही थी कि इस बलवान को रुस्तम की ताक़त का अन्दाज़ा हो जाए तो अच्छा है वरना यह उसको मारकर ही दम लेगा। मैं यदि झूठ बोलने पर मार डाला जाऊँ तो क्या फर्क पड़ता है। मगर मेरे सच बोलने से अगर रुस्तम मारा जाता है तो इस ईरान को कौन बचाएगा। सारे पहलवान बूढ़े हो रहे हैं और उनमें रुस्तम सरीखा तेज भी नहीं है कि वे दुश्मन के दाँत अकेले खट्टे कर सकें। इसलिए मुझे इस जवान का हौसला पस्त करना पड़ेगा। ऐसा सोचकर हुजीर ने जोश में कहा कि आप मेरे खून से हाथ रँगना चाहें तो रँग लें, मगर हक़ीक़त यह है कि—

हमी पीलतन रा न ख़्वाही शिकस्त
हुमान कत आसान नयायद बेदस्त
न बायद तोरा जुस्त ब नबर्द
बर आरद बे आवुरद गह अज़ तो गर्द

(आप हाथी जैसी काया रखने वाले रुस्तम को हरा नहीं सकते हैं। पहले तो उस तक पहुँचना ही बहुत कठिन है। फिर उससे लड़ना आपके बस की बात नहीं है क्योंकि उससे पंजे लड़ाना स्वयं अपनी मिट्टी छँटवाना है।)

सोहराब ने उसकी बड़ी-बड़ी बातें सुनकर अपना चेहरा दूसरी तरफ मोड़ लिया ताकि उसके चेहरे के भाव को हुजीर पढ़ न ले। हुजीर की भेदभरी बातों को सुन कर सोहराब ने अजीब-सा महसूस किया। इसके बाद वह गहरी सोच में डूब गया। फिर कुछ सोचकर एक सुनहरी टोपी जिरह-बख्तर के नीचे छुपाई और एक तुर्की रोमी टोपी सिर पर लगाई। इसके बाद तीर-कमान, माला, कमन्द और गदा को उठाया और तेज़ी से घोड़े पर बैठा। उसकी रगों में गर्म खून जोश मार रहा था।

सोहराब हाथ में भाला पकड़े चिंघाड़ता हुआ घोड़ा दौड़ा रहा था। रास्ते की धूल आसमान को ढक रही थी। सोहराब के बाजुओं की मछलियों को तड़पता

और उसके वायुवेग को देखकर आस-पास ऐसा सन्नाटा छा गया जैसे गूरखर के झुण्ड शेर को आता देखकर झाड़ियों में दुबक जाते हैं। ईरानी शाही फौज में ऐसा पहलवान किसी की नज़र से नहीं गुज़रा था। सोहराब ईरानी योद्धाओं व पहलवानों की भीड़ को चीरता हुआ सीधे शाह काऊस के पास पहुँचा और शाह को ललकारते हुए कहा—"ओ आज़ाद मर्द काऊस, तुम किस तरह का युद्ध इस मैदान में करोगे। कैसे तुम शाह काऊस बन बैठे जबकि तुम्हें शेरों की जंग का कुछ ज्ञान ही नहीं है। मैं यह भाला अगर अपनी मुट्ठी में घुमाकर फेंकूँ तो यह तुम्हारे सारे योद्धा एक आन में बेजान हो जायेंगे।"

"उस दिन जब जिन्दारज़्म पहलवान मरा था तो मैंने सौगन्ध खाई थी कि ईरान का कोई भी हथियारबन्द मेरे हाथ से बचकर नहीं जायेगा और काऊस को ज़िन्दा फाँसी पर चढ़ाऊँगा। कहाँ हैं, ईरान के नामी पहलवान! क्यों नहीं वे मुझसे युद्ध करने के लिए आगे बढ़ते!" इतना कहकर सोहराब ख़ामोश हो गया। मगर ईरान की तरफ से उसको जवाब देने के लिए किसी ने मुँह नहीं खोला।

सोहराब ने कमान चढ़ाई और एक ही तीर से सत्तर खेमों की कीलों को एक साथ उखाड़ दिया। एकाएक तम्बू नीचे ज़मीन पर आने लगे। यह देखकर फौज में एक सनसनी-सी फैल गई और भयभीत शाह काऊस को सदमा पहुँचा। उसने पुकार कर कहा—"कोई है जो जाकर रुस्तम को इस घटना की खबर दे कि उस तूरानी पहलवान का दिमाग़ अक्ल से खाली हो रहा है? मेरे पास रुस्तम जैसा कोई दूसरा पहलवान नहीं है। जिसे मैं रुस्तम के स्थान पर युद्ध करने को कह सकूँ। इसलिए रुस्तम का फौरन यहाँ पहुँचना ज़रूरी है।"

तूस शाह काऊस का यह सन्देश लेकर रुस्तम के पास पहुँचा। शाह का पैग़ाम सुनकर रुस्तम झुँझलाकर कहने लगा कि हर बादशाह की तरह शाह काऊस भी मुझे फ़ौरन तलब करते हैं। फिर गुस्से से बोला—

गही जंग बूदी गही साज़ व बज़्म
नदीदम ज़े काऊस जुज़ रंजे-रज़्म

(कभी कहते हैं जंग करो तो कभी साज-आवाज़ के साथ बज़्म में रहने को कहते हैं। सच है, काऊस के हाथों सिवाए युद्ध के दुःख के मैंने कुछ हासिल नहीं किया।)

बाहर निकलकर रुस्तम ने रख़्श पर ज़ीन कसने का हुक्म दिया। सिपाहियों को चुना और ख़ेमे से मैदान की तरफ जो निगाह दौड़ाई तो दूर से गिव का कुलाह नज़र आया। बाहर जल्दी चलने का शोर सुनकर बबरे बयान (रुस्तम का चीते की खाल का बना वस्त्र) पहनते हुए रुस्तम ने मन-ही-मन कहा कि यह

आज़ादी की नहीं, बल्कि एक इंसान के अहं की सन्तुष्टि की लड़ाई है। रुस्तम ने कियानी कमरबन्द कसा और रख़्श पर बैठकर सरपट ईरान की तरफ भागा।

रण-क्षेत्र में रुस्तम सोहराब को देखकर एक बार फिर बुरी तरह प्रभावित हो उठा। सोहराब अपने सिपाहियोंसे अलग जाकर रुस्तम से बोला कि अकेले लड़े तो कैसा रहेगा! मैं नहीं चाहता कि हमारी फौज़ें एक-दूसरे का खून बहाएँ। रुस्तम ने नज़रें उठाकर उस मजबूत काठी वाले पहलवान को ऊपर से नीचे तक देखा।

रुस्तम ने सोहराब से कहा कि ओ जवान! ज़रा जोश ठण्डा करो। ज़मीन खुश्क है और हमारे सिर पर गर्म व नर्म हवा बह रही है। युद्ध करते हुए मैं बुढ़ापे की दहलीज़ पर आन खड़ा हूँ और इस बीच असंख्य योद्धाओं को मौत की मीठी नींद सुला चुका हूँ! जो भी मुझसे युद्ध करने आया है, मैने बिना किसी फर्क़ के उसको हरा दिया। इसलिए पहले मुझे अच्छी तरह से देख लो, फिर मुझसे युद्ध करने का प्रण लो। मेरी बहादुरी के गवाह ये पर्वत, यह मैदान, यह दरिया और ये सितारे हैं, जिन्होंने मुझे लड़ते देखा है। मेरी मर्दानगी को परखा है कि कैसे मैंने हर परीक्षा में सफलता प्राप्त की है। इसलिए मेरे दिल में तुम्हारे लिए रहम उमड़ रहा है और मैं नहीं चाहता कि तुमको मसल कर रख दूँ। मुझे तुम्हें देखकर महसूस होता है कि पहलवानों में तुम-सा कोई भी नहीं है और ईरान में तुम्हारा जोड़ा ढूँढ़ने से भी नहीं मिलेगा।

रुस्तम का आखिरी जुम्ला सुनकर सोहराब का दिल धड़क उड़ा। उसने रुस्तम से पूछा कि क्या मैं आपसे एक सवाल कर सकता हूँ जबकि आपने मेरी नस्ल के बारे में जिज्ञासा प्रकट की है। इसलिए मैं आपसे कुछ पूछना चाहता हूँ। क्या आप मेरे सवाल का जवाब सही देंगे? मुझसे कुछ भी नहीं छुपाएँगे कि–

मन अइदूने गुमानम कि तो रुस्तमी
कि अज़ तुख़्मे नामवर नीरमी

(मुझे महसूस हो रहा है कि जैसे आप नामवर पहलवान नरीमान के वंशज हो और आपका नाम रुस्तम है।)

रुस्तम ने सोहराब को देखा और जवाब दिया कि–

चनीन दाद पासुख कि रुस्तम नीयम
हम अज़ तुख़्म-ए-साम नीरम नीयम
कि उ पहलवान अस्त व कहतर अम
न ब तख़्त व गाहम न ब अफ़सर अम

(मैं रुस्तम नहीं हूँ और न ही साम नरीमान और ज़ाल का वंशज हूँ। वह नामवर पहलवान हैं और मैं एक बहुत मामूली आदमी जिसके पास न तख़्त है

न सल्तनत है न दरबार है।)

रुस्तम का यह जवाब सुनकर सोहराब के दिल पर बिजली-सी गिरी। निराशा में डूबते हुए उसे महसूस हुआ कि जैसे एकाएक चमकीला दिन रात के अँधेरे में डूब गया हो।

❖❖

रुस्तम और सोहराब ने जंग के लिए कमर कसी और अपने-अपने हथियार लेकर मैदान में उतर पड़े। वे जब भाले से युद्ध कर चुके तो दोनों सवारों ने तीर व कमान उठाया, थोड़ी देर बाद कमान की डोरी खुल गयी तो दोनों फिर आमने-सामने खड़े हुए।

बेशमशीरे हिन्दी बर आविख़्तन्द
हमी ज़े आहन आतश फुरू रीख़्तन्द

(और अपनी म्यान से हिन्दुस्तानी तलवारें खींचीं और उनकी टकराहट से फ़िज़ा गुँजा दी। ऐसा लगा कि तलवारों की झंकार से चिंगारियाँ निकलने लगी हैं।)

बे ज़ख़्मे अन्दरून तीग़ शुद रीज़ रीज़
चे चख़्मी कि पैदा कुन्द रस्ताख़ीज़

(उस घाव से जो महाप्रलय ले आता है, उसी के बल से तलवार के टुकड़े-टुकड़े हो गए।)

इसके बाद दोनों ने ज़ीन से अपनी-अपनी गदाएँ उठाईं और एक-दूसरे पर चोट करने लगे। इसकी ताकत के आगे गदाएँ भी झुक गईं! घोड़े भी थक गए थे। उनके बदन के जिरह-बख़्तर चाक-चाक हो चुके थे। दो दिलेर योद्धाओं का चेहरा धूल से, बदन पसीने और खून से नहा गये थे, ज़बान और हल्क़ में प्यास से काँटे चुभने लगे थे। दोनों कुछ देर के लिए एक-दूसरे से दूर खड़े हो गए और घोड़ों के सुस्ताने और प्यास बुझाने का मौका दिया। दोनों के चेहरे पर न दया थी न प्यार। विचित्र बात तो यह थी कि पशु-पक्षी सब अपने बच्चों को प्यार करते हैं और उनको हर कष्ट से बचाते हैं। मगर यहाँ खुदा को कुछ और ही मंजूर था। बाप-बेटे अपने-अपने बल का प्रदर्शन करने में लगे हुए थे।

रुस्तम मन-ही-मन सोच रहा था कि मैंने अभी तक एक भी ऐसा योद्धा इस जैसा नहीं देखा इस जंग के सामने तो सफेद दैत्य से मेरा युद्ध फीका पड़ गया है और मैं इस युद्ध से निराश-सा हो रहा हूँ। इस जवान ने तो मुझे जंग में बेहाल कर दिया है।

घोड़े सुस्ता चुके थे। दोनों दिलेर घोड़ों पर सवार हुए। तीर-कमान उठाई और एक-दूसरे के सामने आन खड़े हुए। दोनों तरफ की फौजें खड़ी-खड़ी यह तमाशा

देख रही थीं। दोनों ने इस तरह से एक-दूसरे की ओर तीर फेंके जैसे दरख़्तों से पंत्तियाँ झड़ रही हों। तीरों की बारिश से उनकी ढालें उनको बचा रही थीं। उनके बल के आगे हथियार पुराने और बेकार साबित हो रहे थे।

रुस्तम चाहता तो अपने हाथों से पर्वत भी उठा लेता था, मगर जब उसने सोहराब की कमर में हाथ डालकर उसे पछाड़ना चाहा तो उसे महसूस हुआ कि सोहराब स्थिर एवं जड़ है। उसको अपनी जगह से हिलाने का अर्थ था केवल थकान और निराशा हाथ लगती। सोहराब ने अपनी गदा उठाई और रुस्तम के कन्धे पर दे मारी। रुस्तम इस वार से बिलबिला उठा। उसका चेहरा देखकर सोहराब हँसा और कहने लगा कि ए सवार! जब आपमें दिलेरों की गदा की चोट सहने की ताक़त नहीं है तो फिर इस बुढ़ापे में जवान बनने का शौक़ क्यों चर्राया जो मुझे जैसे पहलवान से लड़ने चले आए?

रुस्तम यह बात सुनकर क्रोधित हो उठा और तूरानी सिपाहियों की तरफ झपटा। यह देखकर सोहराब ने ईरानी फ़ौज पर हमला बोल दिया। पलक झपकते ही असंख्य ईरानी व तूरानी सिपाही इन दोनों पहलवानों के हाथों मौत के घाट उतार दिए गए। यकायह रुस्तम भयभीत हो उठा कि कहीं सोहराब शाह काऊस को उसके घोड़े से उतारकर मार न डाले। फौरन वह सोहराब की तरफ बढ़ा जो सिपाहियों से घिरा खड़ा था। उसका भाला व तलवार खून से रंगे थे और ज़मीन खून का तालाब बनी हुई थी। सोहराब किसी शेर की तरह शिकार किये जा रहा था। यह दृश्य देखकर रुस्तम चिंघाड़ा :

बेदू गुफ्त के एइ तुर्क ख़ूनख़्वारे मर्द
ज़े ईरान सिपाह जंग ब तो कि कर्द
चिरा दस्त ब गन नसूदी हमे
चू गुर्ग आमदी दर मियाने रमे

(ऐ खून के प्यासे तुर्क! तुमसे किसने कहा कि ईरान की फौज़ पर हाथ उठा? यह मेरी और तेरी जंग है न कि सिपाहियों की जो तू भेड़ों के झुण्ड में किसी भेड़िये की तरह टूट पड़ा है।)

सोहराब ने रुस्तम से कहा कि पहले आप तूरानी फौज की तरफ बढ़े थे वरना मुझे इन बेगुनाहों के खून बहाने की क्या ज़रूरत थी। रुस्तम ने जवाब दिया कि अब शाम ढल रही है। मगर कल सुबह, सूरज के उगते ही इस बात का फैसला हो जाएगा कि वास्तव में तीरअन्दाज़ और तलवार चलाने वाला दिलेर पहलवान कौन है।

❖❖

रुस्तम ब सोहराब की जंग

रात हो गई थी। सोहराब अपने ख़ेमे में वापस पहुँचा और हुमान को बुलाकर सिपाहियों की खैरियत पूछी कि जब वह हाथी जैसा पहलवान तुम लोगों की तरफ आया तो तुम पर क्या गुज़री? मैंने उसके जैसा दिलेर पहलवान अभी तक नहीं देखा है। बूढ़ा है मगर युद्ध करने से अभी उसका दिल भरा नहीं है। इस उम्र में भी उसके बदन में हाथी जैसा बल और हाथों में शेर के पंजे जैसी फुर्ती मौजूद है।

हुमान ने सोहराब से कहा कि जिस जगह आपने कहा था, वहीं पर फौज खड़ी थी। एकाएक वह मस्त हाथी किसी पेड़ के तने की तरह हमारी तरफ टूटा और एक साथ ढेरों सिपाही मार गिराए। फिर पलक झपकते ही वह पलटा और ईरानी फौज की तरफ दौड़ा।

सोहराब ने कहा कि अफसोस की कोई बात नहीं है। कल का दिन आने दो। भाले और तलवार के वार से बादलों को भी खून के आँसू रुला दूँगा और एक भी दुश्मन कल बचने नहीं पाएगा। कल बहादुरी का दिन है। अभी तो जाम में शराब डालकर साज व आवाज़ का मज़ा लेते हैं!

❖❖

उधर रुस्तम जब फौजी पड़ाव की ओर लौटा तो उसके खेमें मे गिव पहलवान आया हुआ था। रुस्तम ने उससे पूछा कि सोहराब ने सिपाहियों के साथ क्या किया? गिव ने उसको जवाब देते हुए कहा कि इतना बलवान पहलवान अभी तक नज़रों से नहीं गुज़रा है। तेज़ी से हमला करता हुआ सिपाहियों के बीच से गुजरता हुआ वह तूस पहलवान की तरफ बढ़ा। तूस गदा उठाए घोड़े पर बैठा था। सोहराब ने अपनी उसी झुकी हुई गदा से तूस पर इस ज़ोर से वार किया कि उसकी गदा का सर दूर जा गिरा। हम समझ गए कि इसके मुकाबले की ताक़त हममें नहीं है। हमने पहलवानी के तौर-तरीकों को हाथ से जाने नहीं दिया सो सिपाहियों ने उसका पीछा नहीं किया।

यह ख़ौफ़नाक बयान सुनकर रुस्तम चिन्तित हो उठा। फिर शाह काऊस के ख़ेमे की तरफ बढ़ा। शाह काऊस ने रुस्तम का स्वागत बड़ी गर्मजोशी से किया और उसको अपने पास बिठकर रणक्षेत्र की खबरें जाननी चाहीं। रुस्तम ने शाह को जवाब दिया कि मैंने अभी तक इतनी दिलेरी और मर्दानगी किसी भी लड़के में नहीं देखी। शेर की भुजाएँ और घड़ियाल का दिल यह लड़का रखता है। सच पूछा जाए तो आज हम दोनों ने भाले, तीर और तलवार चलाना एक-दूसरे को सिखाया है! उसको मैंने जब कमर से पकड़कर गिराना चाहा और वह मजबूती से खड़ा रहा तो लगा कि पर्वत हवा से हिल सकता है, मगर इस सवार को गिराना कठिन है। शाम हो चुकी थी। सो लड़ाई बन्द हुई और मैं आपके हुजूर

में हाज़िर हुआ।

जब रुस्तम उसी तरह चिन्तित अपने खेमे में लौटा तो वहाँ अपने भाई ज़वारे को हैरान-परेशान बैठा देखा। उसकी आँखों से भय और चिन्ता टपक रही थी। रुस्तम ने भोजन लाने का आदेश दिया और भाई के साथ अकेले में बैठकर, रणक्षेत्र में जो कुछ आज गुज़रा था; कह सुनाया। फिर कहने लगा कि जब मैं सोहराब से लड़ने जाऊँ तो तुम पताका ऊपर रखना और फौज को युद्ध के लिए तैयार और खुद को होशियार रखना और अगर मैं जीत गया तो रण-क्षेत्र में आने की जल्दी नहीं होगी और मैं तुम्हारे पास लौट आऊँगा। अगर इसका उल्टा हुआ तो तुम्हें दुःखी होने की ज़रूरत नहीं है। तुम सब ज़ाबुलिस्तान पिता ज़ाल के पास लौट जाना। तुम माँ को दिलासा देना और खुश रखना। कहना कि मेरे ग़म को इतना दिल पर न लगाएँ और अपने को सँभाले क्योंकि यह दुनिया किसी की नहीं है। आखिर आज नहीं तो कल, मुझे यह संसार छोड़ना ही पड़ता। इस रीत को मैं बदल नहीं सकता। मैंने युद्ध किए, दैत्यों व शत्रुओं को मार गिराया। फौजों को हराया। कोई भी ऐसा शहर और देश नहीं बचा है, जहाँ मैं युद्ध के लिए नहीं पहुँचा, मगर इस सारी दिलेरी के बाद मौत के आगे सिर झुकाना पड़ेगा। जमदेश शाह को याद करो। क्या वैभव था! आज शाह जमशेद नहीं हैं। पिता ज़ालज़र से कहना कि शाह काऊस से नाराज़ होने से कोई लाभ नहीं होगा। वह यदि लड़ने को कहें तो उनके आदेश का पालन करना क्योंकि सबको एक-न-एक दिन तो मौत के मुँह में जाना ही है।

❖❖

उधर सोहराब सारी रात दोस्तों के संग महफिल जमाए रहा, लेकिन उसका दिल व दिमाग़ स्थिर नहीं था। उसने हुमान से कहा कि यह पहलवान जो मुझसे कल ज़ोर-आज़माई कर रहा था, वह बाहुबल में किसी तरह मुझसे कम नहीं है। पता नहीं क्यों, तब मैं उसकी तरफ आँख भरकर देखता हूँ तो मेरा दिल नर्म पड़ने लगता है और चेहरा शर्म से लाल होने लगता है। माँ ने बाबा की जो पहचान मुझे बताई थी, वह सब मैं उसमें देख रहा हूँ! मुझे शक है कि यही रुस्तम है। मगर अपना नाम मुझसे छुपा रहा है। ऐसा न हो कि मैं बाबा से युद्ध करूँ और अपने भाग्य को अँधेरे में डूबो दूँ।

हुमान ने मक्कारी से कहा—"मैंने रुस्तम को कई बार रण-क्षेत्र में देखा है! यह पहलवान रुस्तम नहीं है।"

❖❖

सूरज ने जैसे ही अपनी सुनहरी किरणें बिखेरीं, रात ने अपने काले डैने समेट

लिए। सोहराब नींद से जागा। जिरह-बख़्तर पहन, तीर वह कमान, भाला, गदा लेकर वह घोड़े पर बैठा और युद्ध के मैदान की तरफ चल पड़ा।

तहमतन यानी रुस्तम ने बबरेबयान पहना, हथियार उठाए, रख़्श घोड़े पर बैठा और रण-क्षेत्र की तरफ चल पड़ा।

जैसे ही सोहराब की नज़र रुस्तम पर पड़ी, उसके दिल में प्यार उमड़ने लगा और हँसकर पूछने लगा—"दिलावर! आपकी रात कैसे गुज़री और अब दिन कैसे गुज़ारेंगे, इस युद्ध का इरादा क्यों नहीं छोड़ देते? कहिए तो मैं आपके कन्धे से तीर व कमान उतार लूँ और बदले की भावना को हम दोनों दिलों से निकाल फेंके और दोस्त बनकर युद्ध का इरादा छोड़ दें। एक साथ बैठें, और जाम भरें। मेरे दिल में जाने क्यों आपके लिए बहुत ज़्यादा प्यार उमड़ रहा है। आप जरूर ऊँची नस्ल और दिलेर पहलवान परिवार से हैं। आप मुझसे अपने को न छुपाएँ और अपना सही नाम बताएँ। मुझे शक है कि आप ज़ालज़र के बेटे रुस्तम हैं। मैंने आपको बहुत ढूँढ़ा। सबसे पूछा, मगर किसी ने आपका नाम नहीं बताया। आप तो मुझे अपना नाम बता दें।"

रुस्तम ने सोहराब की बात सुनकर कहा—"अरे जवान मर्द कल तक सारी बातें लड़ाई और मरने-मारने की कर रहे थे, हथियार डालने ओर शराब पीने का कोई ज़िक्र नहीं था। आज ये सब बेकार की बातें और युद्ध रोकने की कोशिशें मत करो। तुम्हारे जाल और फरेब में फँसने वाला नहीं हूँ। तुम जवान हो, तो मैं बच्चा नहीं हूँ। ज़िन्दगी के उतार-चढ़ाव बहुत देखे हैं। हज़ारों से मिला हूँ। अब देखना है कि खुदा ने हमारी तकदीर में लिखा क्या है?"

सोहराब ने जवाब दिया—"बहादुर बुज़ुर्ग! मेरी सबसे बड़ी इच्छा है कि आपके मौत के मुँह में जाने से बचा लूँ और आप इस दुनिया से जाने के लिए अपने बिस्तर पर ही अपनी आँखें बन्द करें। अगर आपको बहुत जल्दी है और मौत का सामना करना ही चाहते हैं तो फिर खुदा की मर्ज़ी पर छोड़ने के अलावा हमारे पास कोई दूसरा रास्ता नहीं है। घोड़े से उतरिए। लड़ाई शुरू करते हैं।"

दोनों पहलवान अपने-अपने घोड़ों से नीचे उतर आए और उनको बाँधा। एक-दूसरे की कमर में हाथ डाला और इस तरह गुँथ गए जैसे दो अज़दहे एक-दूसरे से लिपट गए हों। सुबह से शाम तक दोनों पहलवान इस कोशिश में लगे रहे कि एक-दूसरे को पछाड़ दें। चेहरे और बदन से खून बह रहा था, मगर दोनों युद्ध किए जा रहे थे।

अन्त में सोहराब ने शेर की तरह दहाड़ मारी और रुस्तम को कमर से पकड़कर दोनों हाथों से सर के ऊपर उठाया और पूरी ताकत से ज़मीन पर दे

मारा और उचककर उसके सीने पर चढ़ बैठा और म्यान से खंजर निकाला ताकि रुस्तम का सिर धड़ से अलक कर दे। यह देखकर रुस्तम अपनी जान की खैर मनाने लगा। कुछ सोचकर बड़ी नर्मी से सोहराब से कहा—"जवान मर्द! हमारा रिवाज यह है कि जब दो पहलवान कुश्ती लड़ते हैं तो एक-दूसरे को पहली बार ज़मीन पर पटकने पर खंजर नहीं उठाते। अगर दूसरी बार भी पहला दूसरे को ज़मीन पर पटक देता है तो फिर रिवाज के अनुसार उसका सिर धड़ से अलग कर सकता है।"

❖❖

उधर हुमान सोहराब की प्रतीक्षा में था। जब सोहराब के लौटने में देर हुई तो वह घोड़े पर बैठकर उसे देखने निकला। कुछ देर बार हुमान ने सोहराब को शिकारगाह के पास देखा। करीब पहुँचकर उससे कुश्ती का हाल पूछा। सोहराब ने सारा माजरा कह सुनाया। सुनकर हुमान दुःख से चीख उठा कि क्या तुम्हारा दिल ज़िन्दगी से भर चुका है, जो हाथ में आए हुए शिकार को छोड़ आए हो? आज तक किसी दिलेर ने हाथ में आए दुश्मन को आज़ाद नहीं किया है। पता नहीं, वक़्त अब क्या गुल खिलाता है?

सोहराब ने कहा—"दुःखी मत हो! यह पहलवान मेरे पंजे से आज़ाद नहीं हो सकता। कल फिर वह मैदान में आ रहा है। फिर कुश्ती होगी और इस बार मैं उसका सिर धड़ से अलग कर दूँगा।"

❖❖

अब रुस्तम सोहराब के चंगुल से छूटा तो सारी नामक चश्मे के किनारे पहुँचा हाथ-मुँह धोया, पानी पिया और सजदे में गिर गया।

कहते हैं कि शुरू में रुस्तम के बदन में इतनी ताकत थी कि यदि वह चलते हुए जरा-सा ज़्यादा जोर पंजों पर डालता, तो वहाँ की जमीन नीचे धँस जाती थी। अपने इस बल से स्वयं रुस्तम भी बहुत परेशान था। इसलिए एक बार रुस्तम ने रो-रोकर खुदा से दुआ माँगी थी कि वह रुस्तम के बदन का बल कम कर दे ताकि वह आराम से क़दम रखता हुआ ज़मीन पर चल सके। खुदा ने उसकी दुआ सुन ली और उसके बदन का बल घट गया।

आज रुस्तम ने खुदा के सामने खड़े होकर यह दुआ माँगी कि उसके बदन का घटा बल उसको वापस मिल जाए। इस बार भी खुदा ने उसकी विनती सुन ली और रुस्तम के बदन में नयी ताकत व स्फर्ति दौड़ गई। उस बल के संग रुस्तम चिंघाड़ता हुआ लड़ाई के मैदान की तरफ बढ़ा।

उधर से सोहराब कमान और कमन्द हाथ में उठाए शेर की तरह गुर्राता

हुआ रुस्तम की तरफ बढ़ा। आखिर पर्वतकाय दो पहलवान एक-दूसरे के सामने पहुँचकर ठहर गए। सोहराब रुस्तम के नये जोश व ख़रोश भरे इस व्यवहार से चकित होकर बोला कि ओ शेर के पंजे से छूट जाने वाले! क्या तुम्हारा दिल जीने से भर चुका है जो दोबारा रण-क्षेत्र में आ गए हो! और आज यह दिलेरी जो तुम दिखा रहे हो, पहले अपना नाम पता तो बताओ।

रुस्तम ने कोई जवाब नहीं दिया। दोनों पहलवान घोड़े से उतरे और कुश्ती लड़ने में व्यस्त हो गए। उनके ऊपर उनकी मौत किसी परन्दि की तरह मँडरा रही थी। सोहराब ने रुस्तम की कमर पकड़ी और चाहा उसे पछाड़े मगर उसकी कमर किसी पर्वत की तरह जड़ थी। इस बार आसमान ने दूसरा रंग दिखाया। रुस्तम ने किसी अज़दहे की तरह सोहराब को ऊपर उठाया और जमीन पर दे पटका! रुस्तम को पता था किसोहराब ज़मीन पर पड़ा नहीं रह पायेगा। इसलिए उसने कमर से फौरन खंजर निकाला और साहेराब का कलेजा चीरकर रख दिया। सोहराब दर्द से तड़प उठा और ठण्डी साँस भरी। नेकी और बुराई के बारे में उसने सोचा, फिर रुस्तम की तरफ देखा और कहा कि ओ दिलेर! आखिर तुमने मुझे खून में नहला ही दिया। इसमें तेरा कोई कसूर नहीं, बल्कि होना यही था। अभी तो मेरी उम्र के लड़के कहेंगे कि हमारा साथी पहलवान इतनी जल्दी मर गया फिर सोहराब एक आह खींचकर बोला–

निशान दाद मादर मरा अज पिदर
जो महर अन्दर आमद रवान्म बेसर
हमी जुस्तअश ता बेबीनमश रुइ
चनीन जान दादम बे इन आरजुइ

(माँ ने मेरे बाबा की निशानी (तावीज़) के साथ मुझे भेजा था कि मैं जब उन्हें ढूँढ़ लूँगा तो वह मुझे पहचान लेंगे मगर अफ़सोस यही है कि मैं उन्हें तलाश करता रहा और आज उन्हें देखे बिना मौत को गले लगा रहा हूँ।)

कनुन गर तो दर माही शवी
व या चुन शब अन्दर स्याही शवी
व गर चुन सितारे शवी बर स्पहर
बे बुरीं जे रुइ ज़मीन पाक महर

(मगर तुम उससे बचकर नहीं जा पाओगे, चाहे मछली बनकर पानी में जा छुपो या रात की कालिमा में छुपो या सितारे बनकर आसमान पर टँग जाओ। वह तुमको पकड़ लेंगे।)

बे ख़्वादह हम अबज तो पिदर कीन-ए-मन
जो बीन्द ख़्श्तस्त बालीन-ए-मन
अज़ आन नामदारान गर्दन कुशान
कसी हम बुर्द निज़्दे रुस्तम निशान
कि सोहराब कुश्तेस्त व अफकन्दे ख्वार
हमी ख़्वास्त करदन तोरा ख़्वास्तार

(जब मेरी लाश देखेंगे तब मेरे बाबा तुमसे बदला लेंगे। इन बड़े पहलवानों और नामवरों में से कोई रुस्तम को यह निशानी दिखाए और उन्हें खबर दे कि सोहराब तुम्हें ढूँढ़ता रहा और अब वह इस तरह खाक़ में पड़ा दम तोड़ रहा है।)

ये बातें सोहराब के मुँह से सुनकर रुस्तम सन्न रह गया। आँखों के सामने तारे टूटने लगे और चारों तरफ अँधेरा छा गया। एकएएक वह बेहोश हो गया। जब रुस्तम को होश आया तो उसने देखा कि सोहराब खून में नहाया उसके सामने ज़मीन पर पड़ा है।

रुस्तम ने सोहराब का सर अपनी जाँघ पर प्यार से रखा और एकाएक पीड़ा से चीत्कार कर उठा कि रुस्तम की नस्ल इस ज़मीन से अब मिट जायेगी। फिर रुस्तम ने सोहराब से पूछा कि बताओ अपने पिता की कौन-सी निशानी तुम्हारे पास है? मैं रुस्तम हूँ। खुदा करे मेरे ये हाथ कट जाएँ जिनसे मैंने अपने बेटे का कलेजा चीरा है। इतना कहकर रुस्तम फफक कर रो पड़ा और ग़म में अपना चेहरा तथा बाल नोच डाले।

सोहराब ने रुस्तम की जब यह हालत देखी तो पूछा कि पहलवान! अगर रुस्तम तुम्हीं हो, तो फिर मुझसे यह बात छुपाई क्यों? मैंने तो हर तरह से तुम्हारा नाम और पता जानना चाहा था। मगर तुम्हारे दिल मे मेरे लिए ज़र्रा बराबर भी प्यार नहीं उमड़ा। मेरा जोशन खोलो अैर देखो। जब मैं फौज के साथ ईरान की तरफ चलने लगा था, उस वक्त मेरी माँ डबडबाई आँखों से मेरे पास आई थीं और यह तावीज़ मेरे बाजू पर बाँधकर कहा था कि यह तुम्हारे पिता रुस्तम की यादगार है। रास्ते में काम आयेगी। मगर अफसोस जब यह काम आई तो मेरे जाने का समय आ गया है।

रुस्तम ने जल्दी से सोहराब के लिबास का बन्द खोला और अपना तावीज़ उसने सोहराब के बाज़ू पर बँधा देखा। यह देखकर रुस्तम ग़म से पागल हो उठा। उत्तेजना से कपड़े फाड़ने और रोने-चिल्लाने लगा कि ओ दिलावर बेटे! ऐ मेरे जवान बेटे! अभी तो तुम्हारे गालों के गुलाब ताज़ा थे कि तुम मुरझा गए! अभी तो तुम्हारी उम्र का सूरज पूरे शबाब पर भी नहीं चढ़ा कि तुम अँधेरे में

डूब गए! अपने पिता के हाथों क़त्ल हुए और बहार आने से पहले ही पतझड़ बन गए। सोहराब रुस्तम का यह दुःख देखकर ठण्डी साँस भरकर कहने लगा कि खुदा की मर्ज़ी यही थी। अब इस तरह से रोने-चिल्लाने और शोक मनाने से क्या हासिल होगा? मेरी क़िस्मत में यही लिखा था कि पिता के हाथों मारा जाऊँ। वही हुआ। आप यूँ ग़म न मनाएँ।

❖❖

सूरज डूबने को आया और जब रुस्तम फौज के पड़ाव की ओर नहीं लौटा तो शाह काऊस ने बीस फुर्तीले सवारों को रुस्तम की खबर लेने के लिए रण-क्षेत्र की तरफ भेजा। उन्होंने वहाँ पहुँचकर देखा कि दोनों घोड़े बधे हुए हैं और ज़ीन पर रुस्तम नहीं है। वे समझे रुस्तम युद्ध में काम आ गया। वे फौरन उल्टे पाँव सन्देश देने शाह काऊस की तरफ दौड़े।

फौज में इस ख़बर से सनसनी फैल गई। सारे बहादुर एवं पहलवान शाह काऊस के पास पहुँचे। शाह काऊस ने आदेश दिया कि एक सवार फिर जाकर पता लगाए कि रुस्तम का क्या हुआ और सोहराब का अब क्या इरादा है। यदि रुस्तम को क़ैद कर लिया गया है तो ये नौ पहलवान उसको स्वतन्त्र कराने की कोशिश करें। उस समय हम तूरान की फौज पर हमला करेंगे और इस समस्या का समाधान निकालेंगे।

दूर से सोहराब ने जब घोड़ों के दौड़ने की आवाज सुनी तो रुस्तम से कहने लगा कि मेरा समय तो खत्म हुआ। तूरानी फौज संकट में पड़ गई है। आप कोशिश करें कि ईरानी फौज तूरानी सिपाहियों को परेशान न करे। उनकी कोई गलती नहीं है। वे मेरी इच्छा का आदर करते हुए मेरे साथ यहाँ आए थे। मैंने उन्हें बड़ी आशाएँ दिलाई थीं। उनसे कहा था कि जब मैं और मेरे बाबा रुस्तम एक हो जाएँगे तो इस दुनिया को अपने क़दमों पर झुका लेगे। अफसोस मैं अपने बाबा के हाथों मौत के सिवा कुछ न पा सका! जब सफेद क़िले पर मैंने हमला किया था तो ईरानी सिपाहसालार को क़ैदी बनाया था। मैंने उससे भी आपका पता बहुत पूछा। उसकी सारी बातें बेतुकी थीं। उसने मुझसे सब भेद छुपाया और आज उसी के कारण यह अन्धेरा देखना पड़ा। आप उसका ध्यान रखें कि उसको कोई हानि न पहुँचे। माँ ने आपकी पहचान ज़बानी बताई थी, जब मैं आपको देखता था तो सारी बातें मैं आपमें पाता था, मगर यक़ीन नहीं होता था। खुदा को यही मंजूर था। मैं बिजली की तरह आया और हवा की तरह जा रहा हूँ। मगर आपकी दुनिया में दोबारा ज़रूर आऊँगा। इतना कहकर सोहराब की आवाज टूटने लगी और आँखें आँसुओं से भर गईं।

ये बातें सुनकर रुस्तम का कलेजा मुँह को आने लगा और साँस लेने में बहुत कठिनाई महसूस होने लगी। टूटे दिल और भीगी आँखों के साथ रुस्तम रख़्श पर बैठा और फौज के पड़ाव की तरफ घोड़ा दौड़ाया। ईरानी सिपाहियों ने जब दूर से रुस्तम को आते देखा तो खुदा को धन्यवाद दिया। मगर जब रुस्तम क़रीब पहुँचा और उसका फटा लिबास, चेहरे पर ख़राश और ग़म से उसे बेहाल देखा तो सबने इसका कारण पूछा। रुस्तम ने बताया कि उसने अपने ही हाथों अपने बेटे को क़त्ल कर दिया है। यह सुनकर सारे सिपाही ग़म से चीख उठे!

रुस्तम ने गम से निढाल होकर कहा कि न तो मुझे दिल की खबर है, न तन का होश है। लेकिन अब तुम लोग तूरानी फौज पर आक्रमण नहीं करोगे। आज मुझसे जो काम हुआ है, वही गुनाह के लिए काफी है। इसी बीच रुस्तम का भाई जवारेह आ गया। भाई को फटे हाल देखकर ताज्जुब में पड़ गया। रुस्तम ने उससे कहा कि हुमान को खबर कर दे कि वह अपनी तलवार म्यान में रखे। सोहराब का यह हाल हुजीर के कारण हुआ है। उसको अपने सामने लाने का आदेश रुस्तम ने दिया।

हुजीर की बात सुनकर रुस्तम दुखी हुआ और क्रोध में आकर उसकी हत्या करने के लिए आगे बढ़ा। मगर बीच में ही उसे रोककर पहलवानों ने उसकी जान बख़्श देने की विनती की। तंग आकर रुस्तम अपना ही खंजर उठाकर खुद अपना सिर तन से जुदा करने वाला था कि गूदरज़ ने उसे समझाया कि इससे क्या फायदा? अब तो जो हो चुका, वह वापस नहीं आ सकता है। इसलिए सोहराब की मौत उतनी महत्वपूर्ण नहीं जितना किसी पहलवान का नाम अमर हो जाना महत्वपूर्ण है। रुस्तम के मन-मस्तिष्क की उत्तेजना शान्त होने लगी। वह गूदरज़ से बोला कि तुम शाह काऊस के पास जाओ और मेरा पैगाग उनसे कहना कि अब रुस्तम ज्यादा दिन जिन्दा नहीं रहेगा। अपने ही खंजर से अपने जिगर के टुकड़े का सीना चीर दिया है। शाह से मेरी विनती है कि उनके खजाने में जो 'नौशादर' है, वह मेरे जख़्मी बेटे के लिए मुझे एक जाम भरकर दें ताकि मैं अपने बेटे को बचा सकूँ। मैं अभी ज़िन्दा हूँ उनकी और उनके राज्य की मैं रक्षा करूँगा।

गूदरज यह पैगाम लेकर शाह काऊस के खेमे में पहुँचा और सारी बात बताकर रुस्तम द्वारा कही दवा माँगी। शाह काऊस ने सारी बात ध्यान से सुनी और मन-ही-मन सोचा कि रुस्तम जैसे पहलवान का बेटा सोहराब है जो पहले ही इस बात का दावा कर चुका है कि वह मुझे मिटा देगा और ईरान को जीत लेगा। ऐसे समय में यह दबा रुस्तम को भेजना उचित नहीं है। कल कहीं ये दोनों बाप-बेटे मिल गए तो मेरा क्या होगा? उसने दवा देने से इंकार कर दिया

रुस्तम ने सोहराब को मार डाला

और अपना भय भी बयान कर दिया।

यह जवाब सुनकर गूदरज हवा की तरह रुस्तम के पास पहुँचा और शाह काऊस के इंकार की बात रुस्तम को बताकर कहा कि बेहतर है कि रुस्तम आखिरी वक्त बेटे के सिरहाने रहे ताकि इस अँधेरे में डूबते हुए दिल व दिमाग़ को कुछ रोशनी मिल सके।

अभी रुस्तम बीच रास्ते में ही था कि कोई तेजी से उसकी तरफ सूचना देने बढ़ा कि–

कि सोहराब शुद ज़े इन जहाने फ़राख़
हमी अज़ तो ताबूत न ख़्वाहद न काख़
पेदर जुस्त व बर ज़द यकी सर्द बाद
बे नालीद व मुज़गान बे हम बर निहाद

(सोहराब इस दुनिया को छोड़ चुका है। अब उसे न महल चाहिए न तख्त न ताबूत! यह खबर सुनकर बाप ने एक लम्बी आह खींची और रोते हुए पलकें एक-दूसरे पर रखीं।)

रुस्तम रख़्श से नीचे उतरा और सिर पर टोपी की जगह जमीन की खाक उठाकर डालने लगा और बैन करने लगा कि मैं ये दोनों हाथ काटकर रख दूँ जिन्होंने खंजर उठाया था। अब किस तरह और किस मुँह से तहमीना को यह खबर दूँगा कि मैंने उसके बेटे–अपने जिगर के टुकड़े –को अपने ही हाथों से मार डाला! मुझ पर सब लानत भेजेंगे कि मैंने अपने खानदान साम पहलवान के नाम धब्बा लगाया है। इस खबर से पिता ज़ालज़र व माँ रुदाबे का क्या हाल होगा।

रुस्तम सोचने लगा कि किस तरह से जोश व खरोश से भरा यह जवान कल इस मैदान में विजय पताका लहराने आया था। आज वहीं से उसका ताबूत उठ रहा है।

जब सोहराब की मौत की ख़बर काऊस के पास पहुँची तो वह रुस्तम को दिलासा देने पहुँचा। रुस्तम का इतना बुरा हाल देखकर शाह काऊस को बहुत दुःख हुआ। उसने सोहराब को याद करते हुए उसके बल और दिलेर व्यक्तित्व की प्रशंसा की और कहा कि अब रुस्तम को इस दुःख में अपने को मज़बूती से सँभालना चाहिए और इस हक़ीकत को समझ लेना चाहिए कि इस दुनिया में जो आया है, वह एक दिन वापस जायेगा चाहे देर में चाहे जल्दी; इसलिए रुस्तम कब तक बेटे के शोक में डूबा रहेगा।

रुस्तम ने शाह काऊस से कहा कि वह बिल्कुल टूट चुका है। उसमें कुछ भी करने की शक्ति नहीं रह गई है। यदि शाह काऊस उचित समझें तो जवारेह

को हुमान के पास भेजें ताकि उसकी सुरक्षा में तूरानी फौज सुरक्षित समनगान लौट जाए।

शह काऊस का अनुरोध सुना और कहा कि बेशक मैं उस तुर्क के व्यवहार से खुश नहीं था। मगर यह कोई बदला लेने का समय नहीं है। जब रुस्तम इस तरह दुःख में डूबा है तो मैं भी उसके दुःख में बराबर शरीक हूँ। इतना कहकर शाह काऊस अपनी फौज़ के साथ ईरान लौट गया।

❖❖

शाह काऊस के ईरान की तरफ कूच कर जाने के बाद रुस्तम वहाँ तन्हा रहकर जवारेह की वापसी का इन्तज़ार कर रहा था ताकि वह तूरानी फौज की सुरक्षित वापसी का समाचार जान सके।

जवारेह के आने के बाद रुस्तम ने ज़ाबुलिस्तान की तरफ़ जाने की तैयारी कर ली। उसके आने की ख़बर जब ज़ालज़र के पास पहुँची तो सारा सीस्तान शोक में रोता-बिलखता वहाँ पहुँच गया।

सिपह पीश ताबूत मी रानदन्द
बुज़ुर्गान बेसर ख़ाक बेफ़िशानदन्द
चू ताबूत रा दीद दस्तान साम
फरुद आमद अज़ अस्पे ज़र्रीन लगाम
तहमतन पियादेह हमी रफ्त पीश
दरीदेह हमे जामे दिल करदे रीश

(सिपाही ताबूत के आगे-आगे चल रहे थे और ताबूत के पीछे रोते हुए बुज़ुर्ग। जैसे ही ज़ालज़र की नज़र दूर से ताबूत पर पड़ी वह अपने घोड़े से उतर गया। रुस्तम पैदल चल रहा था। उसका दिल टुकड़े-टुकड़े था, कपड़े फटे थे और चहेरा ग़म से बेहाल था।)

सारे पहलवानों ने ताबूत को देखकर कमर ख़म की और सम्मान में सिर झुकाया। ताबूत की ऊँट की पीठ से नीचे उतारकर ज़मीन पर रखा गया तो रुस्तम रोता हुआ ज़ालज़र को सम्बोधित करता हुआ आगे बढ़ा और बेटे के ताबूत पर सिर रखकर बोला—"इस तंग ताबूत में मेरा बाघ सोया पड़ा है।" रुस्तम की बात सुनकर ज़ालज़र की आँखें खून के आँसू रोई। रुस्तम ने दुःख में प्रलाप करते हुए कहा—"तुम चले गए और मैं दुखी और अपमानित यहाँ रह गया।" ज़ालज़र ने पोते की उम्र देखकर आश्चर्य प्रकट करते हुए दुःखी स्वर में कहा—"इस नन्ही-सी उम्र में उसने इतनी दिलेरी का काम किया और गदा हाथ में उठाया। वह सचमुच अजूबा था। ऐसे बच्चे रोज़ कहाँ पैदा होते

हैं।" इतना कहकर ज़ालज़र ने अपनी आँखें बन्द कर लीं जिनमें से लगातार आँसू झर रहे थे।

रुदाबे ने जब सोहराब की लाश देखी तो ग़म से उसका कलेजा फटने लगा। बेटे का ग़म और पोते की मौत की ख़बर सुनकर वह कहने लगी कि जब इसके खेलने-खाने के दिन थे तो यह चल बसा। ज़ाबुलिस्तान के लोगों के चेहरे ग़म से स्याह और आँखें दुख से लाल हो रही थीं।

जिसने भी यह ख़बर सुनी कि बाप के हाथों बेटा मारा गया, उसकी आँखों आँसुओं से भर आईं। रुस्तम ने अपने हाथों से बेटे को कफ़न पहनाया और ताबूत में लिटाया। सोहराब को दफनाए हुए कई दिन गुज़र गए थे, मगर रुस्तम का दिल खुशी को फिर हासिल न कर सका और स्वयं से बार-बार यही कहता कि ज़माने की मार से कब किसका दिल ज़ख्मी हो जाए, यह कौन जानता है।

हुमान ज़ाबुलिस्तान से तूरान की तरफ लौट गया और शाह अफरासियाब से सारी घटना बताईं सुनकर अफरासियाब चकित रह गया। उसके मन की इच्छा सोहराब की मौत से पूरी हुई। यह खबर जब ईरान पहुँची तो रुस्तम के ग़म में सब शरीक हुए और सोहराब के लिए उनकी आँखें भर आईं।

❖❖

सोहराब के मरने की खबर तूरान से जब शहर-ए-समनगान पहुँची तो सोहराब के नाना, शाह समनगान दुःख से दीवाने होकर अपने कपड़े फाड़ने लगे। यही हाल तहमीना का हुआ। उसने अपने चेहरे को दुःख में नोच लिया। मुँह को दोनों हाथों से पीटा और घुंघराली जुल्फों में उँगलियों में फँसाकर खींचा। उसके चेहरे पर पड़ी खरोंचों से खून छलक आया और सफेद बदन पर जगह-जगह जख़्म के लाल निशान उभर आये। बैन करती हुई तहमीना कहने लगी :

हमीं गुफ़्त के एइ जाने मादर कनुन
कुजाई सररिश्ते बे ख़ाक व ख़ून
चू चश्मम बेरह बूद गुफ़्तम मगर
ज़े सोहराब व रुस्तम बयाबम ख़बर

(मेरे बेटे तुम कहाँ खून व ख़ाक में खो गये हो। मैं तुम्हारी राह में आँखें बिछाए बैठी थी कि मुझे बेटे सोहराब और बाप रुस्तम की खबर एक साथ मिलेगी।)

"मुझे गुमान हुआ कि तुम लौट आए हो। आह, ऐसे कोई अपने बाबा को ढूँढ़ने और पाने जाता है! तुम्हें जाने की इतनी जल्दी क्यों थी! मुझे क्या पता था बेटे, कि रुस्तम शिकारगाह में तुम्हारा ही जिग़र चीरकर रख देगा।

बे परवरदेह बूदम तनश रा बे नाज़
बे रख़्शन्देह रुज़ व शबाने दराज़
कनून आन बेख़ून अन्दरुन गुरफ़े गश्त
कफन बर तने पाक उ ख़िरके गश्त

(मैंने किस दुलार और प्यार से तुझे पाला था! रात और दिन की मेहनत से तेरा बदन तन्दुरुस्त बनाया था। आज वही तन खून में डूबा क़ब्र में चला गया और कफ़न उसका लिबास बन गया।)

तहमीना अपना सीना पीटती हुई बोली—"इस दुःख को किससे कहूँ। कौन है मेरी सुनने वाला। तुम्हारी जगह मैं किसको पुकारूँ बोलो, अब कौन है मेरा? अफसोस! मेरे जिगर का टुकड़ा, आँखों की रोशनी, बाग़ और महल से निकलकर ख़ाक में मिल गया है। मैंने तो तुम्हें बाबा की पहचान बताई थी। तावीज़ भी दी थी। न तुम उसे पहचान सके, न बाप की निशानी उसे दिखा सके। तुम्हारी माँ तुम्हारे बिना इस क़ैद में तड़प रही है और तुम्हारा चाँदी जैसा सीना चीर दिया गया।"

बैन कर-कर के तहमीना कभी सीना कूटती, कभी मुँह पीटती, अपने बाल नोचती और इस तरह से रोती कि सुनने वाला ताब न ला पाता। फिर रोते-रोते बेहोश हो जाती। जब होश में आती तो सोहराब की याद में तड़पने लगती। कभी सोहराब के घोड़े से लिपट जाती, कभी उसको थपकती, उसका मुँह चूमती, फिर सोहराब के तीर व कमान, ढाल और तलवार पर अपना सिर पटकने लगती।

बे रूज़ व शब मूयेह कर्द व गरीस्त
बस अज़ मर्गे सोहराब साली बे ज़ीस्त
सर अंजाम हम दर गमे उ बेमुर्द
खानश बेशद सुए सोहराब गुर्द

(तहमीना रात-दिन सोहराब की याद में रोते हुए कई साल ज़िन्दा रही। फिर एक दिन उसकी ग़म को साथ लेकर सोहराब से जा मिली।)

दास्तान-ए-सियावुश व सुदाबे

एक दिन, भोर के समय, गिव, गूदरज़ और तूस अन्य साथियों के संग बाज़ और चीते लेकर प्रसन्नचित्त शिकार खेलने गए। खूब जमकर शिकार किया। शिकार करने के जोश में वे ईरान सीमा से निकलकर तूरान के जंगल में चले गये। शिकार की खोज में निकले तूस और गिव को वहाँ एक सुन्दर लड़की नज़र आई। उसके सौन्दर्य को देखकर ये दोनों सकते में आ गए। उसके समीप पहुँचकर जब उससे पूछताछ की तो उस लड़की ने बताया–"मेरे पिता शराब के नशे में धुत कल रात जब घर आए तो क्रोधित हो उन्होंने मुझे मारने के लिए ज़हर से बुझी तलवार उठाई। मेरे सामने जान बचाने का इसके अतिरिक्त कोई और चारा न था कि मैं भागकर इस जंगल में आ छिपूँ। आधे रास्ते में घोड़ा मुझे अपनी पीठ पर से गिराकर भाग गया। और मैं तन्हा रह गई। जो कुछ हीरे-जवाहरात लेकर मैं चली थी, वे रास्ते में लुटेरों ने लूट लिए। उनके खंजर से भयभीत होकर मैं इधर भाग आई हूँ।"

जब उन्होंने उसके कुटुम्ब के बारे में पूछा तो उसने बताया कि वह गरसिवज़ के कुटुम्ब से है जो आफरासियाब का भाई लगता है।

तूस और गिव में लगता लड़की को लेकर एकाएक झगड़ा आरम्भ हो गया कि उस पर किसका हक़ है। तूस कहता कि मैंने लड़की को पहले देखा था इसलिए वह मेरी है। गिव कहता कि उसने पहले लड़की को देखा था, इसलिए लड़की पर उसका हक़ है। यह झगड़ा और अचानक आपसी तकरार इतनी बढ़ी कि आख़िर यह तय पाया कि इस लड़की का सर धड़ से अलग कर देना ही हमारे लिए अच्छा होगा।

फैसले को सुन कर एकाएक एक पहलवान इनके बीच में बोल उठा–"अच्छा यही है कि इसे अपने शाह काऊस के पास ले चलते हैं। वह जो कहेंगे वह मान लेंगे।" यह बात सबको पसन्द आई और उन्होंने वैसा ही किया।

शाह काऊस की नजर जैसे ही उस लड़की पर पड़ी, वह उसके रूप को

तहमीना बेटे के दुख में

देखकर उस पर रीझ गया। जब उसे पता चला कि वह अच्छे शाही परिवार से सम्बन्ध रखती है, तो उसे लगा कि कितना अच्छा होता यदि वह उसकी मलिका बन जाती। शाह काऊस ने उन दोनों पहलवानों के बीच होते झगड़े का फैसला बड़ी चतुरता से किया। उन्हें बहला-फुसलाकर धन-दौलत और दस शानदार घोड़े देकर उनका मुँह बन्द कर दिया और लड़की को अपनी हरम में भेज दिया।

नौ मास बाद उस लड़की ने एक चन्द्रमा जैसे पुत्र को जन्म दिया। जैसे ही यह समाचार काऊस के पास पहुँचा, वह खुशी से दीवाना हो गया। और उसका नाम सियावुश रखा। फिर ज्योतिषियों और पण्डितों को बुलाया ताकि लड़के की जन्मपत्री बन सके और उसकी भाग्य-रेखा परखी जा सके। ज्योतिषियों ने लड़के का भविष्य अन्धकारमय और उसे पूर्ण रूप से भाग्यहीन पाया। भाग्य-रेखाओं और ग्रह-स्थिति देखकर ज्योतिषी सन्नाटे में आ गये।

कुछ समय बाद शाह काऊस ने रुस्तम को बुलवाया और अपनी इच्छा प्रकट करते हुए कहा कि "तुम सियावुश को अपनी शरण में ले लो। इसे अपने साथ ज़ाबुलिस्तान ले जाओ और सारे 'हुनर' से इसे सुसज्जित कर दो।"

रुस्तम ने सियावुश को शिकार और घुड़सवारी, तलवार और गदा चलाने, शाही तौर-तरीक़ों व अन्य छोटे-मोटे अस्त्र-शस्त्र चलाने में ऐसा दक्ष और निपुण बना दिया था कि उसका मुक़ाबला कोई भी दूर-दूर तक नहीं कर सकता था। एक दिन सियावुश रुस्तम के समीप आया और कहा—"आपने मुझे विद्या और कला सिखाने में कितने वर्षों तक कष्ट उठाया है, इसलिए मेरी इच्छा है कि मेरे पिता भी आपकी दी शिक्षा का चमत्मार मुझमें देख लें।"

रुस्तम को सियावुश की बात पसन्द आई। उसने उसे अनुमति दे दी। मुकुट, सिंहासन और सिपाही यात्रा के लिए तैयार हो गये। रुस्तम सियावुश के साथ शाही दरबार में पहुँचा।

काऊस शाह जैसे ही अपने बेटे के आगमन से अवगत हुआ, उसने आदेश दिया कि विशिष्ट योद्धा उसके स्वागत के लिए जायें और उसके ऊपर सोना लुटाते हुए उसे दरबार तक लायें। जब सियावुश पिता के समीप पहुँचा तो काऊस शाह बेटे का इतना ऊँचा क़द देखकर हैरान रह गया। कितना बड़ा, कितना बुद्धिमान है वह! दिल-ही-दिल में उसने ख़ुदा को धन्यवाद दिया। बेटे को गले लगाकर अपने समीप बिठाया। इस शुभ अवसर पर उसने आदेश दिया कि पूरे नगर में मदिरा के घड़े लुढ़काए जाएँ, संगीत और नृत्य का कार्यक्रम रखा जाए!

यह कार्यक्रम हफ़्ते-भर चलता रहा। शाही ख़जाने का मुँह खोल दिया गया।

शाह ने अपने बेटे को हीरे-जवाहरात, रेशमी कपड़े, तीर और कमान से लाद दिया। इसके अतिरिक्त रेशम पर लिखा कोहिस्तान की हुकूमत का आज्ञा-पत्र भी उसे दिया। वास्तव में काऊस शाह ऐसा बेटा पाकर मन-ही-मन खुशी और गर्व से फूला नहीं समा रहा था।

एक दिन वह सियावुश के साथ बैठा हुआ था। उधर से सुदाबे आ गई जो शाह हामजारान की बेटी और शाह काऊस की मलिका थी। उसकी ललचाई आँखें सियावुश के चेहरे पर टिक गईं। उसके मन में एक अज़ीबो-ग़रीब इच्छा ने अँगड़ाई ली। उसने चुपके से सियावुश को सन्देश भेजा कि वह रात को अन्तःपुर में उसके कमरे में आ जाये। सियावुश ने क्रोध में कहलवाया—"मैं इस क़िस्म का आदमी नहीं हूँ।" यह उत्तर पाकर सुदाबे ने एक नयी चाल चली। रात को काऊस के पास पहुँची और बोली "अच्छा हो कि आप सियावुश को अन्तःपुर भेज दें ताकि वह अपनी बहनों से मिल ले। बहनें भी उससे मिलने को उत्सुक हैं।" यह बात काऊस शाह को पसन्द आई। उसने सियावुश को बुलाया और कहा कि—

पस परदेयह मन, तोरा ख़्वाहर अस्त
चू सुदाबे ख़ुद मेहरबान मादर अस्त

(शाही हरम में तुम्हारी बहनें रहती हैं। इनके अलावा मलिका सुदाबे भी है जो तुम्हारी अपनी माँ की तरह वात्सल्य व मातृत्व से भरी हुई है।)

सियावुश के मन में विचार आया कि इस प्रकर शाह काऊस उसकी परीक्षा ले रहे हैं। उसने उत्तर दिया—"मुझे अन्तःपुर में भेजने के बदले वरिष्ठ योद्धाओं, रण-क्षेत्र और अनुभवी वीरों के पास भेजें तो मेरे लिए अधिक उचित होगा क्योंकि शाही अन्तःपुर में जाकर मैं कौन-सी नयी बात सीखूँगा। औरतें कब बुद्धिमानी की बातें करती हैं।"

सियावुश के इस उत्तर से काऊस प्रसन्न हुआ। फिर भी, उसने अपनी बात दोहराई कि वह वहाँ जाकर औरतों, लड़कियों और बच्चों से मिल आये। पिता के बार-बार कहने से सियावुश मजबूर हो गया और अन्तःपुर जाने को तैयार हो गया। पहरेदार सियावुश को लेकर सुदाबे के महल की ओर बढ़ा।

सियावुश ने जैसे ही महल में क़दम रखा, सारी औरतें उसके स्वागत के लिए दौड़ीं। सियावुश ने देखा कि महल इत्र और अगरबत्ती की महक से गमक रहा है। मदिरा का दौर चल रहा है। संगीत और साज की मद्धिम ध्वनि ने एक स्पप्नलोक का दृश्य उपस्थित कर रखा है। बीचों-बीच रेशमी कपड़ों से सजा एक सोने का सिंहासन है जिस पर सुदाबे बैठी हुई थी। जैसे ही उसकी नज़र सियावुश पर पड़ी, वह अपने स्थान से उठी और आगे बढ़कर सियावुश को गले

लगाया। उसकी आँखों का चुम्बन लिया। फिर खुदा को धन्यवाद दिया कि उसने उसको ऐसा पुत्र दिया है।

सियावुश सुदाबे के प्रेम की गहराई और उस ऊपरी दिखावे को खूब समझ रहा था। वहाँ से उठकर वह बहनों के पास गया। बहनें उसे देखकर बहुत खुश हुईं। और उसे सोने के सिंहासन पर बिठाया। सियावुश काफी देर तक अपनी बहनों के समीप बैठा रहा। लौटकर पिता के पास आया और बोला–"खुदा ने आपको नेकी के सारे अवसर दिये हैं, फिर आपकी ओर से यह कमी क्यों?" उसका यह कहना काऊस को बहुत अच्छा लगा। रात को जब वह सुदाबे के पास गया तो उसने सियावुश के व्यक्तित्व के बारे में पूछा। सुदाबे ने उसके व्यवहार की प्रशंसा करते हुए बताया कि वास्तव में समझ और अच्छाइयों में उसका कोई जवाब नहीं है। क्या ही अच्छा होता यदि मेरी किसी लड़की से इसका विवाह हो जाता। उससे प्राप्त पुत्र-रत्न कितना महान् और बुद्धिमान पैदा होगा।"

काऊस को सुदाबे की बात पसन्द आई। मगर जब उसने इसी बात को सियावुश से कहा तो उसने उत्तर दिया, "मैं आपका बेटा हूँ। आपकी हर इच्छा और आदेश को आँख बन्द करके मानने वाला हूँ। आपकी इस बात को सुनकर सुदाबे जाने क्या अर्थ निकालेगी। वास्तव में मैं सुदाबे के साथ किसी प्रकार का सम्बन्ध जोड़ना नहीं चाहता हूँ, न उसके अन्तःपुर में मुझे अब कभी जाना है।"

सियावुश की बात सुनकर शाह काऊस हँस पड़ा। उसे सुदाबे की चालों का पता न था। बेटे को समझाते हुए बोला, "सुदाबे ने यह बात मुझसे बहुत प्रेम और सद्भाव से कही है। तुम विश्वास रखो। इस पर यूँ सन्देह करना उचित नहीं है!" पिता के कहने और समझाने से वह ऊपर से तो खामोश रहा, मगर मन की शंका कम नहीं हुई।

सुबह हुई तो सुदाबे ने अपनी बेटियों को बुलवाया। स्वयं सिंहासन पर बैठी और याकूत के लाल अनार जैसे रंग का मुकुट सिर पर रखा। और 'हीरबुद' नाम के पहरेदार को सियावुश को बुलाने के लिए भेजा। जब सियावुश आया तो उसने उसे सोने के सिंहासन पर बिठाया और स्वयं उसके समीप खड़ी होकर एक-एक करके अपनी बेटियों को उसके सामने से गुज़रने के लिए कहा और बोली, "इनमें से जिसे चाहों पसन्द कर लो।"

सियावुश ने जैसे ही आँखें ऊपर उठाईं, उसने लड़कियों को जाने का इशारा किया और जब स्वयं अकेली रह गई तो बोली–"इसको ध्यान से देखो। इनमें से कौन है तुम्हारी पत्नी बनने के काबिल?" सियावुश का मन देश-प्रेम से भरा हुआ था। वह सुदाबे की चालों को खूब समझ रहा था। सुदाबे के पिता शाह

हामवारान ने धोखा देकर उसके पिता शाह काऊस को कारावास में डलवाया था। यदि उसकी पुत्री सुदाबे भी उसी स्वभाव की हुई, तब तो ईरान के भविष्य को अन्धकारमय ही समझना चाहिए।

अपने प्रश्न का उत्तर जब सुदाबे को नहीं मिला तो उसने एकाएक अपने चेहरे पर पड़ा नकाब हटा दिया और बड़ी कामुक चितवन से सियावुश को देखा। वह स्वयं को सूर्य और लड़कियों को चन्द्रमा समझ रही थी, सो कहने लगी, "जिसने मुझे फ़िरोजे और याक़ूत से जड़े मुकुट को पहने हाथीदाँत के सिंहासन पर बैठे देखा, यदि वह संसार की सारी सुन्दरियों और चन्द्रमा की ओर से आँखें फेर ले तो इसमें आश्चर्य क्या है!"

फिर एक नयी अदा से बोली, "दिखावे के लिए तुम मेरी बेटी से विवाह कर लो मगर मुझे वचन दो कि हर रात मेरे कक्ष में आओगे। मैं अपना तन-मन सब कुछ तुम्हें अर्पित कर दूँगी!"

कि त मन तोरा दिदेह अम, मुर्देअम
खुरुशानो जूशानो आज़ूरदेह अम

(मैंने तुम्हें जब से देखा, तुम पर मर मिटी हूँ। मैं अपने जज़्बात एवं जोश से स्वयं परेशान हूँ।)

इतना कहकर सुदाबे सियावुश के क़दमों पर झुक गई और कहने लगी, "इस समय तुम्हारे समीप खड़ी हुई मैं अपना सम्पूर्ण अस्तित्व तुम्हें भेंट करती हूँ। तुम मुझसे जो चाहोंगे मैं तुम्हें दूँगी। तुम्हारे हर आदेश पर अपनी सौ जान निछावर करती हूँ।" यह कहकर उसने वासना से प्रेरित हाकर सियावुश को अपनी बाँहों में भींच लिया और एक अद्‌भुत तृष्णा से उसके कपोलों, होंठों और आँखों का चुम्बन लेने लगी।

सियावुश का मुख शर्म से लाल पड़ गया। मन-ही-मन सोचने लगा, "यह औरत मुझे चाहे जितना उत्तेजित करे, मगर मैं पिता की धरोहर और उसके सम्मान को ठेस नहीं पहुँचने दूँगा।" इस ठोस चाल-चलन और अच्छाई के बावजूद उसने सोचा कि यह औरत इतनी दुष्ट है कि इससे अधिक कटुता भी उचित नहीं। क्या पता, यह षड्‌यन्त्र कर शाह काऊस को उल्टा-सीधा बहका दे। उवित यही है कि अभी नर्मी और मिठास से समस्या को हल करना चाहिए। यह सोचकर उसने कहा, "तुम्हारी बेटी के अतिरिक्त किसी अन्य की इच्छा मेरे मन में नहीं है। मैं उसी से विवाह करूँगा। अभी तुम अपने प्रेम के भेद को छुपाकर रखो क्योंकि तुम शाही परिवार का मुकुट, ईरान की मलिका औरसंसार की दृष्टि में मेरी माँ हो!" यह कहकर सियावुश चला गया।

रात को शाह काऊस को सुदाबे ने यह शुभ समाचार सुनाया कि "सियावुश ने सारी लड़कियों में से उसकी लड़की को चुना है।"

काऊस इस समाचार को सुनकर बहुत खुश हुआ और आदेश दिया कि ख़ज़ाने का मुँह खोल दिया जाए। हीर-जवाहरात, रेशम, आभूषण, मुकुट का ढेर लग गया। सुदाबे यह सब देखकर चकरा गई। उसने सियावुश को अन्तःपुर में बुलाया, इधर-उधर की बातें करके बोली, "तुमको बादशाह ने इतना धन दिया है कि जिसे दो सौ हाथियों पर लादा जाएगा। लेकिन मैं उससे कहीं अधिक धन तुम्हें दूँगी और साथ ही अपनी हसीन बेटी भी। अब बताओ तुम्हें किस बात की प्रतीक्षा है? क्या अब भी मेरे प्यार को ठुकराओगे?" यह कहकर सुदाबे सियावुश के पैरों पर गिर गई। और उससे रो-रोकर विनती करने लगी—"मैंने तुम्हें जब से देखा है, तभी से तुम्हारी पहली नज़र के तीर से घायल हूँ। अपनी भावना को ज्वार और उत्तेजना के उफान से मैं स्वयं पागल हो रही हूँ। इस पीड़ा के कारण मेरे लिए दिन भी रात हो गई है और सूरज को भी जैसे गहन लग गया है। एक क्षण के लिए तुम मेरे अन्दर के लपकते शोलों को बुझा दो। तो मेरा यह बुढ़ापा जवानी में बदल जाएगा।" इसके बाद उसने सियावुश को धमकी भी दी "यदि तुमने मेरी प्यास नहीं बुझाई तो मैं सच कहती हूँ तुम्हें जीने नहीं दूँगी।"

सियावुश सौतेली माँ के इस समर्पण से बेहद लज्जित हो उठा। एक क्षण भी ठहरना उसके लिए अब मुश्किल हो रहा था। उसने सुदाबे को अपने से परे हटाते हुए कहा—"मुझसे ऐसी आशा रखना बेकार है कि मैं काम-वासना पर अपने धर्म को क़ुर्बान कर दूँगा। ऐसे बुद्धिमान पिता से मैं बेवफ़ाई करूँ उसके विश्वास को तोड़, उसकी पत्नी पर हाथ डालूँ और वीरता और बुद्धिमत्ता को तज दूँ ऐसा नामुमकिन है। तुम ईरान की मलिका हो, तुमको यह बात शोभा नहीं देती।" इतना कहकर सियावुश क्रोध में भरकर सिंहासन से उठ खड़ा हुआ और चलने को हुआ अचानक सुदाबे सियावुश की बाँहों में झूल गई और बोली—"चूँकि मैंने अपने दिल की बातें तुमसे कह दी हैं, इसलिए तुम मुझे अब बदनाम करना चाहते हो।" यह कहकर वह चीखने लगी और अपने कपड़े फाड़ने लगी। अन्तःपुर से उसके चीखने की आवाज़ शाह के कानों में पहुँची और वह बदहवास होकर भागा। जब सुदाबे के समीप पहुँचा तो उसे आँसुओं में डूबा, बेहाल देखा। जैसे ही सुदाबे की नज़र शाह पर पड़ी, उसने ज़ोर-ज़ोर से रोना और सिर के बाल नोचना आरम्भ कर दिया। पछाड़ खाकर वह शाह से लिपट गई और बोली—"सियावुश ने मुझ पर बुरी नज़र डाली है। उसने मेरे कपड़े फाड़े, मुझसे जबरदस्ती करनी चाही और मेरा मुकुट फेंक दिया।" यह सुनकर

काऊस विचारों में डूब गया। उसने सियावुश को अपने पास बुलाया और पूछा, "वास्तविकता क्या है?"

जो कुछ गुज़रा था, सियावुश ने सही-सही बता दिया।

"मैंने सुदाबे को नहीं, बल्कि सुदाबे ने मुझे अपने धर्म से विचलित करने पर बाध्य किया था।"

यह सुनकर सुदाबे ने साफ झूठ बोला, "मैंने इससे कहा था कि मैं बहुत सारा धन-दौलत देकर अपनी लड़की का विवाह तुमसे करना चाहती हूँ। मगर इसने जवाब दिया कि न मुझे तेरी धन-दौलत चाहिए, न तेरी लड़की। मैं तो सिर्फ़ तेरा दीवाना हूँ और सिर्फ़ तुम्झे चाहता हूँ।" फिर उदास होकर बोली, "शाह! मैं आपसे गर्भवती हूँ और मुझे ऐसा लग रहा है कि जो जबरदस्ती मेरे साथ सियावुश ने करनी चाही है, उससे मेरा गर्भ अब ठहर नहीं पाएगा।"

काऊस के सामने समस्या आन खड़ी हुई थी कि वह सच का पता कैसे लगाए और निर्दोष किसे समझे। काऊस ने चुम्बन के बहाने सियावुश का सारा शरीर सूँघा। वहाँ पर सुदाबे की सुगन्ध न थी। फिर आगे बढ़कर उसने सुदाबे को सूँघा जो पूर्ण रूप से इत्र में भीगी हुई थी। इस हक़ीकत के प्रकाश में आते ही, काऊस शाह दुखी हो उठा और सुदाबे को दोषी माना। घृणा से उसने चाहा कि उसका सिर धड़ से अलग कर दे। तभी उसके मस्तिष्क में यह विचार कौंधा कि इस घटना के हामवारान से युद्ध करना पड़ेगा। दूसरे, जब वह हामवारान के कारागार में था तो उस कठिन समय में सूदाबे ने उसकी बड़ी सेवा की थी। तीसरे, चूँकि उसका दिल उसकी ओरसे खट्टा हो गया था तो उसे क्षमा करना ही दण्ड लगा। चौथे, उसके जो नवजात शिशु थे, माँ के अतिरिक्त किसी अन्य की गोद के इच्छुक न थे। उन्हें इस उम्र में माँ की आवश्यकता थी। मगर इन सारी बातों के बाद भी मलिका उसकी आँखों से गिर चुकी थी।

सुदाबे ने जब यह बात महसूस की कि काऊस का मन उसकी तरफ से हट गया है तो उसके मन में भी द्वेष की भावना आ गईं उसने एक नया षड्यन्त्र रचा। राजमहल में एक दुष्ट औरत थी। भाग्य से वह उस समय गर्भवती थी। मलिका सुदाबे ने उसे अपने पास बुलाया और अकेले में कुछ गुप्त बातें कीं। फिर कुछ धन देकर उसे इस बात पर राजी कर लिया कि वह दवा-दारू खाकर अपना गर्भ गिरा दे।

उस औरत ने सुदाबे के समझाने के अनुसार अपना गर्भ गिरा दिया। उसके गर्भ से जुड़वाँ बच्चे गिरे। सुदाबे ने एक सुनहरा तसला मँगवाया और उसमें

सियावुश की मिन्नतें करती सुदाबे

दैत्य रूपी उन बच्चों को डाला और खुद अपने कपड़े फाड़कर चीखने-चिल्लाने लगी। उसकी आवाज़ सुनकर काऊस राजदरबार से भागा हुआ अन्तःपुर में आया। उसने सुदाबे को लेटा हुआ देखा। पूरे महल में हलचल थी और सामने सोने के तसले में दो बच्चे मरे पड़े थे। सुदाबे शाह को देख फूट-फूटकर रोने लगी—"यह सब कुछ सियावुश के कारण हुआ है। मेरी दुर्दशा देखकर भी क्या आपको विश्वास नहीं होता कि मैं निदोर्ष हूँ।"

शाह काऊस इन सारी घटनाओं से चकराया हुआ सीधा ज्योतिषियों के समीप पहुँचा और समस्या के समाधान व सत्यता जानने की इच्छा प्रकट की। ज्योतिषियों ने एक हफ्ते के बाद सही घटना शाह को कह सुनाई—"ये दोनों बच्चे शाह के नहीं हैं और न ही मलिका के हैं!" इस बात को सुनकर शाह काऊस और अधिक विचार-मग्न हो गया और पण्डितों बुलाकर इस गुत्थी के सुलझाने के बारे में पूछा।

पण्डितों ने कहा, "केवल एक ही रास्ता है कि दोनों अपना निदोर्ष होना साबित करें। वह रास्ता यह है कि दोनों को आग पर से गुज़रना होगा। निर्दोष को आग की लपटें कभी नहीं जलायेंगी।"

यह सुनकर शाह काऊस ने मलिका सुदाबे और पुत्र सियावुश को बुलाया और इस अग्नि-परीक्षा की बात उन्हें सुनाई। सुदाबे का दिल भय से धड़क रहा था, सो उसने बहाना बनाया और कहा कि चूँकि मेरे छोटे बच्चे हैं।, इसलिए सियावुश पहले अग्नि-परीक्षा के लिए जायें क्योंकि वही वास्तव में दोषी हैं। मैं तो निर्दोष हूँ। मरे हुए बच्चे आपने स्वयं देखे ही हैं।"

जब शाह काऊस ने सियावुश से अग्नि-परीक्षा की बात कही तो वह सहर्ष तैयार हो गया। "इस तिरस्कार और बदनामी से कहीं अच्छा है कि मैं आग के पर्वत को पार करूँ।"

काऊस ने आदेश दिया कि ऊँटों के सौ काफिले ईंधन जमा करने जाएँ। उस ईंधन से दो चिताएँ ऊँचें टीले के समान बनाई गईं। सारा नगर अग्नि-परीक्षा देखने के लिए एकत्र हो चुका था। सब भीतर-ही-भीतर सुदाबे को बुरा-भला कह रहे थे। वास्तव में किसी ने ठीक ही कहा कि संसार में पतिव्रता पत्नी को खोजो वरना दुराचारी पत्नी पति को कुख्याति के अतिरिक्त कुछ नहीं देती।

शाह काऊस के आदेश से लकड़ी पर तेल डाला गया। फिर उसमें आग लगा दी गईं लपटें आसमान से बातें करने लगीं। अग्नि-कुण्ड के प्रकाश से रात दिन में बदल चुकी थी। सारे लागे सियावुश की भाग्यहीनता पर खून के आँसू रो रहे थे। सियावुश सफेद कपड़े पहने सर पर सुनहरा मुकुट रखे, काले घोड़े पर सवार

मुख पर एक विश्वासपूर्ण गम्भीर मुस्कान लिए पिता के समीप पहुँचा। घोड़े से उतरकर उसने पिता के आगे आदर से झुककर सलाम किया। पिता के मुख पर शर्मीन्दगी के भाव देखकर बोला—"मेरे सिर पर कठिनाइयों और तिरस्कार का बोझ जरूर है; मगर मैं जब इस अग्नि-परीक्षा से गुजरकर निर्दोष होने का सबूत दे दूँगा, तब मैं वास्तव में इन सारे कष्टों और क्लेशों से मुक्ति पा जाऊँगा।" इतना कहकर सियावुश घोड़े पर बैठा, उसे एड लगाई और अग्नि-कुण्ड की ओर बढ़ा। उसने मन-ही-मन खुदा को स्मरण किया। उधर सुदाबे अपने महल की छत पर से यह नज़ारा देख रही थी। उसके मन में एक ही तीव्र इच्छा थी कि इस समय किसी तरह सियावुश उस अग्नि-परीक्षा में जलकर भस्म हो जाये।

सारे दर्शक सियावुश को देख रहे थे। उनकी आँखों में आँसू मगर दिल में आक्रोश था। एकाएक सियावुश घोड़े सहित अग्नि-कुण्ड में कूदा और बड़े आराम से अंगारों-भरा मार्ग तय करने लगा जैसे वह अग्नि न हो बल्कि फूलों से भरी एक क्यारी हो। आग की लपटें आकाश चूम रही थीं। बीच में पहुँचकर सियावुश उन लपटों में खो गया। सभी दर्शकों के दिल धक-धक कर रहे थे कि सियावुश कब इन लपटों के भयानक पर्दे से बाहर निकलता है।

कुछ समय पश्चात् सियावुश मुस्कराते हुए बाहर निकला। दर्शकों की रुकी साँसें हर्ष के मारे चीखों और चीत्कारों में परिवर्तित हो गईं। सियावुश और उसके घोड़े का बाल भी बाँका नहीं हुआ था। उसे देखकर ऐसा प्रतीत हो रहा था जैसे वह किसी बाग की हवाखोरी से प्रसन्नचित्त लौट रहा है।

सियावुश को भला-चंगा देखकर सब एक-दूसरे को मुबारकबाद देने लगे कि खुदा ने निर्दोष को बचा लिया। उधर महल में सुदाबे क्रोध के मारे अपने बाल नोच रही थी और आँसू बहा रही थी। काऊस के समीप जब सियावुश पहुँचा तो भला-चंगा देखकर उसे अपने सीने से लिपटा लिया और राजमहल में ले गया। ऐसे मुबारक अवसर पर तीन दिन तक नृत्य, संगीत और मदिरा का समारोह आयोजित किया गया।

समारोह समाप्त होने पर काऊस ने अपने सलाहकारों से सुदाबे की समस्या पर बात की। उन्होंने बताया कि इस घटना में सुदाबे ही पूर्ण रूप से दोषी है, अतः उसे उचित दण्ड मिलना चाहिए। यह सुनकर शाह काऊस ने उदास मन, पीले चेहरे और काँपते हुए होंठों से सुदाबे को फाँसीं का आदेश दिया जब सियावुश ने सुना तो उसने सोचा, कल जब सुदाबे को फाँसी लग जाएगी तो उसकी मृत्यु के कुछ दिन पश्चात् शाह काऊस अपनी पत्नी की मृत्यु का कारण मुझे समझेंगे और उस समय उन्हें पश्चात्ताप होगा। यह सोचकर वह शाह काऊस के समीप पहुँचा

और उनसे निवेदन किया कि "उचित यही है कि सुदाबे को क्षमा कर दें ताकि उसे अपने को सुधारने का अवसर मिले और वह दोबारा ऐसी हरकत न करे!"

अन्त में शाह काऊस ने सुदाबे को क्षमा कर दिया और उसे अन्तःपुर में भेज दिया। अभी कुछ ही दिन गुज़रे थे कि शाह काऊस के मन में सुदाबे का प्रेम फिर

सुदाबे का षड्यंत्र

ठाठें मारने लगा और वह सुदाबे को देखने के लिए व्याकुल हो उठा। वह क्षण-भर के लिए भी सुदाबे के पास से दूर नहीं जाना चाहते थे। इस अवसर का लाभ उठाकर सुदाबे ने शाह पर जादू-टोना करके उनका मन फिर सियावुश की ओर से फेरने का प्रयत्न किया। शाह काऊस मन-ही-मन सियावुश से रुष्ट हो गये। मगर अपनी भावना को उन्होंने सियावुश पर व्यक्त न करके उसे छुपाए ही रखा।

इस बीच एक नई घटना घटी। तूरान के शाह अफरासियाब ने ईरान पर आक्रमण कर दिया। इस समाचार से शाह काऊस चिन्तित हो उठे और युद्ध की तैयारी करने लगे। लेकिन आलिमों और ज्योतीषियों ने उसे सलाह दी कि वह रणक्षेत्र में न जाए बल्कि अपनी जगह एक शूरवीर-बलवान् योद्धा को भेजे जो प्रत्येक कला में दक्ष हो।

इधर सियावुश ने मन-ही-मन सोचा कि यह अच्छा अवसर है। मैं काऊस शाह को रणक्षेत्र में जाने की मिन्नत करूँगा ताकि सुदाबे काण्ड से मेरी जान थोड़े समय के लिए छूट जाएगी और रणक्षेत्र में शत्रुओं को हराकर संसार में अपनी बहादुरी का सिक्का भी जमा लूँगा। ऐसा सोचकर वह पिता के समीप पहुँचा और रणक्षेत्र में जाने की आज्ञा माँगी। शाह काऊस ने बड़ी खुशी से उसे आज्ञा दे दी और रुस्तम को बुलाकर सियावुश की ज़िम्मेदारी उसे सौंप दी। शस्त्रागार से असत्र-शस्त्र निकलवाकर फौज में बँटवा दिये और फौज की कमान सियावुश को थमा दी। फौज जब चली तो शाह काऊस एक दिन उनके पास गया और जब शुभकामनाएँ देकर वापस लौटने लगा तो पिता और पुत्र एक-दूसरे के गले मिले। शाह काऊस की आँखों में आँसू भर आए। दोनों के मन में आशंका थी कि शायद अब वे पुनः न मिल सकें और यह उनकी अन्तिम भेंट ही हो। इस प्रकार भाव-विह्वल होकर पिता-पुत्र एक-दूसरे से जुदा हुए।

सियावुश और रुस्तम फ़ौज के आगे चल रहे थे। कुछ दिनों बाद वे बल्ख़ नगर पहुँच गये। जब तूरान के शाह अफरासियाब के पास यह खबर पहुँची कि रुस्तम और सियावुश जैसे पहलवान उनसे युद्ध के लिए एक भारी फ़ौज के साथ आ रहे हैं तो उसने अपने भाई ग़रसिवज को फौज का सिपहसालार बनाकर भेजा। बल्ख़ नगर के दरवाज़े पर दोनों फ़ौजें टकराई। तीन दिन तक घमासान युद्ध चलता रहा। चौथे दिन सियावुश की फौज विजय पताका लहराती हुई बल्ख़ शहर में दाख़िल हुई।

सियावुश ने अफरासियाब को एक पत्र लिखा—"मैं युद्ध में विजयी होकर बल्ख़ शहर में दाख़िल हो गया हूँ। यहाँ से जीहून नदी तक मेरी फौजें फैली हैं और संसार पर मेरा साम्राज्य फैल गया है।"

अफरासियाब अपनी हार से क्रोधित हो उठा। उसने फौरन आदेश दिया की 'सहायता भेजी जाये' और दुःख व चिन्ता से बेचैन टहलने लगा। फिर सो गया। अभी उसकी आँख लगी ही थी कि वह एक डरावनी चीख़ के साथ सपने से जागा और पलंग से नीचे गिर गया। गरसिवज़ भाई के पास दौड़ा और उसने देखा कि उसका भाई भय से काँप रहा है। जब वह अपने होश में आया तो उसने उस चीख का कारण पूछा।

"मेरे भय और चिन्ता का कारण एक भयानक सपना है। मैंने देखा कि एक विस्तृत जंगल में जिसमें साँप ही साँप हैं। धरती से आकाश तक धूल ही धूल भरी है। मेरा खेमा उस बियाबान में लगा है। तूरानी योद्धा उसकी रक्षा हेतु तैनात हैं इतने में जोर से आँधी आई अैर मेरा झण्डा उड़ गया तथा खेमा ढह गया। इसी बीच ईरानी फ़ौज मुझ पर टूट पड़ी। सिपाहियों ने मुझे सिंहासन से नीचे घसीट लिया। और मुझे बन्दी बनाकर काऊस बादशाह के पास ले गए हैं। वहाँ पर एक सुडौल सुन्दर युवक खड़ा था जिसने तलवार से मेरे बदन के दो टुकड़े कर डाले मैं दर्द से चीख उठा।"

अफरासियाब ने फौरन ज्योतिषियों को बुलवाया। उसने सपना बयान करके सपने का अर्थ पूछा। उन्होंने पहले अपनी जान की रक्षा का वचन लिया फिर

सियावुश आग से सही सलामत निकलता हुआ

कहा, "ईरान की फ़ौज की कमान जो शहज़ादा कर रहा है, वह वीर और अनुभवी है। उसके वध से अपने हाथ रंगना वास्तव में शाह के लिए नए कष्टों और कठिनाइयों का आरम्भ होगा।"

यह सुनकर अफरासियाब का मन खिन्न हो गया। उसने युद्ध की बात छोड़कर सन्धि की बातचीत आरम्भ की। उसके विचार से कष्टों से बचने का केवल यही एक मार्ग बचा था कि जिन इलाक़ों पर ईरानियों ने क़ब्जा कर लिया है, वे उन्हीं को दे दिये जाएँ। अफरासियाब ने ऊँच-नीचे सोचकर अपने भाई गरसिवज़ से कहा कि वह जीहून नदी के समीप जाए। उसके साथ हजारों दास और दासियाँ हों और अरबी घोड़े तथा सौ ऊँटों पर केवल कालीनें और क़ीमती वस्तुएँ हों। इसके अतिरिक्त जड़ाऊ मुकुट और सुनहरी म्यानों में रखी तलवारें भी हों।

पिता-पुत्र एक-दूसरे से गले मिलते हुए

जीहून नदी पर पहुँचकर गरसिवज़ ने सियावुश के पास सन्देश भेजा। फिर नाव में बैठकर नदी पार करके वल्ख़ शहर पहुँचा। सियावुश ने बहुत प्रेमपूर्वक और सम्मानसहित उसका स्वागत किया। उसे अपने समीप बिठाया। गरसिवज़ ने पहले साथ लाए बहुमूल्य उपहार भेंट में दिए। फिर सियावुश और रुस्तम से निवेदन किया कि अफरासियाब सन्धि का इच्छुक है।

सब कुछ सुनकर रुस्तम ने हफ़्ते-भर का समय माँगा ताकि इस बात पर अच्छी तरह सोच-विचार कर ले। अकेले में उसने सियावुश से सलाह-मशविरा किया। अन्त में तय पाया कि अफरासियाब अपने कुटुम्ब के कुछ सदस्यों को बतौर गिरवी उनके पास रखे। इससे उनकी नीयत नेक होने का पता चल जाएगा। दूसरे वह सारी ज़मीनें ईरान की वापस कर दे जिस पर तूरानियों ने क़ब्ज़ा कर रखा है।

अफरासियाब ने ये दोनों शर्तें मान लीं। उसने अपने परिवार के सो लोग 'गिरवी' के रूप में भेज दिये। साथ ही वे सारे इलाक़े भी लौटा दिये। इसके पश्चात् सियावुश ने पिता को एक पत्र लिखा जिसे रुस्तम लेकर शाह काऊस के पास पहुँचा।

शाह ईरान पत्र पढ़कर क्रोध से काँपने लगा। उसने रुस्तम पर कटु वचनों का प्रहार किया। रुस्तम ने सफाई पेश की और तर्कपूर्ण बातें करके शाह काऊस को समझाने का प्रयत्न किया। मगर काऊस तो उस पर आग-बबूला था। उसने रुस्तम पर लांछन लगाया कि "यह सब तुम्हारा किया-धरा है। अपने आलस्य के कारण सियावुश को युद्ध से हटाकर सन्धि के लिए उकसाया, क्योंकि अफरासियाब द्वारा भेजे बहूमूलय उपहारों ने तेरी आँखें चूँधिया दी थीं।" उसी क्रोध में भरे उसने आदेश दिया कि "रुस्तम की जगह मेरी फ़ौज का सिपहसालार तूस पहलवान होगा।"

रुस्तम को काऊस के इस व्यवहार से दुःख पहुँचा। वह क्रोध और अपमान से दरबार से बाहर निकला और अपने शहर सीस्तान की ओर चल पड़ा। शाह काऊस ने एक पत्र सियावुश को भी लिखा जिसमें उसके व्यवहार की जी भर कर निन्दा की थी—"तुम सुन्दर स्त्रियों की संगत में पड़कर युद्ध करना भूल गए। अफरासियाब के परिवार के सारे सदस्यों को शीघ्राशीघ्र ईरान के शाही दरबार में भेजा जाए। सन्धि के सारे वचन तोड़ दिए जाएँ और तुम खुद दरबार में हाज़िर हों।"

सियावुश को जब यह ज्ञात हुआ तो उसे उस पत्र से बहुत दुःख पहुँचा विशेषकर इस बात से कि पिता ने रुस्तम की सिपहसालार की पदवी तूस पहलवान को दे दी है। यदि वह पिता का आदेश मानकर अफरासियाब के

सौ सम्बन्धियों को ईरान भेज देता है तो शाह काऊस उन्हें फ़ौरन फाँसी पर चढ़ा देंगे। यदि सन्धि-विच्छेद करके वह अफरासियाब से दोबारा युद्ध करता है तो संसार उसके नाम पर थूकेगा। यहाँ तक कि खुदा भी उसके इस आचरण को पसन्द नहीं करेगा। यदि यह सब कुछ छोड़कर फ़ौज की कमान तूस के हाथों सौंपकर वह पिता के पास ईरान वापस लौट जाता है तो वहाँ सुदाबे के प्रकोप और षड्यन्त्रों से बचा नहीं रहेगा। ये सारी बातें सोच-समझकर उसका मन दुःखी हो रहा था। उसने पिता का पत्र वरिष्ठ योद्धाओं को दिखाया और कहा कि "मैं ही भाग्यहीन हूँ: किसी का क्या दोष है। मुझ पर हर पल एक नई मुसीबत टूटती है। यह सब मेरे ग्रहों का चमत्कार है। मेरे प्रति बादशाह कितने दयालु और कृपालु थे। अपने प्रेम से उन्होंने मुझे कितना विश्वास दिया था लेकिन जब से सुदाबे ने उन्हें भड़काया है, वह मेरे लिए ज़हर हो गया है। उसने मेरी राह में कैसे काँटे बो दिए हैं। शाही महल मेरे लिए अब कारागार से कम नहीं है। मेरे भाग्य का खिलता फूल अब सदा के लिए मुरझा गया है।"

सियावुश ने न सन्धि तोड़ी, न युद्ध के लिए कमर कसी और न ही पिता के पास लौटने का इरादा किया। उसके सामने बस एक उपाय था कि वह कहीं भाग जाए, जाकर छुप जाए और शाह काऊस को इस गुप्त स्थान का पता न चल सके। अन्त में सियावुश ने आदेश दिया कि अफरासियाब के सारे उपहार और सम्बन्धी लौआ दिए जाएँ। साथ ही जो कुछ घटा है, उसे बता दिया जाए। वरिष्ठ योद्धाओं ने उसे समझाया कि यूँ ईरान के साम्राज्य से आँखें फेर लेना उचित नहीं है। मगर उनके उपदेशों का उस पर तनिक भी प्रभाव नहीं पड़ा। उसने अपनी वफ़ादारी अफरासियाब के प्रति रखी और उसे पत्र लिखा—"इस युद्ध ने मेरे दामन को केवल ज़हर और कडुवाहट से भर दिया है। मैंने अन्त में यही तय किया है कि ईरान के राजसिंहासन को छोड़कर तुम्हारी शरण में आ जाऊँ!" अन्त में उसने यह भी लिख दिया कि "मैं तेहरान के रास्ते से किसी ऐसे गुप्त स्थान पर जाकर तन्हा रहूँगा, जहाँ गुमनाम जीवन ख़ामोशी से गुज़ार सकूँ।"

अफरासियाब को यह सब पढ़कर और यह जानकर बहुत दुःख हुआ कि सियावुश का भाग्य-चक्र कठिनाइयों में फँस गया है। उसने पीरान से सलाह-मशविरा किया कि इस बारे में क्या किया जाए। पीरान ने कहा, "सियावुश एक गम्भीर, सभ्य और बुद्धिमान शहज़ादा है। वह चाल-चलन से पवित्र और वचन का पक्का है। मेरी राय है कि आप उसे सम्मानपूर्वक आमन्त्रित करें और अपना अतिथि बनायें।

काऊस कुछ दिनों बाद इस संसार से चला जाएगा। तब ईरान का बादशाह सियावुश बनेगा और उस समय आपका प्रभाव ईरान-तूरान पर एक समान होगा।"

इस बात को सुनकर अफरासियाब खुश हुआ और पीरान की राय को उसने पसन्द किया। उसने सियावुश के पत्र का उत्तर लिखवाया—"मुझे तुम्हारे पिता के व्यवहार से वास्तव में दुःख पहुँचा है। जहाँ तक मेरा प्रश्न है, आज से तुम मेरे बेटे और मैं तुम्हारा पिता हूँ। पिता होने के बावजूद, मैं तुम्हारी हर आज्ञा मानने के

शाह अफरासियाव पीरान व गरसिवज़ पहलवानों के साथ

लिए तेयार हूँ इस सारी फ़ौज और ख़जानों पर यहाँ तक कि इस देश पर तुम्हारा अधिकार है। इसके बाद यहाँ से वापस जाने का अब तुम्हारे पास कोई कारण नहीं है।"

इस पत्र को पाकर सियावुश ऊपर से तो प्रसन्न हुआ मगर मन-ही-मन दुःखी हुआ। वह इस समस्या से कैसे आँखें मूँद सकता था कि अफरासियाब का यह व्यवहार न केवल मानवता पर आधारित है, बल्कि उसमें राजनीति लाभ भी निहित है। मित्रता के पर्दे में वह एक-न-एक दिन शत्रुता निभायेगा। इसके पश्चात् उसने एक भावनापूर्ण पत्र पिता के नाम लिखा कि "आपके साम्राज्य की सीमा से मैं दूर जा रहा हूँ।" जब वह अफरासियाब की सीमा में दाखिल हो रहा था तो जीहून नदी को पार करते हुए उसकी आँखें आँसुओं से तर थीं। सियावुश जब तूरान की सीमा में दाखिल हुआ तो पीरान ने बहुत वैभवपूर्ण ढंग से उसका स्वागत किया। उसके सम्मान में फ़ौज थी, हाथी था और सिंहासन था। सबके आगे रेशमी तूरानी झण्डा लहरा रहा था। उसके पीछे, फ़िरोज़े के सिंहासन को कन्धे पर रखे दास चल रहे थे। पीरान ने आगे बढ़कर सियावुश के सारे शरीर का चुम्बन लिया। इतनी आवभगत देखकर सियावुश को अच्छा लगा कि उसका शत्रु सम्मान और प्रेम का प्रदर्शन कर रहा है। मगर साथ-ही-साथ उसके मन में देस-प्रेम की टीस और उसकी दूरी की कसक भी उसे तड़पा रही थी।

पीरान ने देखा कि सियावुश उदास है तो पीरान ने सियावुश को अपने प्रेम और आदर का विश्वास दिलाते हुए कहा—"अफरासियाब के इस प्रेमपूर्ण व्यवहार पर भरोसा करो और यहाँ से जाने का विचार दिल से निकाल दो। तूरान धरती की हर वस्तु तुम पर दिल व जान से निछावर होने को तैयार है। तुम इस क्षण से प्रसन्नतापूर्वक जीवन व्यतीत करना आरम्भ कर दो।"

पीरान की सांत्वना-भरी बातों ने सियावुश के घायल मन पर मरहम का काम किया। उसकी दुविधा किसी हद तक दूर हो गई। भोजन के समय वह आपस में इतना समीप आ चुके थे कि मानों पिता और पुत्र हों। भोजन के उपरान्त वे दोनों अफरासियाब के राजमहल में उपस्थित हुए। राजमहल से अफरासियाब पैदल सियावुश के स्वागत के लिए आगे बढ़ा। जब सियावुश ने उसे खड़ा देखा तो सम्मान के कारण अपने घोड़े से उतरा और पैदल अफरासियाब की ओर बढ़ने लगा। समीप पहुँचकर दोनों गले मिले और एक-दूसरे के माथे व आँखों का चुम्बन लिया।

इस मुलाक़ात के बाद अफरासियाब का मन सन्तोष से भर उठा और उसने सियावुश पर अपनी मेहरबानी का दरवाजा खोल दिया। फ़ौरन आदेश दिया

कि शहज़ादे के लिए एक सुन्दर राजमहल सुसज्जित किया जाए। उसमें सुनहरा सिंहासन रखा जाए। ज़रबफ़्त के ग़लीचे बिछाए जाएँ। जब सियावुश उस सुनहरे सिंहासन पर विराजमान हुआ तो अफरासियाब ने एक उत्सव का आयोजन किया और बहुमल्य उपहार अतिथि को भेंट किये।

यह उल्लासपूर्ण उत्सव हफ़्ते-भर तक चलता रहा। एक दिन अफरासियाब सियावुश के संग चौगान खेलने गया। दोनों संध्या तक उसी खेल में मस्त रहे। जब शाम को राजमहल लौटे तो दोनों प्रसन्न थे। अफरासियाब को अनुभव हुआ कि सियावुश वास्तव में एक वीर और सुशील शहज़ादा है। उसने फिर इस खुशी में सियावुश को उपहारों से लाद दिया। अफरासियाब वास्तव में सियावुश को मन से प्यार करने लगा था। कुछ दिन बाद तो उसका यह हाल हो गया था कि चाहे दुःख हो या सुख, प्रसन्नता हो या उदासी, वह सियावुश के बिना एक क्षण भी नहीं जी सकता था। उसी की बातें उसके मन को भाती थीं।

इसी तरह एक वर्ष गुज़र गया। एक दिन पीरान वह सियावुश बातें कर रहे थे। पीरान ने कहा—"अफरासियाब का तो यह हाल है कि तुम्हारे अतिरिक्त उन्हें कोई अच्छा हीं नहीं लगता। मुझे तो लगता है, तुम उसकी खुशियों की बहार, उनके नृत्यु और संगीत की महफिलों के बेहतरीन साथी और उनके दुःख के भागीदार हो। मगर तुम्हें यह बात नहीं भूलनी चाहिए कि तुम काऊस शाह के बेटे, ईरान के साम्राज्य की बागडोर सँभालने वाले भविष्य के बादशाह हो। कहीं ऐसा न हो कि तुम राज्य से हाथ धो बैठो। तुम्हारा अपना कौन है? न भाई, न बहन, न पत्नी। बल्कि तुम उस पुरुष की तरह हो जो उपवन से अलग है। अच्छा हो कि इस अकेलेपन को दूर करने के लिए तुम किसी लड़की को विवाह के लिए पसन्द कर लो जो तुम्हारे दुःख-दर्द की भागीदार बन तुमको अपना सके। अफरासियाब और गरसिवज़ के तीन-तीन सुन्दर कन्याएँ हैं। मेरी चार लड़कियाँ हैं। बड़ी लड़की ज़रीरा सितारों में चन्द्रमा समान है। संक्षेप में, तुम जिसे चाहों पसन्द कर लो।"

सियावुश ने उत्तर दिया कि "इन लड़कियों में से मुझे सबसे अधिक ज़रीरा पसन्द है। मेरा रिश्ता उसी से उचित है।"

पीरान खुशी-खुशी घर गया और ज़रीरा से उसका विवाह पक्का कर दिया। रात को अपनी बेटी का सोलह सिंगार करवाकर उसे सियावुश के समीप भेज दिया।

अफरासियाब के दरबार में सियावुश का सम्मान और दबदबा दिन-दूना रात-चौगुना बढ़ता जा रहा था। एक दिन पीरान ने सियावुश से कहा—"तुमने कभी इस ओर ध्यान दिया है कि अफरासियाब की शान-शौकत और ख्याति

तुम्हारे कारण है? अफरासियाब रात-दिन तेरा ही मुख देखता है। उसकी आत्मा तू है। वह सौ जान से तुझ पर निछावर है। तेरा प्रेम है। जो उसे अभी तक सँभाले हुए है। यदि यह प्रेम व आदर की भावना पारिवारिक सम्बन्ध के गठबन्धन में परिवर्तित हो जाये तो यह भावना अटूट और अमर हो जाएगी और तुम्हारा सम्मान भी दिन-प्रतिदिन बढ़ता जाएगा। सच यह है कि मेरी बेटी तुम्हारी पत्नी है, मगर मुझे तो तुम्हारा ही ख्याल हरदम सताता रहता है। तुम्हें शाही दरबार में जो महान पदवी प्राप्त है उसका तकाज़ा है कि तुम शाह के दामन में पड़े मोतियों में से एक को चुन लो। इससे तुम्हारा सम्मान बढ़ेगा और उन्नति होगी। अफरासियाब की लड़कियों में से सबसे सुन्दर लड़की फिरंगीस है। यदि तुम आज्ञा दो तो मैं बादशाह से गुप्त चर्चा चलाऊँ।"

सियावुश अपनी महान् आत्मा और कोमल एवं निर्मल हृदय के कारण इस बात पर राज़ी न हुआ। वह ज़रीरा का दिल तोड़ना नहीं चाहता था। उसकी भावनाओं को ठेस पहुँचाना नहीं चाहता था। इसलिए उसने पीरान की बातों का उत्तर दिया कि—"मेरा जीवन तो ज़रीरा है, वही मेरी श्वास है और वही मेरी आत्मा! मैं उसके अतिरिक्त किसी से प्यार नहीं करता। न मुझे सम्मान की भूख है, न उपहारों का लालच। न मुझे चाँद और सूरज पाने की कोई लालसा है, न राज्य और सिंहासन को लेने की इच्छा। मेरे लिए ज़रीरा गेरा बर्चस्व है, मेरे अच्छे-बुरे दिनों की साथी। मैं उसे किसी भी मूल्य पर छोड़ना नहीं चाहूँगा, चाहे मुझे उसके लिए बड़ी-से-बड़ी हानि क्यों न उठानी पड़े।"

लेकिन पीरान ने उसको ज़रीरा की ओर से हर प्रकार का विश्वास दिलाया। अन्त में पीरान के बहुत अधिक दबाव और समझाने से वह मान गया। "अब जब मैं ईरान से सदा के लिए बिदुड़ गया हूँ, अपने पिता और रुस्तम जैसे पहलवानों से दूर तूरान में हूँ तो बाक़ी ज़िन्दगी भी मुझे देश से दूर इसी तूरान की धरती पर गुज़ारनी पड़गी। ऐसी स्थिति में अफरासियाब की बेटी से विवाह करने में मुझे कोई आपत्ति नहीं होना चाहिए।"

पीरान अफरासियाब के सम्मुख उपस्थित हुआ और उससे फिरंगीस का हाथ सिवावुश के लिए माँगा। अफरासियाब ने पहले बहाना किया कि "ज्योतिषियों ने मुझसे कहा था कि मेरा कोई भी नवासा शाह कबाद और तूर बादशाह की नस्ल से नहीं होना चाहिए।" यह सुनकर पीरान ने कहा—"ज्योतिषियों की बातों में तथ्य नहीं है।" इधर-उधर की बातें करके उसने किसी तरह अफरासियाब को विवाह के लिए राज़ी कर लिया। पीरान प्रसन्नचित्त हो विजयी भाव से सियावुश के पास पहुँचा और कहा—"नये विवाह के लिए तैयार हो जाओ।" मगर सियावुश इस

विवाह से झिझक रहा था। उसका मन ज़रीरा से बेवफ़ाई के लिए तैयार न था। उसका अन्तर्मन पाप-भावना से भर रहा था और मुख लज्जा से लाल हो गया था। उसके मन में बार-बार प्रश्न उठ रहा था कि ज़रीरा जैसी तन-मन निछावर करने वाली प्रिय को छोड़कर दूसरी कन्या को कैसे अपना लूँ?

इधर पीरान घर लौटा और अपनी पत्नी गुलशहर को खज़ाने की कुंजी दी ताकि फिरंगीस को उपहार देने के लिए वह बहुमूल्य वस्तुएँ निकाले। गुलशहर ने ज़बरज़द के तख़्त, फ़िरोज़े के प्याले, जड़ाऊ ताज, कान के बुन्दे और बहुमूल्य जूते निकाले। इसके अतिरिक्त उसने सौ बड़ी थालियों में अलग-अलग जाफ़रान और इत्र सजाए। साठ ऊँटों पर बहुमूल्य कालीन-ज़रबफ़्त और सोने के सिंहासन लादे गये। तीन सौ कनीज़ों को भी, जो सुनहरी अमारी में बैठी थीं, फिरंगीस को विवाह में भेंट स्वरूप भेजा।

ईरानी रस्म और रिवाज के अनुसार, फिरंगीस और सियावुश का शुभ विवाह सम्पन्न हो गया। विवाह-समारोह में दूल्हा-दुल्हन को देखकर लग रहा था जैसे सूर्य और चन्द्र का मिलन हो गया हो। सारे देश में हफ़्ते भर तक धूम-धाम से उत्सव मनाया गया। जनता तरह-तरह की मदिरा और अनेक स्वादिष्ट व्यंजनों का मज़ा लेती रही।

एक वर्ष पलक झपकते बीत गया। इस बीच कोई अनहोनी घटना न घटी। अफरासियाब ने चीन तक फैले अपने विस्तृत साम्राज्य का एक बड़ा इलाक़ा सियावुश को दे दिया। सियावुश फिरंगीस और पीरान के साथ उस नए भाग की ओर चल पड़ा। चलते-चलते काफ़िला एक ऐसे स्थान पर पहुँचा जहाँ एक ओर ऊँचे पर्वत थे तो दूसरी ओर समन्दर ठाठें मार रहा था। सियावुश को वह स्थान बहुत भाया। उसने आदेश दिया कि यहाँ उसके लिए एक सुन्दर महल बनाया जाए। राजगीरों और मज़दूरों ने रात-दिन मेहनत करके एक बहुत ही सुन्दर क़िला 'गुँग' बनाया जो वैभव, सौन्दर्य और बाग़ की हरियाली में अपना जवाब आप था।

सियावुश एक दिन पीरान को लेकर क़िला देखने गया। उसे देखकर प्रसन्नता हुई कि क़िला हर प्रकार की सजावट के साथ तैयार है। ज्योतिषियों को बुलाकर उसने पूछा कि यह महल मेरे लिए शुभ है या नहीं।

ज्योतिषियों ने कहा—"यह आपके लिए अशुभ है।" सियावुश, जो पहले से ही अपने भाग्य से खिन्न और उदास था, उनकी बात सुनकर अधिक दुःखी हो उठा। फिर पीरान को ज्योतिषियों की बात बताता हुआ बोला—"इस महल का लाभ कोई और ही उठाएगा। मैं तो इससे भी वंचित रहूँगा।"

पीरान ने उसे दिलासा दिया। फिर जब वह तूरान शहर लौटा तो उसने

अफरासियाब से सियावुश के महल की बहुत तारीफ़ की। अफरासियाब सुनकर बहुत प्रसन्न हुआ औ गरसिवज़ से बोला–"जाकर देखो तो कि सियावुश ने कैसा वैभवपूर्ण महल बनवाया है। जाकर फ़िरोज़े और हाथी दाँत के बने उसके राज-सिंहासन के सौन्दर्य को देखो। जहाँ पर कल तक झाड़-झंखाड़ा था, वहा पर सियावुश ने बाग़ बनवा दिया है। मगर हाँ, सियावुश से बहुत सम्मान और आदर देकर मिलना। वरिष्ठ और बूढ़े दरबारियों के सामने उसकी खूब प्रशंसा और उसकी बहुमुखी प्रतिभा की चर्चा करना।"

गरसिवज़ अफरासियाब का सन्देश और उपहार लेकर यात्रा पर निकल पड़ा। सियावुश को उसके आगमन का समाचार मिला तो वह उसकी अगवानी के लिए पैदल गया। दोनों एक-दूसरे से गले मिले। सियावुश प्रेमपूर्वक गरसिवज़ को महल में लाया। उसके आने की खुशी में एक शानदार समारोह का आयोजन किया। इसके पश्चात् जब वह फिरगीस के महल में गया तो उसने देखा कि हाथी दाँत के सिंहासन पर बड़ी शान से फिरंगीस बैठी हुई है। ऊपर से उसने अपनी प्रसन्नता प्रकट की; मगर मन-ही-मन सोचा, यदि इस तरह से वर्ष-भर गुज़र गया तो सियावुश किसी को पूछेगा भी नहीं। आज भी उसके पास किस चीज़ की कमी है। महल है, राजसिंहासन है, ख़जाना है, फौज है और इतना विस्तृत इलाक़ा है।

संक्षेप में, जब तक गरसिवज़ वहाँ पर रहा सियावुश के ऐश्वर्य और महिमा को देखकर उसके दिल पर सांप लोटता रहा। उसके मुख का रंग वह सब रंगीनी देखकर उड़ गया था, मगर ऊपर से वह हँसता-मुस्कराता रहा। दूसरे दिन सियावुश ने उसे चौगान खेलने का निमन्त्रण दिया। दोनों ने खेलना आरम्भ किया। गरसिवज़ जो गेंद मारता उसे सियावुश फ़ुर्ती से लौटा देता था। चारों ओर ईरानी और तुर्की घुड़सवार घोड़े दौड़ा रहे थे। सभी खेल में व्यस्त थे, मगर अन्त में ईरानी घुड़सवार तुर्की घुड़सवारों पर विजयी हुए। सियावुश को अपने देशवासियों की यह विजय देखकर बहुत प्रसन्नता हुई।

सियावुश और गरसिवज़ जब खेल चुके तो आकर सुनहरे सिंहासन पर बैठ गये और दूसरे खिलाड़ियों का मुक़ाबला देखने लगे। मगर अन्दर-ही-अन्दर अपनी हार से गरसिवज़ अपमान की ज्वाला से तड़प रहा था। अन्त में जब उससे न रहा गया तो उसने सियावुश को चुनौती देते हुए कहा कि "चलो हम दोनों कुश्ती लड़ते हैं। यदि मैं तुम्हें पटक दूँ तो मैं तुमसे बलवान् रहा, यदि तुमने मुझे हराया तो मैं कभी रणक्षेत्र से नहीं उतरूँगा।"

सियावुश ने गरसिवज़ के सम्मान के कारण उसकी चुनौती क़बूल नहीं की और कहा–"आपके साथ बल का प्रदर्शन मुझे शोभा नहीं देता है।" सियावुश

गरसिवज़ से लड़ना नहीं चाहता था क्योंकि वह अफरासियाब का भाई और उसका अतिथि था। उसने यह सोचकर ग़रसिवज़ से कहा कि "आप किसी अन्य पहलवान को मुझसे कुश्ती लड़ने का आदेश दें।"

यह सुनकर गरसिवज़ ने दो प्रसिद्ध पहलवान, 'गवी' और 'दमूर' को सियावुश से कुश्ती लड़ने को भेजा जो वासतव में नामी पहलवान थे और अपना कोई जवाब नहीं रखते थे।

सियावुश तूरानी पहलवानों 'गर्वी' और 'दमूर' के साथ मैदान में उतरा। पहले वह गर्वी की ओर बढ़ा। उसकी कमर पर बँधी पेटी को पकड़ा और उसे ज़मीन परदे मारा। अब वह दमूर को और मुड़ा और उसे गर्दन से पकड़कर ज़मीन से यूँ उठा लिया जैसे उसके हाथ में कोई छोटा-सा पक्षी हो और उसी हालत में वह उसे उठाकर गरसिवज़ के पास ले गया और ठीक सामने धरती पर छोड़ दिया। उसके बाद सियावुश घोड़े से उतरा, आगे बढ़कर गरसिवज़ से हाथ मिलाया और सब मगन, मस्त और हँसी-खुशी के साथ महल में लौट आये।

गरसिवज़ एक हफ़्ता ठहरने के बाद अपने शहर वापस लौटा। वह ऊपर से सियावुश की योग्यता की भूरि-भूरि प्रशंसा करता रहा, मगर उसके मन में सियावुश के विरुद्ध अपने अपमान का आक्रोश भरा हुआ था और वह उस पराजय से बहुत लज्जित था। जब वह शाह दरबार में पहुँचा तो अवसर निकालकर उसने अफरासियाब के कान में सियावुश के विरुद्ध भरने लगा—"कभी-कभी सियावुश के पास शहंशाह काऊस का ऐलची आता है। उसके मधुर सम्बन्ध चीन और रोम से भी हैं। इस सबको टाला जा सकता है, मगर इस सच्चाई से आँखें कैसे मूँदी जा सकती हैं कि वह शाह ईरान काऊस की याद में मदिरा के प्याले तो खाली करता है, मगर भूल से भी मदिरा का प्याला उठाते हुए शाह अफरासियाब का अभिनन्दन नहीं करता है।"

गरसिवज़ की बातें सुनकर अफरासियाब को दुःख हुआ। उसने कहा—"मैं तीन दिन तक इस समस्या पर विचार करूँगा।" अफरासियाब ने हर एक कोण से सोचा मगर उसे सियावुश में कोई बुराई नज़र नहीं आईं उसने गरसिवज़ से कहा, "सियावुश ने ईरान के तख़्त को त्याग कर मेरे प्रति वफ़ादारी दिखाई है और मेरे प्रति इसी निष्ठा को अपना धर्म बना लिया है—

ज़े फ़रमाने मन यक ज़मान सर न ताफ़्त
ज़े मन उ बेजुज़ नीकोई बर न याफ़्त

(उसने कभी मेरे आदेश से मुँह नहीं मोड़ा और मैंने भी उसके सदाचारी स्वभाव के बदले में उसके साथ भलाई की है।)

इतना कहकर अफरासियाब ने कुछ पल सोचा और कहा कि "वास्तव में मेरे सामने सियावुश के विरुद्ध कोई बहाना नहीं है। यदि उसके बाद भी मैंने उसके साथ बुरा व्यवहार किया तो लोग मुझ पर ऊँगली उठाएँगे। मुझे बुरा-भला कहेंगे। इससे तो अच्छा है कि मैं उसे वापस ईरान भेज दूँ।"

गरसिवज़ ने इस बात का विरोध करते हुए कहा–"सियावुश हमारे साम्राज्य के सारे भेदों से वाकिफ़ है। यदि वह ईरान चला गया तो हमारे लिए कष्ट ही कष्ट है। आपने शेर पाला है और शेर पालने वाले को तो सदा ख़तरा लगा रहता है।"

संक्षेप में, गरसिवज़ ने सियावुश और फिरंगीस की जी भरकर निन्दा की। यहाँ तक कि अफरासियाब का मन उन दोनों की ओर से फिर गया। अन्त में गरसिवज़ को अफरासियाब ने आदेश दिया कि वह जाकर फिरंगीस और सियावुश को ले आये।

गरसिवज़ मन में शत्रुता छिपाए सियावुश के समीप पहुँचा और अफरासियाब का सन्देश देते हुए कहा कि "बादशाह ने तुम्हें और फिरंगीस को कुछ दिनों के लिए बुलाया है ताकि तुम उनसे भेंट भी कर लो और कुछ दिन महल में रहकर आराम करो और शिकार इत्यादि करके जीवन का आनन्द ले सको।"

सियावुश यह आमन्त्रण पाकर बहुत प्रसन्न हुआ। गरसिवज़ ने जब उसका यह निश्छल प्रेम और आदर देखा तो सोचा कि यदि वह इतने प्रसन्न मन से शाह के समीप पहुँचेगा, तो सब किये-कराए पर पानी फिर जायेगा। उसने दिखावे के लिए मुँह उतार लिया और घड़ियाली आँसू बहाने लगा।

उसकी यह दशा देखकर सियावुश ने पूछा–"रोने की क्या बात है?" गरसिवज़ ने आँसू पोंछते हुए कहा–"अफरासियाब ऊपर से तो तुम पर मेहरबान है, मगर अन्दर से वह तुमसे द्वेष रखता है। उसका कोई भरोसा नहीं है। इससे पहले भी वह अपने निदोर्ष भाई और न जाने कितने सरदारों को मौत के घाट उतार चुका है। अब उसके मन में छुपा दैत्य तेरे खून का प्यासा हो रहा है। अपना ध्यान रखना।" सियावुश ने कहा–"मैं बादशाह को मना लूँगा। उसका दिल मेरी तरफ़ साफ़ हो जायेगा, ऐसा मेरा विश्वास है।"

गरसिवज़ ने कहा–"अफरासियाब ने जो क्रूर व्यवहार अपने कुटुम्ब के सदस्यों व फ़ौजी सरदारों के साथ किया है, उसको मत भूलना। यह तो उसका जाल है, तो उसने तुम पर फेंका है। मेरी राय है कि तुम पहले पत्र लिख दो ताकि मैं शाह को पत्र दूँ और वातावरण के ख़तरे की आशंका को आकूँ। यदि ख़तरा न हुआ तो तुम्हें आने की इत्तिला दे दूँगा। मेरा तो सिर्फ़ इतना ही कहना है कि दूध के जले को छाछ भी फूँक-फूँककर पीना चाहिए।"

सियावुश का निर्मल मन गरसिवज़ की बातों से प्रभावित हो गया और उसने एक पत्र अफरासियाब को लिखा—"आपका निमन्त्रण मिला हमें हार्दिक प्रसन्नता हुई। चूँकि इन दोनों फिरंगीस बीमार है, उसकी देखरेख के कारण इस समय यात्रा करना मेरे लिए असम्भव है। जैसे ही उसकी तबियत ठीक हो जायेगी, हम फ़ौरन आपकी सेवा में उपस्थित होंगे।"

गरसिवज़ पत्र लेकर चला। रात-दिन यात्रा करता हुआ तीन दिन में ही दरबार पहुँच गया। उसको इतनी जल्दी वापस आया देखकर अफरासियाब अचम्भित हुआ। गरसिवज़ ने पहुँचते ही अपनी बातों के जाल में अफरासियाब को फँसाना आरम्भ किया—"न तो सियावुश मेरे सम्मान में मुझे लेने आया और न मेरा आदर-सत्कार किया। उसने सिंहासन के नीचे मुझे उकड़ूँ बिठाया। मैंने आपका पत्र दिया तो उसे बिना पढ़े किनारे डाल दिया। ज़बानी सन्देश कहना चाहा तो उसने मुझे रोक दिया। उसके पास ईरान से बराबर पत्र आते हैं। पत्र-व्यवहार का यह सिलसिला ईरान से घनिष्ठ मित्रता को दर्शाता है। उसके दरवाज़े जहाँ ईरानियों के लिए खुल रहे हैं, वहाँ पर तूरानियों के लिए बन्द हो रहे हैं। यदि आप सियावुश के सम्बन्ध में देरी से काम लेंगे तो आपको पछताना पड़ेगा। यदि आपकी ओर से ढील हुई तो सच कहता हूँ सियावुश स्वयं तूरान पर आक्रमण करके ईरान और तूरान दोनों साम्राजयों की बागडोर अपने हाथ में ले लेगा।"

इधर गरसिवज़ के जाने के बाद सियावुश चिन्ता और दुःख के सागर में डूब गया। उसने सारी परेशानी फिरंगीस को कह सुनाई। सारी बातें सुनकर फिरंगीस ने सिर पीट लिया और रोने लगी। उसने व्यथित होकर कहा, "अब क्या होगा। इस द्वेप का अन्त कैसे होगा जो मेरे पिता के मन में आपके लिए है। इधर आप ईरान जाना नहीं चाहते, उधर चीन आपको पसन्द नहीं है। फिर बताएँ, हमको सिर छुपाने के लिए कौन-सा आकाश मिलेगा जो खुदा आपको अपनी पनाह में रखे और आपका भविष्य उज्ज्वल बनाए।"

सियावुश ने उसे आशा दिलाते हुए कहा कि "दुःखी न हो, आँसू पोंछ डालो। चिन्ता से कया लाभ? खुदा पर विश्वास रखो, वही हमारी सहायता करेगा।"

इस घटना के तीन दिन गुजर गये। चौथे दिन सियावुश रात को सोते से चीखकर उठ बैठा। उसका शरीर काँप रहा था। फिरंगीस ने फौरन शमा जलाई और पूछा, "क्या बात है?"

सियावुश ने बताया कि "मैंने सपने में देखा है कि एक बहुत बड़ा दरिया बह रहा है। उसके दोनों किनारों पर आग जलाने के ईंधन के पहाड़ बने हुए हैं। साथ-ही-साथ ढेरों योद्धा अस्त्र-शस्त्र में सुसज्जित जमा है। उसमें सबसे आगे

अफ़रासियाब हाथी पर सवार है। मुझे देखते ही अफरासियाब के माथे पर बल पड़ गये। उसने फ़ौरन वहाँ जहाँ ईंधन में फूँक मारी और गरसिवज़ ने उसे हवा दी। जब लपटें उठने लगीं तो उन लपटों वाली चिता में मुझे डालकर जला दिया गया।"

फिरंगीस ने सियावुश को दिलासा दिया और समझाते हुए कहा, "सपना तो केवल सपना है।"

अभी आधी रात ही गुज़री थी कि समाचार मिला कि अफरासियाब एक भारी फ़ौज के साथ आ रहा है। उसी समय गरसिवज़ का भेजा घुड़सवार सन्देशवाहक सियावुश के समीप पहुँचा और सन्देश दिया कि "मैं अफरासियाब के मन पर छाई ईर्ष्या और प्रतिशोध की भावना को न धो सका। जो कुछ मैंने कहा, उसका कुछ भी फल न निकला। केवल उसकी सुलगती लकड़ियों के धुएँ ने मेरी आँखें भी आँसुओं से भर दी हैं। मुझे सम्मान के स्थान पर केवल अपमान मिला। इस काले धुएँ में डूबा में तुम्हारे लिए दिशा ढूँढ़ रहा हूँ।"

फिरंगीस ने सियावुश को समझाया, "पल-भर की देर भी तुम्हारे लिए हानिकारक हो सकती है। फ़ौरन घोड़े पर बैठो और यहाँ से फरार हो जाओ।" मगर सियावुश पर फिरंगीस की बातों और आँसुओं का प्रभाव न पड़ा। वह समझ गया कि उसका सपना सच निकला है। अब पीठ दिखाने से कोई फ़ायदा नहीं है। आने वाली घटना के लिए उसे कमर कस लेनी चाहिए। उसने फिरंगीस से विदाई ली जो पांच मास की गर्भवती थी। "तुम एक ऐसे पुत्र को जन्म दोगी जो एक महान् बादशाह बनेगा। उसका नाम खुसरू रखना। मेरे भाग्य का सूर्य अफरासियाब के हाथों अस्त हो रहा है। मेरा निर्दोष अस्तित्व उसके हाथों धूल में मिल जायेगा। न मुझे कफ़न मिलेगा, न क़ब्र मिलेगी। यहाँ तक कि मेरी मृत देह के समीप आँसू बहाने वाला भी कोई नहीं होगा। जब मेरा सिर धड़ से अलग होगा तो उस अनजाने बियाबान धरती पर मेरा यह तन किसी लावारिस लाश की तरह सड़ता रहेगा और तुम्हारा अन्त भी मेरे समान ही है। अफरासियाब के योद्धा तुम्हें नंगा कर देने में भी पीछे नहीं रहेंगे। उस समय केवल पीरान तुम्हारी सहायता को आयेगा और तुम्हें अफरासियाब से माँगकर अपने संग ले जाएगा। उसी के महल में तुम मेरे बच्चे को जन्म दोगी। कुछ दिन बाद जब खुसरू बड़ा होगा तो गिव नाम का एक पहलवान ईरान से आयेगा और खामोशी से तुम्हें और मेरे बेटे को ले जाएगा। मेरा बेटा ईरान के राजसिंहासन पर बैठेगा, मेरी इस निर्मम निर्दोष हत्या का प्रतिशोध लेगा और सारे संसार को अपने साम्राज्य में शामिल कर लेगा। उसकी सेवा और सत्ता में केवल इंसान ही नहीं बल्कि पशु-पक्षी भी नतमस्तक होंगे।"

इसके बाद दर्द की पीड़ा से व्याकुल हृदय को संभालकर उसने फिरंगीस से विदा ली। उसके काँपते होंठ और पीले चेहरे पर एक अनकही यातना थी। फिरंगीस इस दृश्य को सहन न कर सकी और भावना से दीवानी हो, दुःख से अपने बाल और मुँह नोचने लगी।

सियावुश ने अपने घोड़े के कान में कुछ कहा। फिर उस पर उछलकर बैठा और रण क्षेत्र की ओर चल पड़ा। उसके साथ थोड़े-से ईरानी योद्धा थे जो जान हथेली पर लिए थे। तूरानी योद्धाओं को देखकर वे बेकाबू हो गये मगर सियावुश ने उन्हें रोका और आगे बढ़कर अफ़रासियाब को सम्बोधित करके बोला, "आप क्यों युद्ध के इच्छुक हैं और मेरे वध का प्रण करके क्यों आये हैं?"

इससे पहले कि अफरासियाब उत्तर दे, गरसिवज़ ने ललकारा–"यदि तुम निर्दोष हो तो इतने योद्धाओं के संग क्यों आये हो?"

इस वाक्य से सियावुश सारी बात समझ गया और बोला–"यह सब तुम्हारा फैलाया ज़हर है। तुमने ही मुझे कहा था कि बादशाह मुझसे रुष्ट हैं।" फिर सियावुश ने अफरासियाब को सम्बोधित किया–"मेरा रक्त बहाना आपको अकारण कठिनाइयों में फँसाएगा। गरसिवज़ की बातों में आकर आप तूरान के लिए मुसीबत मोल न लें।"

गरसिवज़ ने सियावुश से अफरासियाब का वार्तालाप बढ़ने नहीं दिया और कहा कि "शीघ्रता से युद्ध आरम्भ हो ताकि सियावुश को बन्दी बनाया जा सके।"

इधर सियावुश अफरासियाब से सन्धि किये बैठा था। उसने न तो स्वयं हथियार उठाए; न ही योद्धाओं को म्यान से तलवारें निकालने दीं। उधर अफरासियाब ने बिना समझे युद्ध करने का आदेश दे दिया। तूरानी फ़ौज ईरानियों पर टूट पड़ी। देखते-देखते ईरानी टुकड़ी का सफ़ाया हो गया और मैदान खून से नहा गया। सियावुश का शरीर तीर से बेध दिया गया और वह धरती पर औंधा गिर गया। गवी ने उसके हाथ पीछे से बाँधे और गर्दन पर तलवार रखकर उसे घसीटता हुआ अफरासियाब के समीप लाया।

अफरासियाब ने आदेश दिया–"इसका सर तन से जुदा कर दो ताकि इस जड़ से कोई भी कोंपल न फूटे। इस बियाबान तपती धरती की प्यास इसके खून से बुझा दो और लाश को फेंक दो ताकि वह बिना कफ़न के सड़ जाए।"

यह सुनकर योद्धाओं ने विरोध में अपनी जबान खोली, "सियावुश ने आपके साथ कोई अनुचित व्यवहार नहीं किया है, फिर क्यों आप उसे मारना चाह रहे हैं? उसके वध पर सारी दुनिया खून के आँसू बहाएगी।"

पीरान के भाई पीलसम ने भी अफरासियाब को समझाया कि "अफरासियाब!

यह वध करना एक पाप है। यह याद रहे आपको कि इस निर्दोष की हत्या का प्रतिशोध ईरान के शाह, रुस्तम पहलवान, अन्य वरिष्ठ पहलवान और योद्धा आपसे लेकर रहेंगे। इसलिए मेरा निवेदन है कि शाह अभी सियावुश को बन्दीगृह में रखें और इस जल्दबाज़ी से अपने को रोकें और उचित समय की प्रतीक्षा करें।"

अफरासियाब पीलसम की बात सुनकर शान्त हुआ, लेकिन गरसिवज़ ने उसको भड़काते हुए कहा—"सियावुश वास्तव में चोट खाया सर्प है। उसका सर न कुचला गया तो वह अधिक हानिकारक साबित होगा। यदि आपने उसे जीवित छोड़ा तो मैं आपकी सेवा से अलग हो जाऊँगा। मैं या तो किसी गुप्त स्थान में जा छिपूँगा या फिर मृत्यु को गले लगा लूँगा।"

गर्वी और दमूर ने भी उसकी हाँ में हाँ मिलाई और बादशाह को सियावशु का साथ छोड़ने की धमकी दी और उसे सियावुश की हत्या पर उकसाया अफरासियाब दोराहे पर खड़ा चिन्ता में डूबा था कि क्या करे। यदि सियावुश को मारता है तो बुरा है, यदि छोड़ता है तो उससे भी बुरा है।

इस बीच फिरंगीस के पास सारा समाचार पहुँचा। जब उसने स्थिति को इतना जटिल पाया तो वह रोती हुई शाह के सम्मुख पहुँची और सियावुश की स्वतन्त्रता की भीख माँगने लगी। फिरंगीस ने अन्त में कहा कि यदि आप सियावुश का वध करवाते हैं तो ईरानी योद्धा इसका बदला अवश्य लेंगे। और सारी दुनिया आपके इस कार्य पर थूकेगी। इस लोक में आपको निन्दा मिलेगी और पर लोक में नरक की ज्वाला आपको जलाकर ध्वस्त कर देगी। फिर वह सियावुश की तरफ मुड़कर उसे सम्बोधित करते हुए बोली—"जो तुम्हारे साथ ऐसा व्यवहार कर रहा हो, खुदा उसे कभी क्षमा न करे। काश, मेरी आँखें फूट जाती ताकि मैं तुम्हें इस तरह खून में डूबना न देखती। मैंने कब सोचा था कि पिता के कारण एक दिन मेरी माँग सूनी होगी।"

अफरासियाब के सिर पर खून सवार था। उसने फिरंगीस की बातों से रुष्ट होकर आदेश दिया "इसकी दोनों आँखें फोड़ दी जायें। फिर इसे दूर जंगल में कैद कर दिया जाये ताकि इसकी आवाज़ किसी के कानों तक न पहुँचे।" फिर आगे कहा "सियावुश को भी ऐसे स्थान पर ले जाया जाये कि उसकी चीत्कार किसी के कान में न पड़े।"

अफरासियाब का आदेश मिलते ही गरसिवज़ ने गवी को इशारा किया। वह आगे बढ़ा और उसने सियावुश की दाढ़ी पकड़ ली और उसे धरती पर घसीटने लगा। उस समय सियावुश ने इच्छा की, उसकी नस्ल से ऐसा अभिमानी पैदा हो जो उसके इस अपमान का बदला ले सके। फिर पीलसम की ओर मुँह करके

सियावुश का कत्ल

उसने पीरान के लिए सन्देश दिया, "मेरा अभिवादन पीरान को देना और कहना कि तुमने एक बार कहा था कि यदि मेरा बाल भी बाँका हुआ तो तुम एक लाख पैदल सवार लेकर मेरी सहायता और रक्षा के लिए पहुँचोगे। आज मुझे गरसिवज़ ने इतना अपमानित किया है कि मेरे पास उसके वर्णन के लिए शब्द नहीं हैं। मैं आज इस स्थिति में हूँ कि मेरे लिए सांत्वना के शब्द कहने और दो बूँद आँसू बहाने वाला भी कोई अपना नहीं है।"

गर्वी सियावश के बाल घसीटता हुआ उस स्थान पर ले गया जहाँ पर कभी सियावुश और गरसिवज़ ने तीरंदाजी की थी। गर्वी ने एक सुनहरा तख़्त लाने का आदेश दिया और उसे सियावुश की गर्दन के नीचे रख बकरे की तरह उसे हलाल कर दिया। सियावुश की गर्दन से खून के फव्वारे उफन पड़े। तख़्त खून से भर गया। क़ातिल ने उस खून को वहीं धरती पर उलट दिया। थोड़ी देर बाद वहाँ से एक घास उगी जिसका नाम सियावुश पड़ गया।

चू अज़ सरोबन दूर गश्त आफ़ताब
सरे शहरे यार अन्दर आमद बे ख़्वाब
चे ख़्वाबी, कि चन्दीन जमान बर गुज़श्त
न जुम्बीद हरगिज़ न बिदार गश्त

(जब सर्व के ऊँचे वृक्षों के उस पार क्षितिज में सूर्य अस्त हुआ तो सियावुश गहरी निद्रा में सो गया। या खुदा! यह कैसी न्रिदा थी जो समय के इतने बड़े अन्तराल के बाद, वर्ष और युग बीतने के बाद भी उसने न तो करवट बदली और न उसने आँखें खोलीं।)

हत्या की ख़बर जैसे ही फिरंगीस को मिली, उसके दिल पर बिजली गिरी। दुःख की पराकाष्ठा पर पहूँचकर उसने अपने बाल और मुँह नोचना आरम्भ कर दिया। पुष्प के समान गुलाबी मुँह खून से तर हो गया। सारे तूरान में हाहाकार मच गया। जब यह खबर अफरासियाब के पास पहुँची तो उसने आदेश दिया कि "फिरंगीस के बाल कटवा दिए जाएँ और उसके कपड़े फाड़ दिए जाएँ। उसे इतनी यातनाएँ दी जायँ कि उसके पेट का गर्भ जाता रहे। मैं नहीं चाहता हूँ कि सियावुश की नस्ल धरती पर बाक़ी बचे।"

पीरान के पास जब सियावुश के क़त्ल का समाचार पहुँचा तो वह सिंहासन से गिरकर बेहोश हो गया। जब उसे होश आया तो दुःख की पराकाष्ठा से दीवाना हो अपने कपड़े फाड़ने लगा और मुँह पीटने लगा। सियावश के शोक में उसकी आँखों से आँसुओं का बरसाती नाला बह रहा था और मुख से दर्दनाक शब्दों का झरना झर रहा था।

लोगों ने पीरान के पास जाकर कहा कि फ़ौरन अफरासियाब को फिरंगीस की हत्या करने से रोको, वरना यह दुख उनकी कमर तोड़ देगा। पीरान फ़ौरन अफरासियाब के समीप पहुँचा और उसे बुरा-भला कहा—"तुमने निर्दोष सियावुश की हत्या से अपनी ख़्याति को मिट्टी में मिला दिया है। जिस पापी ने तुम्हें यह मार्ग दिखाया है, खुदा उसको ग़ारत करे। तुम एक दिन अपने इस आचरण कर रोओगे और हाथ मलोगे। फिर भी, नरक के ईंधन से अपना दामन बचा नहीं पाओगे बल्कि खुद उसी ईंधन में परिवर्तित हो जाओगे। सिवावुश के बाद तुम अब अपने जिगर के टुकड़े फिरंगीस के वध की तैयारी कर रहे हो? तुम वास्तव में पागल हो गये हो वरना यह भयानक खूनी दृश्य कभी भी सामने न आता।"

पीरान ने अफरासियाब के अन्त में कहा कि "तुम फिरंगीस को मेरी सुरक्षा में दे दो। जब उसके बच्चे का जन्म हो जाएगा तो मैं फिरंगीस को दोबारा तुम्हें लौटा दूँगा। उस समय जो चाहो वह सजा दे देना।"

अफरासियाब को अन्त में पीरान की बात माननी पड़ी। उसने फिरंगीस को पीरान के हवाले कर दिया। पीरान फिरंगीस को लेकर शहर 'खतन' चला गया।

दास्तान-ए-बीज़न और मनीज़ा

खुसरू बादशाह अपने पिता सियावुश की शत्रुता का बदला लेने और अकवान दैत्य के अतयाचारों का नाश करने के बाद एक दिन राजसिंहासन पर बड़ा प्रसन्नचित्त बैठा था। इस शुभ अवसर पर एक वैभवपूर्ण समारोह आयोजित किया गया था। खुसरू याक़ूत के लाल प्याले में मदिरा पान कर रहा था और संगीत के आनन्द में डूबा हुआ था। उसके आसपास बैठे ज्ञानी, शूरवीर, योद्धा और पहलवान इस संगीतमय ऐश्वर्यपूर्ण वातावरण से पूर्ण रूप से रस ले रहे थे। उनके हाथों में लाल शराब के प्याले थे और चारों तरफ ताज़ा खिले सुन्दर गुलाबों की सुगन्ध फैली हुई थी।

पहरेदार सावधानी की मुद्रा में बादशाह के आदेश की प्रतीक्षा में उनके चरणों में दृष्टि गड़ाये खड़ा था। अचानक संतरी बाहर से दौड़ता हुआ आया और पहरेदार को एक महत्त्वपूर्ण संदेश दिया कि अरमीनियों का एक जन-समूह, जो ईरान और तूरान की सीमा के पास बसा हुआ है, न्याय माँगने आया है और बादशाह से मिलकर अपनादुःख बयान करना चाहता है। पहरेदार फ़ौरन बादशाह के समीप पहुँचा। सारी घटना सुनकर खुसरू शाह ने उन्हें दरबार में बुलाया।

अरमीनी सीना कूटते और शाह की दुहाई देते हुए अन्दर घुसे—"जहाँपनाह! हमारा शहर एक ओर से ईरान और दूसरी ओर से तूरान की सीमा से जुड़ा है। इस तरफ का हिस्सा वास्तव में हमारा जीवन है। हरे-भरे घास के मैदान और चरागाह, वृक्षों से भरे जंगल ही हमारे आधार है जिसमें बेशुमारा फलों के वृक्ष भरे पड़े हैं। मगर सुअरों ने अपनी थूथनी से ज़मीन खोद डाली है, मज़बूत खूँखार दाँतों से दरख़्तों की जड़ों को काट डाला है इनके आतंक से घरेलू जानवर तक घबराए हुए हैं और हम खेत, फ़सल और घास के मैदान के इस तरह रौंदे जाने से बर्बाद हो चुके हैं। अब आप हमारी मदद करें सरकार!"

खुसरू उनके नुकसान की जानकारी पाकर दुखी हो उठा। उसने आदेश दिया कि एक सोने का थाल लाया जाये और उसको तरह-तरह के हीरे-जवाहरात से

भर दिया जाए। जब थाल भर गया तो उसने पहलवानों की ओर गर्दन घुमाकर पूछा—"तुममें से ऐसा कौन है जो मेरे इस दुःख का भागीदार बने, आगे बढ़कर इस साहसपूर्ण जोखिम को अपने कन्धों पर उठा ले, जंगल जाकर उन सुअरों को मार डाले और मुझसे उपहारस्वरूप ये जवाहरात-भरा थाल ले?"

किसी पहलवान के मुँह से आवाज़ नहीं निकली। इस खामोशी को तोड़ती हुई बीज़न की आवाज़ उभरी। बीज़न के पिता गिव पहलवान को उसके इस दुस्साहस पर क्रोध आया। उसने बेटे को बुरी तरह फटकारा—

बे फ़रज़न्द गुफ्त इन जवानी चेराअस्त?
बे नीरूइ ख़ीश इन गुमानी चेराअस्त?
जवान अरचे दाना बुअद ब गोहर
अबी आज़माईश नगीरद हुनर
बे राही कि हरगिज़ न रफती, मापोई
बर शाह खैरहा मबर आबरुइ

(तुझे अपने यौवन पर इतना घमण्ड है और अपनी ताक़त पर इतना गुमान है! युवक चाहे जितने भी बड़े और अच्छे ख़ानदान वाला क्यों न हो, मगर कला की दक्षता तभी प्राप्त होती है, जब वह अभ्यास करे और परीक्षा में सम्मिलित हो। तुम बिना किसी अनुभव के यूँ इस काम का बीड़ा उठाना चाहते हो? शाह के सम्मुख अपना सम्माना खोना चाहते हो? छोटा मुँह और बड़ी बात!)

पिता की इस लताड़ को सुनकर बीज़न का मन दुखा, मगर वह अपने इरादे पर डटा रहा। उसका यह व्यवहार देखकर खुसरू शाह ने उसकी प्रशंसा की और गुरगीन पहलवान को आदेश दिया कि वह बीज़न का मार्गदर्शक बने।

बीज़न ने यात्रा की तैयारी आरम्भ कर दी उसने अपने संग सधाये हुए बाज़ और चीते लिए और गुरगीन पहलवान के साथ जंगल की ओर चल पड़ा। मार्ग में वे शिकार भी खेलते जा रहे थे। जब जंगल पहुँचे तो सबसे पहले उन्होंने एक बहुत बड़ा आग का अलाव जलाया। उस पर शिकार किया हुआ गूरखर (जंगली गधा जो ज़ेब्रा की तरह होता है) भूना और पेट-भर खाया। खाने के बाद गुरमीन ने कहा—"मुझे सोने के लिए कोई स्थान चाहिए।"

यह सुनकर बीज़न ने कहा, "भला यह कोई सोने का समय है?" हमें तो जागकर सुअरों का मुक़ाबला करना है। तुम तालाब के किनारे बैठकर प्रतीक्षा करो। यदि कोई सुअर मेरी तलवारसे बचकर भागे तो तुम उसका सिर अपनी गदा से कुचल देना।"

बीज़न की बात गुरगीन को पसन्द नहीं आई वह इस महत्त्पूर्ण काम में बीज़न

का हाथ नहीं बँटाना चाहता था सो उसने उत्तर दिया, "देखो! इस महान् काम का बीड़ा तुमने उठाया है, मैंने नहीं। इस काम के बदले में तुम्हें हीरे-जवाहरात मिलेंगे, मुझे नहीं! मेरा काम तुम्हें रास्ता बताना है। वही करूँगा, समझे!"

बीज़न गुरगीन की यह बात सुनकर आश्चर्यचकित रह गया। एक तेज़ ख़ंजर लेकर वह अकेला ही जंगल की ओर चल पड़ा। सुआरों ने वास्तव में जंगल का बुरा हाल कर डाला था। इस सभय भी वे ऊधम मचाए हुए थे। एक सुअर ने बीज़न पर आक्रमण कर उसका जिरह-बख़्तर फाड़ डाला। बीज़न ने खंजर निकालकर उस सुअर के दो टुकड़े कर डाले। अन्य सुअर भी उसके हाथों मारे गए। बीज़न ने उनके सिर काटकर एक किनारे जमा कर दिये ताकि वह ईरान के शाह को अपना कारनामा दिखाकर अपनी वीरता और पराक्रम की दाद ले सके।

इधर जब गुरगीन को इस घटना का पता चला तो वह ईर्ष्या से पेंच व ताव खाने लगा। अपनी बदनामी और बीज़न की वीरता की चर्चा के बारे में सोचकर वह तरह-तरह के षड्यन्त्र रचने लगा। मगर ऊपर से उसने बीज़न पर अपनी प्रसन्नता ही व्यक्त की।

रात को जब दोनों पहलवान मदिरा पी रहे थे तो गुरगीन ने कहा कि "यहाँ से, कुछ दूर पर एक जंगल है। वहाँ के पानी से गुलाब की सुगन्ध आती है और वातावरण इत्र और लोबान से मदमाता रहता है। घास ऐसी हरी और मुलायम है, जैसे रेशम बिछा हो। इस ऋतु में वहाँ पर सदा मेला लगता है। वहाँ पर सुन्दर कन्याएँ जमा होती हैं। उनकी अठखेलियाँ और अंगड़ाइयाँ मुस्कान और अन्दाज़ ऐसे होते हैं कि आदमी का दिल बेक़ाबू होकर उसके सीने से निकल जाए। इन्हीं कन्याओं में अफरासियाब की लड़की मनीज़ा भी होती है जो सितारों के बीच चन्द्रमा की तरह जगमगाती है। उसकी सौ कनीज़ें भी साथ होती हैं।"

हमे दुख़्ते तुर्कान पोशीदेह रुइ
हमे सरो क़द व हमे मुश्क़बुइ
हमे रुख़ पुर अज़ गुल, हमे चश्म ख्वाब
हमे लब पुर अज़ मेइ, बे बुए गुलाब

(हर तुर्की लड़की का चेहरा नक़ाब से ढका रहता है और उनका तन इत्र से गमकता रहता है। उनके कपालों पर फूल खिले होते हैं और होंठों से गुलाब की गंध-भरी मदिरा टपकती रहती है। उनकी आँखों में एक मस्त खुमार छाया रहता है।)

"यहाँ से केवल दो रोज़ का सफ़र करके हम वहाँ पहुँच सकते हैं। हम वहाँ चलें, उनमें से कुछ लड़कियाँ पसन्द करके खुसरू शाह के पास लौट जाएँ।"

बीज़न इस खबर से प्रसन्न हुआ। दोनों यात्रा पर निकल पड़े एक दिन बाद वे उस हरे-भरे स्थान पर पहुँचे और वहाँ दो दिन विश्राम किया।

इधर मनीज़ा अपनी सौ कनीज़ों के साथ आई हुई थी। लगभग चालीस अम्बारी पर सोना-चाँदी औरसंगीत के साज़ भरकर आए थे। कार्यक्रम आरम्भ हुआ। शोर-हंगामा, नृत्य-गाना और संगीत-खुशी का दरिया उमड़ पड़ा। गुरगीन को मनीज़ा के आने की खबर मिल चुकी थी। उसने फ़ौरन बीज़न को बुलाया कि वहाँ संगीत और नृत्यु की महफ़िल शुरू हो गई है। बीज़न ने जब यह सुना तो तय किया कि वह आगे चलकर उसके समीप पहुँचेगा और तूरानी समारोह के रीति-रिवाज को समीप से देखेगा। साथ-ही-साथ उन अप्सराओं के रूप-लावण्य का रस-पान भी करेगा।

यह सोचकर बीज़न ने अपने-आपको शाही मुकुट और वस्त्र-आभूषण से सुसज्जित किया और घोड़े पर बैठकर हवा से बातें करने लगा। मैदान के समीप पहुँचकर उसने सर्व के घने वृक्ष से नीचे अपना घोड़ा रोका ताकि धूप की गर्मी से बच सके। पूरे बाग में संगीत का शोर फैला हुआ था। खूबसूरत कनीजें इधर से उधर आ-जा रही थीं। बीजन छुपता-छुपाता आगे बढ़ा और घोड़े से उतरकर एक ओर खड़ा हो गया। अचानक उसकी दृष्टि मनीज़ा पर पड़ी तो उसके होश उड़ गए। क्या ऐसा अद्‌भुत सौन्दर्य स्वर्ग के अतिरिक्त धरती पर भी हो सकता है!

उधर मनीज़ा की दृष्टि वृक्ष के नीचे खड़े बीज़न पर पड़ी। ऐसा सजीला जवान उसने पहले कभी नहीं देखा था। शाही वस्त्र और मुकुट में उसका मुख-मण्डल सूर्य के समान दमक रहा था। मनीज़ा ने अपनी दाया को समीप बुलाया और आदेश दिया कि वह इस युवक के पास जाए और पूछकर आए कि वास्तव में वह कौन है? इंसान है या जिन्न? उसका नाम क्या है? वह कहाँ का रहने वाला है? कहाँ से आया है? और उसने इस बाग में क्यों प्रवेश किया है?

दाया लपकती हुई बीज़न के समीप पहुँची और अपनी शहज़ादी के प्रश्न पूछने लगी। बीज़न इन जिज्ञासा-भरे सवालों को सुनकर खुश हुआ। उसने बताया, “मैं गिव पहलवान का बेटा हूँ। यहाँ पर सुअरों का नाश करने के लिए आया था। उन सबके सिर काटकर छोड़ रखे हैं ताकि ईरान के शाह के सम्मुख पेश करूँ। इधर से गुज़रते हुए जब मैंने यह ‘जश्नगाह’ सजा-धजा देखा तो वापस जाना टाल दिया। मैंने सपने में भी नहीं सोचा था कि मैं कभी अफरासियाब की पुत्री का दीदार करूँगा।”

इतना कहकर बीज़न ने बहुमूल्य वस्त्र और जवाहरात से जड़ा हुआ एक जाम दाया को दिया और कहा कि वह इस काम में उसकी सहायता करे। काम

अंजाम देने पर वह उसको इनाम से मालामाल कर देगा।

दाया ने वीज़न की बातें मनीज़ा को जाकर बताई। मनीज़ा ने जवाव में कहलवाया–

गर आई ख़ामा बे नज़दीके मन
बर अफरूज़ी इन जान तारीके मन
बे दीदार तो चश्म रौशन कुनम
दरो दश्त खारगाह गुलशन कुनम

(यदि तुम मेरे नज़दीक आने की तकलीफ़ उठाओ तो इस अँधेरे दिल में खुशी की प्रकाश छिटक जाए। तुम्हारे दीदार से आँखों के दीप जल उठेंगे और तुम्हारे बजूद से मैदान व जंगल लहलहा उठेंगे।)

बीज़न को बिन माँगी मुराद मिल गई थी। वह पैदल ही मनीज़ा के ख़ेमे की ओर चल पड़ा। बीज़न ने देखते ही उसे अपने बाहुपाश में भर लिया। फिर उसके पैर गुलाब और इत्र से धोकर स्वादिष्ट व्यंजनों से भरा 'दस्तरख़ान' बिछाया।

पूरे तीन दिन और तीन रात हर क्षण वीज़न और मनीज़ा एक-दूसरे में डूबे पड़े रहे। वे ख़ेमे से निकलना भी भूल गए थे। चौथे दिन जब मनीज़ा को राजमहल लौटना था तो उसका मन बीज़न के वियोग से विह्लल हो उठा। उसका दिल बीज़न के दीदार से भरा नहीं था। अन्त में उसने कनीज़ों को आदेश दिया कि बीज़न की मदिरा में नींद की दवा मिला दो। बीज़न मदिरा पीते ही बेहोश हो गया।

मनीज़ा की सवारी जब शहर के नज़दीक पहुँची तो बीज़न को चादर में लपेटकर रात के अँधेरे में शहज़ादी के महल में ले जाया गया। वहाँ उसके कानों में होश में लाने की दबा डाली गई। जब बीज़न को होश आया तो उसने अपने-आपको मनीज़ा के बाहुपाश में पाया। अब बीज़न समझ गया कि गुरगीन ने उसको एक हसीन जाल में फँसा दिया है। मनीज़ा उसको होश में आता देखकर फ़ौरन उठी और शराब का जाम पेश करते हुए बोली–

बेख़ुर मइ, मख़ुर हीच अन्दूह व ग़म
कि अज़ ग़म फ़ज़ूनी न याबद न कम

(शराब पी, ग़म न कर, अब दुःख से क्या हासिल?)

अगर शाह याबद ज़े कारत ख़बर
कुनम जान शीरिन बे पीशत सपर

(यदि अफरासियाब को तेरा पता चल गया और उसने तुम्हें हानि पहुँचानी चाही तो मैं अपनी जान क़ुर्बान करके तेरी रक्षा करूँगी।)

इस तरह से बीज़न ने कुछ दिन हसीनों के झुरमुट में गुज़ारे। मगर मस्ती से

बीज़न सुअरों से भिड़ता हुआ

भरे ये दिन जल्दी ही समाप्त हो गए। महल के दरबान को सब कुछ पता चल गया। वह मृत्युदण्ड के भय से दौड़ा हुआ शाह अफरासियाब के समीप पहुँचा और बताया कि "शहज़ादी ने एक ईरानी आशिक़ को महल में छुपा रखा है।"

यह सुनकर अफरासियाब गुस्से से इस तरह से काँपने लगा जैसे हवा के तेज बहाव में बेदे मजनूँ वृक्ष की शाखाएँ। उसकी आँखों में खून उतर आया। उसे अपनी शहज़ादी के इस आचरण से गहरा दुःख पहुँचा। उसने सोचा—"लड़की की जात बुरी होती है। क्या फ़कीर, क्या अमीर, सबको अपनी बेटी की पवित्रता की चिन्ता खाए जाती है।" उसके बाद उसने गरसिवज़ को आदेश दिया कि "शहज़ादी के महल को चारों तरफ़ से घर लिया जाए और बीज़न को बन्दी बनाकर मेरे सामने पेश किया जाए।"

गरसिवज़ जब शहज़ादी मनीज़ा के महल के समीप पहुँचा तो उसे बाहर से संगीत, नृत्य और साज़ की आवाज़ें सुनाई पड़ने लगीं। उसने अन्य सवारों को महल की छत, दरवाज़ों, खिड़कियों पर सावधान रहने को कहा और स्वयं ऊपर से महल के अन्दर कूदा तो क्या देखता है कि बीज़न सुन्दर लड़कियों के झुरमुट में बैठा शराब पी रहा है और संगीत का भरपूर आनन्द ले रहा है। गरसिवज़ का खून उबलने लगा। उसने चीख़कर कहा "ओ ज़लील इंसान! तू आज शेर के पंजे में आ फँसा है। अब देखता हूँ कि यहाँ से कैसे बचकर जाता है!"

बीज़न उस समय निहत्था था। अचानक इस आक्रमण और ललकार से घबरा उठा मगर दूसरे ही क्षण अपने पर क़ाबू पा लिया और मोज़े में छुपे खंजर को शीघ्रता से खींचकर निकाला और बोला, "आज तुझे मैं नहीं छोड़ूँगा।"

गरसिवज़ ने जब उसका यह रूप देखा तो अपनी चाल बदल दी। उसने सौगन्ध खाई कि वह किसी प्रकार का कष्ट बीज़न को नहीं पहुँचायेगा। फिर विनम्र चापलूसी की बातों से बहला-फुसलाकर उसने यह खंजर बीज़न के हाथों से ले लिया और उसे बन्दी बनाकर शाह के सम्मुख पेश किया।

अफरासियाब ने उससे पूछा, "तुम हमारी सीमा में कैसे दाख़िल हुए?" बीज़न ने कहा, "मैं अपनी इच्छा से आपकी सीमा में दाख़िल नहीं हुआ हूँ, बल्कि लाया गया हूँ। मैं सुअरों के नाश के लिए इधर आया था। उसी बीच मेरा बाज़ खो गया। उसकी खोज में निकला। रास्ते में थककर एक सर्व के दरख़्त के नीचे थोड़ी देर सुस्ताने के लिए ठहरा। नींद आ गई, और मैं सो गया। उधर से एक परी का गुज़रा हुआ। मुझे सोता देखकर उसे शरारत सूझी और उसने मुझे उसी हालत में जादू के ज़ोर से उठाकर शहज़ादी मनीज़ा के महल की ओर लौटती अमारियों में से एक में डाल दिया। जब मुझे होश आया तो मैंने अपने को महल में पाया।

इस घटना में न मैं दोषी हूँ और न मनीज़ा। सारा दोष उस शैतान परी का है।"

अफरासियाब ने उसकी बातों को झूठ समझा और बोला—"तू मक्कारी और फ़रेब का जाल बिछाकर तूरान पर क़ब्ज़ा करना चाहता है और तूरानियों को तबाह करना चाहता है।"

बीज़न ने कहा, "वीर हथियारों से लैस होकर रणक्षेत्र में जाते हैं। मैं निहत्था युद्ध की कल्पना भी नहीं कर सकता। यदि बादशाह मेरी वीरता और शूरता को ही देखना चाहते हैं, तो मुझे घोड़ा और गदा दें। अगर मैं हज़ार तुर्कों में से एक को भी ज़िन्दा छोड़ूँ तो मेरा नाम बीज़न पहलवान नहीं!"

अफरासियाब बीजन की इस चुनौती से क्रोधित हो उठा और आदेश दिया कि "शहर के चौराहे पर बीज़न को फाँसी पर लटका दिया जाए।"

सिपाही बीज़न को घसीटते हुए महल से बाहर लाए। बीज़न की आँखों से आँसू की धारा बह रही थी। वह अपनी इस तरह की मौत से दुखी था। उसने इतनी दूर रहकर भी अपने देश के बुज़ूर्गों और पहलवानों को, अपने परिवारजनों को याद किया और पवन द्वारा उनके पास सन्देश भेजा—

आया बाद बे गुज़र बे ईरान ज़मीन
प्यामी ज़े मन बर बे शाहे गुज़ीन
बे गुर्दान ईरान रसानम ख़बर
व अज़ आन जा बे ज़ाबुलिस्तान बरगुज़र

बे रुस्तम रसान ज़ूद अज़ मन ख़बर
बेदान ता बीनद बे कीनम कमर
तन्श ज़ीरे चंगाल शीर नर अस्त
बे गुयश कि बीज़न बे सख़्ती दुरुस्त

बे गुरगीन बेगू इए यल सुस्त राई
बे गुई तो ब मन बे दीगर सराइ

(ओ पवन! मेरे देश जाकर शहंशाह से मेरा हाल कहना कि मैं यहाँ क़ैद हूँ। पहलवानों को मेरी फाँसी के बारे में बताना और ज़ाबुलिस्तान जाकर रुस्तम से कहना कि वह प्रतिशोध के लिए कमर कस ले। उससे कहना कि बीज़न पर मुसीबतों का पहाड़ टूटा है। वह वास्तव में एक खूँख़्वार शेर के पंजे में फँसा तड़प रहा है। गुरगीन से कहना कि अरे षड्यन्त्री! परलोक में तू कौन-सा मुँह लेकर जाएगा!)

बीज़न व मनीज़ा का मिलन

बीज़न को विश्वास हो गया था कि उसकी ज़िन्दगी की अन्तिम घड़िया निकट आ गई हैं।

अकस्मान् उधर से पीरान पहलवान का गुज़रना हुआ। उसने देखा कि तुर्क सिपाही फाँसी का तख्ता ठीक कर रहे हैं और फाँसी पर लटकाने के लिए लम्बा-सा रस्सी का फंदा भी लटका रहे हैं।

समीप जाकर उसने जाना कि यह सब कुछ बीज़न के लिए है। उसे धक्का लगा। वह बीज़न के क़रीब पहुँचा और उससे कारण जानना चाहा। बीज़न ने सारी घटना विस्तार से बयान कर दी जिसे सुनकर पीरान का दिल पसीज गया। बीज़न का नंगा बदन, कमर के पीछे बँध-बँधे दोनों हाथ, पीला मुख, सूखे पपड़ी पड़े होंठों को देखकर पीरान ने जल्लादों को आदेश दिया कि वे इस सिलसिले में जल्दबाज़ी से काम न लें बल्कि उसकी दूसरी आज्ञा तक रुके रहें। इतना कहकर वह बादशाह के समीप पहुँचा और बीज़न को क्षमा कर देने के लिए कहा। उसकी बातों को सुनकर अफरासियाब ने अपनी ख्याति और मर्यादा पर बट्टा लग जाने की बात उठाते हुए कहा कि "मेरी नासमझ बेटी ने मुझे इस बुढ़ापे में कहीं का नहीं रखा।" जनता शाही अन्तःपुर की महिलाओं पर उँगली उठा रही है। फ़ौज मेरे ऊपर हँस रही है। मैं अपने देशवासियों की दृष्टि में गिर गया हूँ।"

सब कुछ सुनकर अफरासियाब को पीरान ने सान्त्वना दी और बीज़न को क्षमा कर देने की विनती बार-बार दोहराई। पीरान के निवेदन को अफरासियाब एकाएक ठुकरा न सका और उसने बीज़न का मृत्युदण्ड कम कर उसे कारावास में बदल दिया। उसने गरसिवज़ को आदेश दिया—"बीज़न को हथकड़ी-बेड़ी पहनाकर, ज़जीरों से बाँधकर किसी अँधे गहरे कुएँ में फेंक दो। उसके मुँह को पत्थरों से ढक दो ताकि वहाँ सूर्य और चन्द्रमा की एक भी किरण का प्रवेश न हो और उस अंधकार में सिसक-सिसककर वह मर जाए। उसके बाद मनीज़ा को उसके महल से बिना मुकुट और राजसी ठाट के बाहर खींचकर लाया जाए और उसको इस कुएँ पर छोड़ दिया जाए ताकि वह देख सके कि जिस आशिक़ के साथ उसने रँगरेलियाँ मनाई थीं, अब वह अँधे कुएँ में सिसक-सिसककर दम तोड़ रहा है। और ऐसे ग़म में तड़प-तड़पकर मनीज़ा भी दम तोड़ दे।"

गरसिवज़ ने आदेश का पालन किया। मनीज़ा को नंगे सिर, नंगे पाँव घसीटता हुआ कुएँ तक लाया और वीराने में मनीज़ा को छोड़ दिया। मनीज़ा उस बियाबान में आँसू बहाती बीज़न के लिए तड़पती रहती। फिर इधर-उधर से भीख माँगकर लाई रोटी को वह सूराख से हज़ार कठिनाइयों के बाद किसी प्रकार बीज़न तक पहुँचाती थी।

❖❖

इधर गुरगीन ने हफ़्ते-भर तक बीज़न की प्रतीक्षा की मगर जब वह नहीं लौटा तो वह उसको खोजने के लिए चल पड़ा। बहुत ढूँढ़ने पर भी बीज़न उसे नहीं मिला। अब उसे अपने किए पर बड़ा पछतावा हो रहा था। चलते-चलते वह उस स्थान पर पहुँचा जहाँ प बीज़न उससे बिछुड़ा था। वहाँ पर उसे बीज़न का घोड़ा मिला। जिसकी लगाम टूटी और ज़ीन पलटी हुई थी। यह देखकर गुरगीन समझ गया कि उसके साथी पर कोई मुसीबत टूट पड़ी है। वह दुःखी मन से ईरान लौट गया।

जब गिव को पता चला कि उसका पुत्र आ रहा है तो वह उसके स्वागत के लिए पहुँचा। गिव ने देखा कि गुरगीन के साथ उसका बेटा बीज़न नहीं है, बल्कि उसका घोड़ा सिर झुकाए चला आ रहा है। गिव इस दृश्य को सहन न कर सका और मूर्च्छित होकर गिर पड़ा। जब उसे होश आया तो दुःख की पराकाष्ठा से अपना मुँह और बाल नोचने लगा। सिर पर मिट्टी डालते हुए वह सिसकने लगा—"इस संसार में वह मेरा इकलौता बेटा था जो मेरी आज्ञा का पालन करता था। मेरे दुःख-सुख का भागीदार था। मेरे दुर्भाग्य ने उसे मुझसे छीन लिया और मुझे जीते-जी मौत के मुँह में धकेल दिया है।"

यह करुण विलाप सुनकर गुरगीन को झूठ बोलना पड़ा—"हम सुअरों के साथ शेर की तरह लड़े और एक-एक करके सबको समाप्त कर दिया। उराके दाँतों को जबड़े समेत उनके मुख से निकालकर हम ख़ुश-खुश शिकारगाह से घर को लौट रहे थे, तभी गूरख़र दिखे। बीज़न ने अपने घोड़े शबरंग को गूरख़र के पीछे दौड़ाया। जैसे ही गूरखर की गर्दन में कमन्द का फन्दा कसा, बीज़न उसके पीछे भागा और दोनों एकबारगी मेरी आँखों से ओझल हो गए। मैंने पर्वत, मैदान एक कर दिए, मगर इतना खोजने पर भी बीज़नका पता न चला।"

उसके इस बयान पर गिव को विश्वास न हुआ और वह रोता हुआ उसे साथ लेकर बादशाह के दरबार में गया और बादशाह से निवेदन किया कि वह स्वयं गुरगीन से प्रश्न करे। जब बादशाह ने प्रश्न किए तो गुरगीन ने सुअर के दाँत दिखाते हुए उल्टे-सीधे जवाब दिये। सच और झूठ को मिलाकर कुछ ऐसी खिचड़ी पकाई कि शाह समझ गया कि दाल में कुछ काला है। उसने आदेश दिया कि गुरगीन को कारागार में डाल दिया जाए और गिवको सान्त्वना देने लगा—"मैं सवारों को चारों दिशाओं में भेजता हूँ कि बीज़न का पता लगाए। यदि वे इस उद्देश्य में कामयाब नहीं होते हैं तो तुम इससे दिल छोटा न करना बल्कि बहादुरी और सब्र से उस दिन की प्रतीक्ष करना, जब सारी धरती हरा

लिबास पहनेगी, फूल और फलों से वृक्ष लद जायेंगे। उस समय 'जामे जहाँनुमा' में तेरे बीज़न को देखूँगा कि आखिर वह कहाँ छुपा हुआ है। तुम्हें तो मालूम है कि उसमें मैं सात देशों को देख सकता हूँ और संसार की कोई चीज़ ऐसी नहीं है जो उस जाम में मुझसे छुपी रहे।" गिव प्रसन्न मन दरबार से बाहर आया। जो सवार बीज़न को ढूँढ़ने निकले थे, वे ईरान-तूरान को छानकर आ गए। उन्हें बीज़न का कुछ पता न चला।

नौरोज़ का दिन। वसन्त ऋतु का आगमन। पूरी धरती हरियाली से भर गई। गिव पीला चेहरा और उदास-दुःखी मन लेकर शाह के सम्मुख उपस्थित हुआ और उन्हें जाम की बात याद दिलाई। बादशाह ने मोतियों से जड़े उस जाम को मँगवाया और स्वयं रूमी क़बा पहनी और खुदा के सामने खड़े होकर गिड़गिड़ाया और प्रार्थना की। इसके पश्चात् उसने जाम में देखा। पूरा संसार, सूर्य, चन्द्रमा, तारे, पहाड़, मैदान अर्थात् पूरा भूमण्डल चलचित्र की तरह उस जाम में झलकता हुआ खुसरू शाह की आँखों के सामने घूम रहा था। एक-एक करके सात देशों को जब वह देख चुका तो उसके सामने से तूरान गुज़रा। वहाँ पर उसे बीज़न एक अन्धे कुएँ में क़ैद नज़र आया। कुएँ के समीप बड़े खानदान की एक लड़की को बैठे देखा जो दुःखी और उदास थी। उसने फ़ौरन गिव को बीज़न के जीवित होने की खबर दी।

"मैं उसके दुःख को देखकर तड़प उठा हूँ। वह भी उस अन्धे कुएँ में क़ैद अपने सगे-सम्बन्धियों से पूरी तरह से निराश होकर दुःख में डूबा किसी बेंत की शाख की तरह काँप रहा है। उसकी आँखों में आँसुओं का सैलाब उमड़ रहा है। उसको महसूस हो रहा है कि ऐसी ज़िन्दगी से तो मौत अच्छी है।"

जब सबको सत्यता का पता चला तो वे बोले की बीज़न की स्वतन्त्रता केवल रुस्तम के हाथ में है। खुसरू ने फ़ौरन रुस्तम को एक पत्र लिखा और गिव को रुस्तम के समीप ज़ाबुलिस्तान भेजा। गिव दो रोज़ की यात्रा एक ही दिन में तय करके ज़ाबुलिस्तान में रुस्तम के समीप पहुँचा। रुस्तम को जब सारी घटना का पता चला तो वह बीज़न के लिए ग़म और गुस्से से व्याकुल हो उठा और उसकी आँखों से खून के आँसू टपकने लगे। गिव की पत्नी रुस्तम की बेटी थी और वीज़न उसका नवासा था। गिव की बहन भी रुस्तम की पत्नियों में से एक थी। गिव ने रुस्तम से कहा—"मैं उस समय तक घोड़े से ज़ीन नहीं उतारूँगा, जब तक बीज़न का हाथ अपने हाथों से स्पर्श न कर लूँ और उसकी सारी ज़ंजीरों को तोड़कर दूर न फेंक दूँ।" इस प्रण के बाद गिव चन्द दिन रुस्तम का मेहमान रहा और फिर वे दोनों खुमरू बादशाह के सम्मुख उपस्थित हुए।

खुसरू शाह ने रूस्तम के स्वागत में एक वैभवपूर्ण भोज और समारोह के आयोजन का आदेश दिया। शाही बाग़ में एक दरख़्त के नीचे तख़्त बिछाया गया और रुस्तम को सोने का ताज पेश किया गया।

तनश सीमो शाख़्श ज़े याक़ूतो ज़र
बेरो गूनागुँ ख़ूशेहाय गुहर
अक़ीक़ो ज़बरजद हमे बरगो बार
फेरो हश्ते अज़ शाख़ चुन गूशवार
बे अन्दुरुन मुश्क सूदह बे मइ
हमे पैकारश सिफ़ते बरसान मइ
बेफरमूद ता रुस्तम आमद बे तख़्त
निशस्त अज़ बरगाह ज़ीरे दरख़्त

[रुस्तम के तख़्त के ऊपर जो वृक्षनुमा छत्र था, वह मुकुट और सिंहासन पर छाया किए हुए था। उसका तना चाँदी का, शाखाएँ सोने और पत्तियाँ पन्ने की थीं और उनसे लटकते गुच्छे मोतियों के थे। अक़ीक़ से बने लाल फूल वृक्ष में पत्तियों के बीच खिले थे जो किसी सुन्दरी के कानों के बालों की तरह हिल रहे थे। पेड़ से तने में सुगन्धित मदिरा भरी हुई थी। शाह के आदेश से रुस्तम उस सिंहासन पर बैठा।] बादशाह ने बीजन की स्वतन्त्रता के बारे में पूछा कि यह जोखिम कैसे उठाया जाएगा। रुस्तम के अलावा दूसरा काई नहीं है, जो बीज़न को तूरान की सीमा से स्वतन्त्र कराके ला सके। रुस्तम ने इसको अपना कर्तव्य समझा और यह जोखिम उठाने के लिए राज़ी हो गया। "मैं शाह क आदेश का पालन करने के लिए हर प्रकार से कमर करो हुए हूँ चाहे मुझे इस राह में कितनी ही कठिनाइयाँ क्यों न उठानी पड़े।"

गुरगीन रुस्तम के कहने से स्वतन्त्र कर दिया गया। शाह खुसरू के पूछने पर कि किस प्रकार फ़ौज और यौद्धाओं को वह ले जाएगा?" रुस्तम ने उत्तर दिया—"सीधी उँगली से घी नहीं निकलेगा बल्कि झूठ और फ़रेब से ही यह समस्या हल होगी। यह काम इतनी ख़ामोशी से होना है कि किसी को पता न चले ताकि बीज़न को किसी प्रकार की हानि न पहुँचे। इसलिए मैं सौदागर बनकर तूरान जाऊँगा। बड़े सन्तोष के साथ वहाँ रहूँगा। इसके लिए मुझे बहुत सारा धन-दौलत व हीरे-जवाहरात की आवश्यकता पड़ेगी क्योंकि मैं उन्हें बेचूँगा भी, सौदा भी करूँगा और कभी-कभी इनाम के रूप में किसी को दूँगा भी।"

रुस्तम अपने साथ शूरवीरों और एक हज़ार दक्ष घुड़सवारों को लेकर तूरान

की ओर चल पड़ा। सीमा के पास घुड़सवारों को रोककर स्वयं सात वीर पहलवानों के साथ तूरान में दाखिल हुआ। उसका रूप सौदागरों वाला था। उनके साथ सौ ऊँट सामान से भरे थे और दस ऊँटों पर मोती भरे हुए थे।

जब वे खतन नगर में दाखिल हुए तो उसकी मुलाक़ात पीरान से हुई जो शिकार खेलकर लौट रहा था। रुस्तम मोतियों से जड़ा एक बड़ा जाम लेकर उसके पास गया और अपना परिचय देता हुआ बोला—"मैं सौदागर हूँ। यहाँ पर मोती बेचने और जानवर खरीदने आया हूँ। यदि आपकी कृपादृष्टि मेरे ऊपर पड़ जाए तो मैं अपना काम सुचारू रूप से कर सकूँगा।"

इतना कहकर उसने वह जाम पीरान को भेंट किया। मोतियों जड़े उस जाम को जब पीरान ने देखा तो दंग रह गया। उस भेंट को क़बूल करके उसने रुस्तम को प्रेमपूर्वक घर आने की दावत दी और कहा कि वह उसके घर में अतिथि बनकर रहे मगर रुस्तम ने धन्यवाद देते हुए उसका अतिथि बनने से इनकार किया और बताया कि मैं शहर से बाहर ही ठहरूँगा। पीरान ने उसकी रक्षा के लिए कुछ रक्षकों को आदेश दिया। रुस्तम ने एक मकान किराये पर लिया और अपनी सौदागरी के साथ-साथ वह वहाँ रहने लगा। काफी दिन तक लोग रेशमी कपड़ा, दीबा, मोती आदि खरीदने उसके यहाँ आते-जाते रहे।

एक दिन मनीज़ा परेशान हाल रुस्तम के पास पहुँची। सलाम-दुआ करने के बाद उसने बड़ी बेताबी से रुस्तम से पूछा, "ए सौदागर! तुम तो ईरान से आ रहे हो। वहाँ के कुछ हाल बताओ। शाह, पहलवान गिव और गुरदज़ कैसे हैं? क्या बीज़न के बारे में कोई समाचार ईरान पहुँचा है? बीज़न अन्धे कुएँ में ज़ंजीरों से बँधा क़ैद है। उसे छुड़ाने के लिए क्या उसके पिता गिव ने कोई तरकीब सोची है?"

रुस्तम के कान उसकी बातों को सुनकर खड़े हुए मगर बनावटी क्रोध दिखाते हुए कहा—"न तो मैं खुसरू शाह को जानता हूँ, न गिव और गुरदज़ को। जिस नगर में खुसरू शाह रहता है, वहाँ का मैं नहीं हूँ।"

रुस्तम ने उसका सिसकना और बिलखना देखकर उसके लिए भोजन मँगाया और प्रश्न करना आरम्भ किया। मनीज़ा ने बीज़न के बारे में सारी घटना आरम्भ से लेकर अन्त तक बताई फिर उसके बाद अपना परिचय दिया :

मनीज़ा मन्म दुख़्त अफरासियाब
बरहना न दीदेह तन्म अफ़ताब
कनून दीदह पुर ख़ून व दिल पुर अज़ दर्द
अज़ इन दर बेदान दर्द, व दो रूखसारे ज़र्द
हमी नान कशकीन फराज़ आवरम

चनीन रान्द इज़्द क़ज़ा बर सरम
बराए यकी बीज़न शूर बख़्त
फतादम ज़ ताजो फतादम ज़े तख़्त

(मैं अफरासियाब की लड़की हूँ जिसके नंगे तन का स्पर्श सूर्य की किरण ने भी कभी नहीं किया था। मगर आज मेरे नैन सावन-भादों के बादल की तरह मूसलाधार बरस रहे हैं। मुख पीला और चेहरा मुरझाया हुआ है। सीने में दर्द की तपन और दिल तड़प रहा है। मैं दरदर की ठोंकरें खा रही एक शहज़ादी हूँ। जो कभी मोतियों से खेलती थी वही आज दो रोटी के लिए दूसरों के आगे हाथ फैला रही है। खुदा ने मेरे भाग्य में यही लिखा था। बीज़न के प्रेम ने मुझसे राज-पाट भी छीना और मेरा सम्मान भी। अन्त में मनीज़ा ने कहा कि सौदागर! अगर तुम ईरान लौटना तो शाह के दरबार में गिव और रुस्तम से बीज़न का हाल ज़रूर कहना।)

रुस्तम ने अधिक भोजन लाने का आदेश दिया। फिर एक भुने मुर्गे को रोटी में लपेटा और उसके अन्दर अपनी अँगूठी छिपा दी। फिर मनीज़ा को वह पोटली देता हुआ बोला–"बेचारे को यह भोजन दे देना।" मनीज़ा भागती हुई आई और वह पोटली कुएँ के अन्दर डाली। तरह-तरह के व्यंजन देखकर बीज़न आश्चर्य से बोला–"यह सब कहाँ से ले आई हो?" मनीज़ा ने कहा–"एक बहुत अमीर सौदागर ईरान से व्यापार की ख़ातिर आया हुआ है। उसी ने तुम्हारे लिए यह खाना भेजा है।"

बीज़न ने जैसे ही खाने के लिए कौर लेना चाहा, उसकी अँगुलियाँ अँगूठी से टकराई। फ़ीरोज़े की अँगूठी की वह बनावट देखते ही बीज़न पहचान गया और प्रसन्नता से हँसने लगा। उसकी हँसी की आवाज़ मनीज़ा ने जब सुनी तो वह आश्चर्य से पूछने लगी कि उस अन्धकार में रहते हुए भी तुम्हें ऐसा क्या याद आ गया कि आज यूँ हँसी आ गई?

पहले उसने मनीज़ा से वफ़ादारी की सौगन्ध ली, फिर उसने कहा कि वह उस सौदागर के पास जाए और पूछे कि क्या वह 'रख़्श' घोड़े का स्वामी है?"

मनीज़ा भागती हुई रुस्तम के पास पहुँची और बीज़न का प्रश्न उसके सम्मुख दोहरा दिया। रुस्तम समझ गया कि बीज़न ने लड़की से भेद कह दिया सो उसने अपना परिचय देते हुए कहा–"रात बढ़ रही है। तुम लौटो और कुएँ के ऊपर आग जला दो ईंधन के ऊँचे अम्बार में मनीज़ा ने आग लगा दी। रात की कालिमा लाल शोलों से कोलतार के समान पिघल-पिघलकर समाप्त होने लगी।

रुस्तम ने जब आकाश को चूमते शोले भड़कते देखे तो उसने खुदा के आगे

सिजदे में सिर झुकाया और सातों पहलवानों को लेकर उस बियाबान की ओर चल पड़ा। जब वे कुएँ के पास पहुँचे तो सातों पहलवानों ने कुएँ पर रखी भारी शिलाओं को हटाना चाहा मगर वे अपने स्थान से टस से मस न हुईं। यह देखकर रुस्तम रख़्श से उतरा, आगे बढ़ा और ख़ुदा का नाम लेकर उन शिलाओं को दाहिने हाथ से उठाया और चीन के मैदान की ओर लुढ़का दिया। उन शिलाओं के गिरने से सारी धरती काँप उठी। फिर उसने कुएँ में कमन्द डाला ताकि बीज़न को अन्दर से निकाल सके। मगर निकालने से पहले उसने गुरगीन को क्षमा कर देने का वचन लिया। जब बीज़न को रुस्तम ने ऊपर निकाला तो उसका नंगा बदन बढ़े हुए बालों से और उँगलियाँ लम्बे-लम्बे नाखूनों से ढकी थीं। उसके बदन पर हथकड़ी-बेड़ी के कारण जगह-जगह घाव थे जिनसे खून रिस रहा था।

रुस्तम का बीज़न को कुएँ से निकालना

चेहरा पीला पड़ा हुआ था।

सब तेजी से घर लौटे। वहाँ पर नहा-धोकर सामान बाँधने लगे और ऊँटों पर लादने लगे। रुस्तम ने मनीज़ा को पहलवानों के संग भेज दिया और स्वयं बीज़न के साथ अफरासियाब की फ़ौज से युद्ध करता सीमा पार निकल गया।

जैसे ही पहलवानों के पास रुस्तम और बीज़न के आने की ख़बर मिली, वे सब उनके स्वागत के लिए चल पड़े और उन्हें सम्मानपूर्वक खुसरू शाह के दरबार में लाए। रुस्तम ने बीज़न का हाथ पकड़कर शाह के हाथों में दे दिया। बीज़न से शाह खुसरू ने कहा "उस पर जो भी गुज़री है, कह सुनाए।" बीज़न ने क़ैद, प्रेम, अत्याचार और उस लड़की के बारे में विस्तार से बताया जो सारे कष्ट की जड़ थी।

शाह ने सब कुछ सुनकर रोम की दीबा के सौ जोड़े जिन पर हीरे जवाहरात टँगे थे, एक मुकुट और दीनारों से भरी दस थालियाँ, कनीज़ें, क़ालीन और अन्य बहुमूल्य चीज़ें बीज़न को बख्शीं और कहा कि ये सारे उपहार ले जाकर वह मनीज़ा को दे। इसके बाद शाह खुसरू ने बीज़न को उपदेश देते हुए कहा कि :

बे रंजिश मफरसाई व सर्दश म गोइ
निगर ता चे आउरदी उ रा बे रूइ
तो बा उ जहान रा बे शादी गुज़ार
निगह कुन बर इन गर्दिशे रुज़गार

(मनीज़ा को कभी दुःख न पहुँचाना और न कभी उस की तरफ़ से लापरवाही बरतना बल्कि हमेशा उसका ख़्याल रखना कि कहीं दुःख से उसका चेहरा कुम्हलाने न पाए। बेशक उसके साथ हँसी-खुशी के भरे दिन गुज़ारना, मगर ज़माने की गर्दिश से बेख़बर मत होना।)

दास्तान-ए-सिकन्दर और कैदे-हिन्दी

किसी ज़माने में हिन्दुस्तान में कैद नाम का एक बादशाह हुकूमत करता था। जिसकी जान और बुद्धिमानी जुड़वाँ थी और दिल होशियारी के क़रीब था एक बार दस दिनों तक वह लगातार अजीबो-गरीब सपने देखता रहा। अन्त में चिन्तित हो उसने देश के सारे बुद्धिमानों को जमा किया। जब वे आ गए तो उसने वे दसों सपने उन्हें कह सुनाए। मगर किसी ने भी उन सपनों की व्याख्या नहीं की, और न अर्थ बताया। एक दरबारी ने शाह से कहा—"बादशाह सलामत! यहाँ पर 'मेहरान' नाम का एक ज्ञानी रहता है जो शहर में कभी नहीं ठहरता है और हम नगरवासियों को तो मनुष्य ही नहीं समझता है। जंगल में रहता है, कंद-मूल फल खाकर गुज़ारा करता है और जंगली जानवरों से बातें करके मन बहलाता है। केवल वही आपके इन सपनों की व्याख्या अर्थपूर्ण ढंग से कर सकता है। किसी और से कहने से कोई लाभ नहीं।"

कैद बहुत खुश हुआ। घोड़े पर बैठा और मेहरान की खोज में जंगल की ओर निकल पड़ा। अन्त में शाह कैद ने मेहरान को ढूँढ़ ही लिया। कैद ने मेहरान से कहा—"ज़ंगल में रहने वाले, जंगली जानवरों के बीच जीवन बिताने वाले महात्मा! आपसे निवेदन है कि मेरे सपनों को ध्यान से एक-एक करके सुनें और उनका अर्थ मुझे बताएँ।" यह कहकर शाह ने अपना पहला सपना बताना आरम्भ किया—

"रात को मैं तन्हा बड़े आराम से भय, चिन्ता, दुःख, उत्तेजना से मुक्त सोया था। आधी रात गुज़र चुकी थी कि मैंने सपने में एक बार देखा जिसमे कोई दरवाज़ा नहीं था। केवल एक रोशनदान भर था जिसमें से एक बड़ा-सा हाथी निकल रहा था। हाथी निकल गया मगर उसकी सूँड उसी रोशनदान में फँस गई थी।

"दूसरी रात को मैंने सपना देखा कि एक राजसिंहासन है जिस पर एक अनजान आदमी मुकुट लगाए बैठा है।"

"तीसरी रात मैंने टाट का एक टुकड़ा सपने में देखा जिसे चार लोग

अपनी-अपनी तरफ़ खींच रहे हैं। मगर वह टाट का टुकड़ा न फटता है और न लोग थकते हैं।"

"चौथी रात मैंने सपना देखा कि एक प्यासा नदी के किनारे बैठा है। मछली उस पर पानी डाल रही है और वह उससे बचकर पीछे हट रहा है। वह आगे-आगे भागता है और पानी उसके पीछे दौड़ता हुआ बहता है।"

"पाँचवी रात का सपना कुछ यूँ था कि एक छोटा नगर है जिसके सारे नगरवासी अन्धे थे; मगर अन्धेपन से वे दुःखी न थे। खरीदने व बेचने का कारोबार नगर में अपनी सम्पूर्ण चहल-पहल के साथ चल रहा था।"

"छठी रात में एक दूसरा नगर सपने में दिखा जहाँ लगभग सभी लोग रोगी हैं। वहाँ का रिवाज ऐसा था कि वे लोग जो मृत्युशय्या पर दम तोड़ रहे हैं, तन्दुरुस्त लोगों को देखने जाने के लिए तड़प रहे हैं।"

"सातवीं रात को मैंने जंगल में एक घोड़ा देखा जिसके दो हाथ, दो पैर और दो मुँह थे। वह दोनों तरफ से चर रहा था, मगर मल त्यागने का कोई प्रयोजन न था।"

"आठवीं रात को मैंने सपना देखा कि तीन मटके रखे हैं। दो मटके पानी से भरे हैं और एक खाली है। दो लोग भरे मटके से पानी निकालकर खाली मटके में भर रहे थे। न खाली मटका भरता था, न भरा मटका खाली हो रहा था।"

"नवीं रात को मैंने सपना देखा कि एक मोटी-ताजी गाय धूप में लेटी है। पास में उसका दुबला-पतला मरियल बछड़ा पड़ा है। गाय इतनी मोटी-ताज़ी होने पर भी उस बछड़े से दूध पी रही थी।"

"दसवीं रात को मैंने एक विस्तृत पानी का चश्मा देखा जो हर ओर से फूट-फूटकर सारे जंगल को भिगो रहा है, मगर स्वयं उसका दहाना सूखा पड़ा है।"

जब मेहरान ने कैद के सारे सपने सुन लिए तो उसे दिलासा देते हुए कहा कि इन सपनों से न तो तुम्हें हानि होने का संकेत मिलता है; न ही तेरे सम्मान को बट्टा लगता है। हाँ, यूनान से सिकन्दर एक बड़ी फ़ौज लेकर आ रहा है। वह ईरान से चल चुका है। यदि तुम अपना मान रखना चाहते हो तो सिकन्दर से युद्ध की न सोचना क्योंकि तुम्हारी निर्बल फ़ौज उसका मुक़ाबला नहीं कर सकती। तुम्हारे पास जो चार बहुमूल्य वस्तुएँ हैं, वे संसार में किसी भी राजा-महाराजा के पास नहीं हैं। तुम उन्हें सिकन्दर को भेंट करके अपनी मित्रता का हाथ बढ़ा सकते हो। पहली वस्तु है तुम्हारी कन्या जो सौन्दर्य में स्वर्ग की अप्सराओं से भी अधिक लावण्यमयी है। दूसरी चीज़ वह दार्शनिक है जो तुमसे संसार-भर का भेद कहता है। तीसरी चीज़ वह वैद्य है जो हर रोग की औषधि जानता है। चौथी

चीज वह प्याला है जिसका पानी न आगे से, न धूप से गर्म होता है और न पीने से समाप्त होता है। अब मैं तुम्हारे सपनों का अर्थ बताता हूँ। वह शानदार घर छोटे-से झरोखे के साथ यह संसार है। उस तंग छेद से हाथी गुज़र जाता है। मगर सूँड रह जाती है। यह इशारा उस राजा की तरफ है जो लालची और दुष्ट है और मृत्यु के बाद बदनामी छोड़ जाता है।

"दूसरा सपना जिसमें सिंहासन पर अजनबी बैठा देखा, उसका अर्थ है कि यह संसार नश्वर है। यहाँ की हर चीज़ नश्वर है। एक आता है और दूसरा जाता है।"

"तीसरा सपना जिसमें टाट के टुकड़े को चार लोग घसीट रहे हैं, वास्तव में वह टाट का टुकड़ा खुदा की अटूट निष्ठा है जिसको चार विभिन्न धर्म के अनुयायी अपनी ओर खींचते हुए दीन-ए-खुदा को बचाने के लिए एक-दूसरे की जान के भूखे हो रहे हैं इनमें पहला ज़रदुश्त मत रखने वाला ईरान के आतिशक़दा की पूजा करने वाला हैं। दूसरा मूसा के अनुयायी यहूदी है। तीसरा यूनान के दार्शनिकों में से है और चौथा आदमी इस्लाम धर्म का मानने वाला है।"

"चौथा सपना जिसमें प्यासा आदमी और पानी डालती मछली देखी है उसका अर्थ है कि एक ऐसा समय आएगा जब लोग विद्या प्राप्त करेंगे, मगर उन्हें तिरस्कार मिलेगा और अनपढ़ को विद्या अपनी ओर बुलाएगी और वह उससे भागेगा। मगर इसके बावजूद संसार में सम्मान अनपढ़ को मिलेगा और विद्वान् दुखी एवं निराश फिरेगा।"

"पाँचवें सपने में जो तुमने प्रसन्नचित्त अन्धे देखे हैं, वह इस बात के द्योतक हैं कि इस संसार में कल बुद्धिहीन राज करेंगे और एक-दूसरे की खूब प्रशंसा करेंगे। लोग एक-दूसरे के लिए मन में घृणा रखेंगे, मगर ऊपर से शहद उगलेंगे। बगल में छुरी होगी और मुँह पर मुस्कान। कथनी-करनी, कहनी-सुननी में फर्क होगा। भले लोग दुखी होंगे अपमानित होकर घूमेंगे।"

"छठी रात का सपना, रोगी का निरोगी के पास जाकर कुशल-क्षेम पूछने का अर्थ है दरवीश अमीरों की खुशामद करेंगे। मगर उनसे उन्हें कुछ मिलने का नहीं, सिवा गुलामी और ग़रीबी के।"

"सातवीं रात का सपना जिसमें तुमने एक घोड़ा दो मुँह और बिना मल त्याग के अंग वाला देखा है, वह आदमी की लालची मनोवृत्ति दिखा रहा है कि इंसान को किसी प्रकार से धन-दौलत से सन्तोष नहीं होता है। और अधिक, और पाने की हवस उसे परेशान किए रहती है। जो मिलेगा उसका अंश-भर भी दान नहीं देगा, किसी दरिद्र पर कोई दया नहीं करेगा।"

"आठवाँ सपना, जिसमें खाली और भरे मटके देखे हैं, वह भी उन भले

इंसानों और पण्डितों की ओर इशारा है जो सदा उपकार करते हैं मगर बदले में उन्हें कुछ नहीं प्राप्त होता। यहाँ तक कि बारिश की बूँदें धरती के हर कण को भिगोती हैं, मगर वे साधु उससे भी वंचित रहते हैं।"

"नवाँ सपना जिसमें मोटी-ताज़ी गाय कमज़ोर बछड़े का दूध पी रही है, वह भी उन्हीं लोगों की ओर इशारा कर रही है जो वास्तविक हक़दार हैं, उनका हक़ वे ले रहे हैं जो वास्तव में इसके अधिकारी नहीं हैं। यहाँ पर सुस्त और कमज़ोर बछड़ा वही है जो अपने दामन से सारे फूल चुन-चुनकर दूसरों को देता है।"

"दसवें सपने में पानी का वह चश्मा और फुटाव इस बात की ओर इशारा करते हैं कि उस देश का बादशाह सिकन्दर—जिसकी आँख वह चश्मा है, वह अक़्ल से अँधा है मगर पूरे संसार पर विजय पाने का लालच रखता है।

"संक्षेप में तुम सिकन्दर को प्रसन्न करो। दुःख की छाया छँट जाएगी।" जब कैद ने यह सुना तो उसका मन-मस्तिष्क सन्तोष से भर गया। मेहरान की आँखों और सिर का चुम्बन ले वह बहुत प्रसन्न और सन्तुष्ट भाव से लौटा।

❖❖

सिकन्दर ईरान के बाद हिन्दुस्तान आया। ऊबड़-खाबड़ रास्ते से गुज़रने लगा। जब नगरों तक पहुँचता तो उसके पहुँचने से पहले ही नगर का दरवाज़ा उसके स्वागत के लिए खुला मिलता। चलते-चलते अन्त में वह कैद के नगर मिलाद में दाखिल हुआ। फ़ौज ने वहाँ पड़ाव डाला और सिकन्दर ने कैद को पत्र लिखा—"बुद्धिमान और सफल शाह वही है जो ऐसा कार्य न करे, जिससे चिन्ता बढ़े या उसका अन्त दुःखद हो। शाह को ईश्वर पर विश्वास रखना चाहिए क्योंकि आशा और निराशा का स्रोत वही है। उसी की कृपा से हम राजसिंहासन पर बैठे हैं और वास्तव में हम उसी की इच्छा और कृपा से संसार पर हुकूमत कर रहे हैं। मैं तुम्हें यह पत्र लिख रहा हूँ ताकि बिना देर किए तुम मेरी खिदमत में हाज़िर हो। यदि तुमने देर की या लापरवाही बरती तो मैं धुन का पक्का हूँ। तुम्हारा तख़्त व ताज़ रौंदकर रख दूँगा।"

सन्देशवाहक ने कैद के दरबार में पहुँचकर सिकन्दर का लिखा हुआ सन्देश दिया। कैद राजा ने बड़े आदर और सम्मान से सन्देशवाहक को समीप बुलाकर अपने पास बिठाया और कहा कि "मुझे सिकन्दर का फ़रमान पढ़कर बेहद खुशी हुई। मैं कभी भी उनके हुक्म से मुँह नहीं मोडूँगा। इस समय यदि मैं फ़ौरन ही बिना किसी तैयारी के सिकन्दर के हुजूर में पहुँच जाऊँ तो यह बात न सिकन्दर महान् को पसन्द आयेगी, न उस खुदा को जो हम सबसे महान् है।"

कैद ने यह कहकर क़लम-काग़ज़ मँगवाकर सिकन्दर के पत्र का उत्तर

लिखवाया जिसमें ख़ुदा की प्रशंसा के बाद सिकन्दर को सम्बोधित करते हुए लिखा गया कि नेक इंसान को यह शोभा नहीं देता कि वह अपने से बड़े बादशाह का हुक्म न माने और उसके लिए यह भी उचित नहीं है कि वह कोई भेद उससे छुपाए। मैं उसको बताना चाहता हूँ कि मेरे पास चार चीज़ें हैं जो संसार में किसी के पास भी नहीं हैं और न मेरे बाद किसी के पास होंगी। मैं उन चीज़ों को एक के बाद एक सिकन्दर महान् को भेंट करना चाहता हूँ। यदि उन्होंने आज्ञा दी तो मैं स्वयं उनकी ख़िदमत में हाज़िर हूँगा।"

सिकन्दर ने जैसे ही पत्र पढ़ा, उत्तेजित होकर सन्देशवाहक को दौड़ाया कि वह फ़ौरन पूछकर आए कि वे चार चीज़ें क्या हैं? मैंने संसार की हर अद्‌भुत वस्तु देखी है। कुछ भी मेरी नजरों से छुपा नहीं है। आखिर मुझे विश्वास है कि ख़ुदा ने उस सब कुछ से अधिक कुछ भी नहीं रचा है।"

कैद ने उस सन्देशवाहक को बिठाया और बताया–

के अगर बीनदश आफ़ताबे बुलन्द
शवद तीरे अज़ रुए आन अरजुमन्द
कमन्द अस्त गेसाश हम रंगे क़ीर
हमी आयद अज़ दो लबश बूए शीर
ख़म आरद ज़े बालाए उ सरो बन
दुर अफशान कुन्द चुन सरायद सुख़न

(मेरी एक बेटी है जिसके तेजस्वी मुख-मण्डल को देखकर चढ़ता सूर्य भी प्रकाशहीन हो जाता है। उसके काले कोलतार जैसे केश कमन्द के समान लम्बे और बल खाए हुए हैं। होंठ इतने निश्छल कि अभी तक उससे दूध की बू आ रही है। उसके क़द को देखकर सर्व का वृक्ष भी लज्जा से झुक जाता है। जब वह बोलती है तो लगता है कि मुँह से फूल झड़ रहे हैं। वह शान्त रहती है तो लाज और पवित्रता की मूर्ति लगती है। संक्षेप में उसके समान संसार में कोई दूसरी लड़की नहीं है।)

इस बयान के बाद कैद राजा ने आगे बताया कि इसके अतिरिक्त मेरे पास एक प्याला है। यदि शाह उसको मदिरा या ठण्डे पानी से भर दें और दस वर्ष तक अपने मित्रों के साथ मदिरा पान करते रहें तो भी उसमें मदिरा कम नहीं होगी। तीसरे, मेरे पास एक ऐसा वैद्य है जो आँखों से बहे आँसुओं को देखकर रोग पहचान लेता है। यदि वह सिकन्दर बादशाह के पास वर्षों रहा तो उसे कोई कष्ट कभी नहीं होगा। चौथा उपहार मेरे पास एक ज्ञानी के रूप में है जो ग्रहों और उपग्रहों के बारे में सब कुछ जानता है। वह संसार में घटने वाली भविष्य

की सारी घटनाएँ बता देगा। वास्तव में सिकन्दर को उसकी भविष्यवाणी से कोई चिन्ता या कष्ट नहीं होगा।

सन्देशवाहक जब कैद का सन्देशा लेकर सिकन्दर के पास पहुँचा और उसने सब कुछ कह सुनाया तो उसे सुनकर सिकन्दर का मन प्रफुल्लित हो उठा। वह बोला—"यदि ये चारों वस्तुएँ उसने मुझे भेंट कर दीं तो मैं शपथ उठाता हूँ कि उसके देश से जैसा आया था वैसा ही लौट जाऊँगा।" इसके पश्चात् उसने दस बुद्धिमानों को पत्र देकर यह काम सौंपा कि वे सब अपनी आँखों से ये सारी चीजें देखकर आएँ। जब उन्हें पूरा सन्तोष और विश्वास हो जाए तो वे आकर इस सत्यता की मुझे गवाही दें कि वास्तव में उन्होंने ऐसी चार वस्तुएँ देखी हैं जो संसार में न केवल दुर्लभ हैं बल्कि किसी और के पास ऐसी अद्भुत चीज़ें नहीं हैं। इसके पश्चात् उसने एक फ़रमान लिखवाया कि जब तक कैद जीवित रहेगा वह हिन्दुस्तान का बादशाह रहेगा।

कैद ने सिकन्दर के भेजे सज्जनों का आदर-सत्कार किया। फिर दूसरे दिन अपनी बेटी को उसने सोलह सिंगार के बाद सोने के सिंहासन पर बैठाया और बूढ़े बुद्धिमानों के समीप भेजा। उनकी निगाह जब उस अप्सरा पर पड़ी तो उन्होंने पाया कि उसके लावण्यमयी प्रकाश से चारों दिशाओं की चमक फीकी पड़ गई थी। वे आश्चर्य से ठगे रह गए। उनकी नज़रें उसके मुख-मण्डल से हटती ही न थीं। पैरों को धरती ने जकड़ लिया था। जब काफी देर हो गई और बूढ़े बुज़ुर्ग लड़की को देखकर नहीं लौटे तो क़ैद शाह ने दासों को भेजकर देरी का कारण जानना चाहा। आकर उन्होंने बताया कि "इससे पहले हमने इतनी सुन्दर लड़की राजमहल में नहीं देखी है। हम सब उसके प्रत्येक अंग की प्रशंसा लिखेंगे।" वही हुआ। सबने उसके एक-एक अंग के बारे में पंक्तियाँ लिखीं और उसी से पत्र पूरा-पूरा भर गया।

सिकन्दर ने उनका पत्र पढ़ा और उनकी बातें सुनीं तो चकित रह गया। पल-भर की देर किए बिना उसने पत्र का उत्तर लिखा—"फ़ौरन उन चार वस्तुओं को लेकर आओ। इससे बढ़कर सबूत मुझे और क्या चाहिए। एलान कर दो कि इसके बाद कोई भी राजा को कष्ट न पहुँचाए क्योंकि उसने मुझे वे चीज़ें भेंटस्वरूप दी हैं जो दूसरा कोई नहीं दे सकता है।"

राजा कैद सिकन्दर महान के आक्रमण से बाल-बाल बच गया और उससे पारिवारिक सम्बन्ध भी बन गया। इसके बाद उसने शाही ख़जाने को खुलवाया और उसमें से सबसे अधिक मूल्यवान् हीरे-जवाहरात, मसन्द, मुकुट चुना, फिर सौ ऊँटों पर यह सारा सामान लादा गया। दस खच्चर अपनी पीठ पर दीनारों

का बोझ उठाए हुए है। अन्य सौ ऊँटों पर चाँदी और सोने के दरहम लदे हुए थे। दस हाथी शहज़ादी का सोने का तख़्त उठाए हुए थे।

शहजादी आँसू बहाती हुई अपने माँ बाप से जुदा हो, उन उपहारों के संग सिकन्दर की ओर चल पड़ी। जब सजी-धजी सिकन्दर के कक्ष में पहुँची तो उसके सफेद चेहरे पर काले केश अपना घेरा डाले हुए थे।

दो चश्मश चू दो नरगिस अन्दर बेहिश्त
के गुफ़्ती कि अज़ नाज़ दारद सरिश्त
बे कदो बे बाला चू सर्वे रवान
ज़े दीदार उ दीदेह बद नतवान

(उसके नैन मानो स्वर्ग के नरगिस के फूल के समान ख़ुमार और नाज़ व अदा के खमीर बने हुए थे। कद सर्व के समान लम्बा था। उस पर दृष्टि टिक नहीं पा रही थी।)

सिकन्दर ने जब उस लड़की अर्थात् शहज़ादी को देखा तो बरबस कह उठा—

सिकन्दर निगह कर्द बाला-ए-उ
हुमन मुए व रूइ व सरापा-ए-उ
हमी गुफ़्त कायनत चिराग़-ए-जहाँ
हमी आफ़रीन, खानद अन्दर निहान
बर आन दाद गर कू स्पहर आफ़रीद
बर आनगूने बाला व चहर आफ़रीद

(यह लड़की नहीं, वास्तव में प्रकाश-पिण्ड है। मन-ही-मन सिकन्दर ख़ुदा की तारीफ़ करने लगा। शहज़ादी के बाल, क़द आँखों को निहारता हुआ बोला—"जिस ख़ुदा ने स्वर्ग और प्रकाश रचा है उसी ने यह शक्लोसूरत भी गढ़ी है।")

इसके पश्चात् सिकन्दर ने पादरियों को आमन्त्रित किया और ईसाई धर्म के अनुसार शहज़ादी से विवाह किया। उसके बाद ख़जाने का मुँह खोल दिया। शहज़ादी को सर से पाँव तक आभूषणों से ऐसे लाद दिया कि उसके लिए चलना तो दूर, पग उठाना भी मुश्किल हो गया।

सिकन्दर ने विवाह के बाद कैद राजा के भेजे दूसरे उपहारों को आजमाना शुरू कर दिया। सिकन्दर ने एक बर्तन गाय के घी से भरकर उसे दार्शनिक के पास भेजा कि वह उसे तन पर मल दे ताकि उसकी थकन जाती रहे। दार्शनिक एक नजर में सब कुछ सूझ गया और हजार सुइयाँ उस घी में डालकर शाह को वापस भेज दिया। सिकन्दर ने लोहारों को बुलवाकर उन सुइयों से एक टुकड़ा बनवाकर उस दार्शनिक को भेजा। उसने फौरन उस काले लोहे से चमकता

हुआ आईना बनाकर सिकन्दर के पास भेज दिया। सिकन्दर ने उसे गीला रखा ताकि उस पर ज़ंग लग जाए। फिर ज़ंग लगा दर्पण उसे वापस भेजा। इस बार दार्शनिक वैद्य ने उस दर्पण पर ऐसा मरहम लगाया कि वह ज़ंग-रहित बन गया।

सिकन्दर ने उस दार्शनिक को समीप बुलाया और घी के उस बर्तन के बारे में पूछा। उसने उत्तर दिया कि "बादशाह सलामत! आपने घी से भरा प्याला भेजकर मुझ पर यह साबित करना चाहा था कि आप सब बुद्धिमानों व पण्डितों से हर दर्शन में महान हैं। मैंने उसका उत्तर दिया था कि पवित्र और बुद्धिमान लोग सदा इस बात के लिए तैयार रहते हैं कि वह हर कठिनाई को झेल लेंगे। दूसरे, मेरी बाल से भी अधिक बारीक आपका दिल लोहे की तरह जंग लगा है। आपने मेरी बात का उत्तर दिया कि उम्र के इतने साल बीत गये और मैं जंग लगा लोहा बन गया हूँ। उस पर चढ़ी कालिमा कैसे उतरेगी? मैंने उत्तर में यह चीज़ भेजी जिससे कि लोहे पर ज़ंग नहीं लगता और कहलाया कि तेरे दिल को मैं ज्ञान और विद्या से चमका दूँगा।"

सिकन्दर ने दार्शनिक की बातें सुनीं और खुश होकर उसे हीरे-जवाहरात से लाद दिया। मगर उसने यह सब कुछ लेने से इंकार कर दिया और कहा, "मेरे पास एक मोती है जो सोने-चाँदी से भी बहुमूल्य और प्रकाशमान् है। धन-दौलत तो शैतान की देन है, मगर यह खुदा का दिया उपहार है। इसकी रक्षा के लिए न रात को पहरेदार की आवश्यकता पड़ती है, न यात्रा में डाकुओं से लुटने का डर रहता है। यह वह मोती है जिसका नाम विद्याज्ञान है। इस सारगर्भित मोती के रहते मुझे किसी भी तरह की आवश्यकता नहीं है।" दार्शनिक की सारी बातें सुनकर सिकन्दर चकित रह गया। आदर से उसके आगे नतमस्तक हो गया और उसकी भूरि-भूरि प्रशंसा करता हुआ बोला—"मैं हृदय की गहराई से तुम्हारे ज्ञान की गरिमा और उपदेशों की महिमा का प्रशंसक हूँ।"

उसके बाद सिकन्दर ने कैद राजा के उस वैद्य को अपने पास बुलाया और प्रश्न किया—"रोगियों में सबसे ज़्यादा दुःखी कौन है?" वैद्य ने उत्तर दिया—"जो सबसे अधिक खाना खाता है। अधिक खाने से स्वास्थ्य गिर जाता है।" उसके पश्चात् वैद्य ने सिकन्दर ने कहा कि "मैं आपको जड़ी-बुटियों से बनी एक औषधि दूँगा जिससे आप हमेशा भले-चंगे रहेंगे। इस औषधि के खाने से भूख बढ़ती है। और अधिक खाने से पेट खराब नहीं होगा। खून बढ़ेगा और ताक़त अधिक आएगी। चित्त प्रसन्न रहेगा। बुढ़ापा दूर भागेगा। मुख पर ताज़गी रहेगी। बाल सफ़ेद नहीं होंगें विचार पवित्र रहेंगे और सबसे महत्त्वपूर्ण बात यह है कि आप जीवन से जल्दी निराश नहीं होंगे।"

औषधि का यह बखान सुनकर सिकन्दर ने कहा कि "आज तक मैंने ऐसी अनोखी औषधि के बारे में नहीं सुना है। यदि तुम मुझे यह औषधि ला दो तो मैं तुम्हें वचन देता हूँ कि कभी भी तुम्हारी बुराई किसी के मुख से नहीं सुनूँगा। सदा तुम्हारे लिए अच्छा सोचूँगा।"

वैद्य तन्हा सघन जंगल में गया। उसे ज्ञान था इसलिए उसने ज़हरीली और बेक़ार की घास को अलग फेंका और मूल्यवान् जड़ी-बुटियाँ बटोरकर उनसे औषधि तैयार की और उससे सिकन्दर का शरीर धोया। वह ध्यानपूर्वक सिकन्दर की सेहत और तन्दुरुस्ती का ख़्याल रखने लगा।

सिकन्दर चूँकि सोने की बजाय ऐश व मस्ती में रात गुजारता था जिसके कारण उसका स्वास्थ्य बिगड़ने लगा। एक दिन वैद्य ने देखा कि सिकन्दर की आँखों में कमज़ोरी टपक रही है। उसका यह हाल देखकर वैद्य ने कहा—"रात-रात-भर सम्भोग करने से जवान भी शीघ्र बूढ़ा हो जाता है। मुझे लग रहा है, तुम तीन रात से सोए नहीं हो।"

सिकन्दर ने उसकी बात मानने से इनकार कर दिया। फिर भी वैद्य ने ताक़त की औषधि बनाकर रख ली। उस रात सिकन्दर बिना किसी सुन्दरी के अकेला सोया। सुबह जब वैद्य ने उसकी आँखें देखीं तो सन्तुष्ट होकर वह दवा फेंक दी। वैद्य प्रसन्न था। उसकी सेवा देखकर सिकन्दर प्रभावित हुआ। इस खुशी में भोज और समारोह के आयोजन का हुक्म दिया। फिर वैद्य ने पूछा—"यह औषधि जो इतनी मेहनत से बनाई थी तुमने फेंक क्यों दी? वैद्य ने उत्तर दिया कि "बादशाह! कल अकेले सोए, यही उस रोग की औषधि है। इस कारण दूसरी औषधि फेंकनी पड़ी।" सिकन्दर ने प्रसन्नता से कहा—"चन्द बोरे दीनार से भरे, सोने की ज़ीन से सजा एक काला घोड़ा उसे इनाम में दिए जाएँ।"

अन्त में सिकन्दन ने उस अद्‌भुद जाम को मँगाया और उसमें ठण्डा पानी भर दिया गया। सुबह तक पीने पर भी जब पानी समाप्त नहीं हुआ तो उसने उस बुद्धिमान को बुलाया और पूछा—"हिन्दुस्तान जादू-टोने का देश है। इस जाम का क्या भेद है जो इसका पानी कम नहीं होता?"

उस बुद्धिमान ने उत्तर दिया कि "इस जाम को बनाने में कई साल लगे हैं। बड़े-बड़े ज्यातिषि कैद बादशाह के दरबार में जमा हुए थे जिन्होंने अपना मन-मस्तिष्क निचोड़कर ग्रहों की दशा, उपग्रहों का प्रभाव जानकर बड़े मनोयोग से यह जाम गढ़ा है। वास्तव में यह जाम ज्योतिषियों के खून-पसीने से बना हैं इसमें चुम्बकीय शक्ति है। जैसे चुम्बक लोहे को अपनी ओर खींचता है, उसी प्रकार से इसमें कुछ ऐसी धातुएँ लगी हैं जो जाम में पानी के समाप्त होने से

पहले ही प्रकाश में उपस्थित जलकणों को अपने में खींच लेती हैं। इसलिए यह सदा पानी से भरा रहता है। यह क्रिया हमारी आँखों से छुपी हर पल, हर क्षण, मंद गति से चलती है।"

सिकन्दर को जाम की यह व्याख्या पसन्द आई और उसने प्रसन्नतापूर्वक एलान किया कि "मैंने जो वचन बादशाह कैद को दिया है, कभी नहीं तोड़ूँगा क्योंकि उसने ऐसी चार चीज़ें मुझे भेंट की हैं, जो वास्तव में संसार में न केवल बहुमूल्य हैं, बल्कि किसी अन्य के पास नहीं हैं और उनका कोई जबाब दुनिया में मौजूद नहीं है।"

इसके बाद सिकन्दर ने बहुत सारे उपहारों के साथ सौ सोने के मुकुट भेजे और जो सोना-चाँदी उसके पास बच रहा था, उसको उसने वहीं पर्वत और मैदान में बिखेर दिया। यह सच है कि संसार में सिकन्दर के बाद किसी बादशाह ने इतनी धन-दौलत नहीं देखी।

दास्तान-ए-बहराम शाह और लम्बक सक़्क़ा

एक दिन बादशाह बहराम पहलवानों एवं बहादुरों के संग शिकार खेलने जा रहा था। राह में एक बूढ़ा आदमी लाठी टेकता हुआ, उसके सामने आन खड़ा हुआ और बोला—"जहाँपनाह! हमारे शहर में दो आदमी रहते हैं। एक अमीर और दूसरा ग़रीब। अमीर का नाम बराहाम है, जो दरअस्ल कंजूस यहूदी है। जो अमीर है, उसको लम्बक सक़्क़ा के नाम से जाना जाता है। यह खुले दिल का हँसमुख इंसान है।"

बहराम शाह ने दोनों के बारे में विस्तार से जानना चाहा तो उस बूढ़े ने कहा कि लम्बक सक़्क़ा आधे दिन पानी बेचता है और उससे होने वाली आमदनी को महमानों के आदर-सत्कार में खर्च कर देता है और दूसरे दिन के लिए एक कौड़ी भी बचाकर नहीं रखता है। मगर बराहाम अपनी सारी धन-दौलत के साथ, सारे शहर में कंजूस यहूदी के नाम से जाना जाता है।

बहराम बादशाह ने पूरे शहर में मुनादी करा दी कि किसी भी आदमी को लम्बक सक़्क़ा से पानी ख़रीदने की इजाज़त नहीं है। शाम ढले बहराम शाह घोड़े पर बैठा अकेला सक़्क़ा के घर की तरफ चल पड़ा। दरवाजे पर दस्तक दी और कहा कि मैं ईरानी फौज से बिछड़ गया हूँ। अब तुम्हारे दर पर पनाह लेने आया हूँ। यदि तुम कहो, तो मैं रात यहीं गुज़ारूँ, तुम्हें अपनी मर्दानगी की सौगन्ध, मुझे इजाज़त दे दो!

सक़्क़ा बहराम शाह की मीठी आवाज़ और बोलने के ढंग से प्रभावित हुआ और दरवाज़ा खोलकर कहने लगा—"ए सवार! अन्दर आ जा, तेरे साथ दस आदमी और हों तो वे भी सर-आँखों पर।"

बहराम शाह यह सुनकर घोड़े से नीचे उतरा। सक़्क़ा ने बढ़कर घोड़े की लगाम पकड़ी और उसको एक किनारे ले जाकर बाँधा। फिर बहराम को अन्दर लाकर आदर से बिठाया और उसके आगे शतरंज की चौपड़ बिछाई ताकि अतिथि अकेलापन महसूस न करें। कब तक वह मोहरों को इधर-उधर करेगा, तब तक

सक़्क़ा रात के भोजन की तैयारी कर लेगा। जब भोजन तैयार हो गया तो उसने बहराम शाह को 'दस्तरख़ान' पर बुलाया, शराब से उसकी आवभगत की और प्रेम से भोजन कराया। बहराम शाह सक़्क़ा के अतिथि-सत्कार से बहुत प्रभावित हुआ।

खाना खाकर बहराम बादशाह सो गया। जब सुबह उसकी आँख खुली तो सक़्क़ा ने कहा—"आज हमारे यहाँ और रुकिए अगर कोई दोस्त हो जिसे आप बुलाना चाहें तो बुला लीजिए।" यह कहकर सक़्क़ा ने अपनी मशक उठाई और पानी बेचने चल दिया। सारे दिन सक़्क़ा इधर-उधर मारा-मारा फिरा; मगर किसी ने उसका पानी नहीं खरीदा। थककर वह बाज़ार गया और अपना कुर्ता बेच दिया। मशक के नीचे रखने वाले कपड़े से उसने अपना तन ढक लिया। खुशी-खुशी लम्बक सक़्क़ा ने उस पैसे से गोश्त खरीदा और घर आकर उसी आदर-सत्कार से अतिथि-सेवा में जुट गया और इस तरह से दूसरा दिन भी गुज़र गया।

तीसरे दिन सक़्क़ा ने फिर बहराम शाह को रुकने को कहा। बहराम मान गया। सक़्क़ा बाज़ार की तरफ गया और उसने अपनी मशक़ एक बूढ़े आदमी के पास गिरवी रखी और उस पैसे से गोश्त खरीदकर जल्द घर लौट आया और मेहमान से कहा कि आज तुम भी खाना पकाने में मेरी मदद करो। दोनों ने मिलकर खाना पकाया। फिर ईरान के शाह के नाम पर शराब का जाम मुँह को लगाया।

चौथे दिन लम्बक सक़्क़ा ने बहराम शाह से कहा कि अगरचे मेरी इस झोंपड़ी में तुमको कोई आराम नहीं पहुँचा; फिर भी, तुम्हें अगर शाह ईरान का भय न हो तो दो सप्ताह मेरे यहाँ मेहमान रह जाओ। बहराम शाह ने इंकार करते हुए कहा कि मैं तीन दिन तेरा अतिथि रहा, अब आज्ञा दे! अलबत्ता मैं तेरी मेहमानवाज़ी का ज़िक्र किसी ऐसी महफिल मे ज़रूर करूँगा कि जिससे तुझे खुशी भी होगी और फायदा भी पहुँचेगा।

यह कहकर बहराम शाह शिकारगाह की ओर लौटा और सारे दिन शिकार खेलता रहा। जब शाम ढली तो वह चुपके से बराहाम यहूदी के यहाँ पहुँचा। कुंडी खटखटाई और कहा—"मैं शाही फौज से भटक गया हूँ। रास्ता जानता नहीं हूँ। इस अँधेरी रात में फ़ौज तक पहुँचना मुश्किल है। इजाज़त हो तो मैं यहीं किसी कोने में रात बसर कर लूँ। तुझे कोई तकलीफ़ नहीं होने दूँगा।"

नौकर ने बहराम गूर की बात कंजूस यहूदी से जाकर कही। यहूदी ने इंकार करते हुए कहा कि उसके घर में कोई जगह नहीं है। बहराम बादशाह ने फिर अपना निवेदन दोहराया कि केवल रात-भर ठहरने की जगह दे दो। मैं और कुछ नहीं माँगता।

कंजूस यहूदी चिढ़कर बोला—"बाबा, इस घर में केवल एक नंगा-भूखा यहूदी

रहता है। तेरे लिए कोई जगह नहीं है। जा, लौट जा!"

बहराम शाह ने कहा—"अच्छा, अगर घर के अन्दर नहीं आने देते हो तो मुझे दरवाज़े पर सोने की इजाज़त दे दो!" कंजूस यहूदी उसकी बात सुनकर पिघला और बोला—"तू दरवाज़े पर सोना चाहता है। अगर तेरी कोई चीज़ चोरी चली गई तो तू मुझी को तंग करेगा। अच्छा अन्दर आ जा। लेकिन ख़बरदार जो मुझसे कुछ माँगा। यह भी याद रख कि अगर तू मर गया तो तेरे कफ़न-दफ़न की कोई ज़िम्मेदारी मुझ पर नहीं है।"

बहराम शाह दरवाज़े के पास बैठ गया। अब कंजूस यहूदी को तरह-तरह की चिन्ताएँ सताने लगीं। आखिर इसके घोड़े की रखवाली कौन करेगा! अजीब बेशर्म-बेहया आदमी है। वह फिर उत्तेजित-सा बोला—'देख अगर तेरे घोड़े ने लीद की या खुरों से फर्श की कोई ईंट तोड़ दी तो यह तेरी ज़िम्मेदारी होगी कि लीद को मैदान में फेंककर आए और टूटी ईंट के बदले नई ईंट लाकर दे।"

बहराम शाह ने कंजूस यहूदी की हर शर्त मान ली। घोड़े को एक तरफ बाँधा। म्यान से तलवार निकाली। नम्दे का बिस्तर और ज़ीन का तकिया बनाया और टाँगें पसारकर सो गया।

कंजूस यहूदी ने उसको सोया जानकर पहले घर का दरवाज़ा बन्द किया। उसके बाद दस्तरख़ान बिछाकर भोजन करना आरम्भ किया। बहराम शाह की तरफ मुँह करके बोला—"मेरी बात ग़ौर से सुन, दुनिया में जिसके पास होता है, वह मेरी तरह खाता है और जिसके पास नहीं होता है, वह तेरी तरह टुकर-टुकर ताकता रहता है!"

बहराम शाह ने करवट बदलकर कहा—"मैंने यह बात पहले भी सुनी थी। मगर आज आँखों से देख रहा हूँ।" खाना खाकर यहूदी ने शराब का जाम भरा और बहराम शाह को सम्बोधित करता हुआ बोला—

कि हर कस दारद दिलश रौशन अस्त
दरम पीश-ए-उ चुन यकी जोशन अस्त

(जिसके पास दौलत है, उसके दिल में गर्मी है। दौलत कवच के समान आदमी की रक्षा करती है।)

कंजूस यहूदी ने शराब का दूसरा घूँट भरा और बड़ी मस्ती में कहा :

कसी के उनदारद बुअद खुश्क़ लब
चुनान चुन तुई गुरसने नीम शब

(जिसके पास पैसा नहीं, उसके होंठ सूखे रहते हैं और ठीक तेरी तरह वह

आधी रात को भूखा सोता है।)

बहराम शाह ने कहा—"तुम्हारी दिलचस्प बातें मुझे याद रहेंगी।"

सुबह हुई तो बहराम शाह ने घोड़े पर ज़ीन कसी और चलने की तैयारी करने लगा। यहूदी कंजूस लपकते हुए बहराम शाह के समीप पहुँचा और बोला—"तुझे याद नहीं कि तूने वायदा किया था कि घोड़े की लीद साफ करके जंगल में फेंक आएगा। मुझे तेरा जैसा मेहमान बिल्कुल पसन्द नहीं है।"

बहराम शाह ने कहा—"तुम इस लीद को किसी से साफ करा दो, मैं उसको पैसा दे दूँगा।"

यहूदी कंजूस बोला—"मेरे पास कोई आदमी नहीं है जो लीद साफ करके फेंक आए।"

बहराम शाह ने जब उसका जवाब सुना तो उसके दिमाग़ में एक तरकीब आई। उसने अपना रेशमी रूमाल जो इत्र से बसा हुआ था, निकाला और उससे लीद उठाकर दूर फेंक दी। यहूदी कंजूस रेशमी रूमाल के पीछे भागा और लीद झाड़कर वह रूमाल उठा लिया। बहराम शाह उसकी यह हरकत देखकर ठगा-सा रह गया।

"अगर तुम्हारी इस हरकत के बारे में ईरान के शाह को पता चला तो वह तुम्हें दरबार में ज़रूर ऊँची पदवी देकर इतनी धन-दौलत देंगे कि तेरा दिल दुनिया की हर चीज से भर जाएगा।" इतना कहकर बहराम शाह महल लौट आया। सारी रात वह चिन्ता में डूबा रहा। मगर इस भेद को किसी पर ज़ाहिर नहीं किया।

सुबह हुई तो उसने लम्बक सक़्क़ा और बराहाम यहूदी कंजूस को अपने दरबार में बुलाया। साथ ही यह हुक्म भी दिया कि एक ईमानदार आदमी यहूदी के घर जाए और उसका सारा माल जो उसके घर में मौजूद हो उसे तथा यहूदी कंजूस को अपने साथ लेकर दरबार में हाज़िर हो।

जब वह ईमानदार आदमी यहूदी के घर पहुँचा तो घर के हर कमरे को सोने-चाँदी, क़ालीन और क़ीमती वस्तुओं से भरा पाया। माल-असबाब इतना ज़्यादा था कि उसकी गिनती करना मुश्किल था। उसने हज़ार ऊँटों पर वह सारा सामान लदवाया और बादशाह के हुजूर में लाया। फिर बहराम शाह को बताया—"हुजूर! इतनी दौलत तो आपके ख़जाने में भी नहीं है। अब भी जो कुछ वहाँ रह गया है, उसको दो सौ गधों पर लादा जा सकता है।"

बहराम शाह इतनी धन-दौलत देखकर आश्चर्यचकित रह गया और सोच में पड़ गया। उसने सौ ऊँटों पर लदा सामान लम्बक सक़्क़ा को इनाम में दे दिया और यहूदी कंजूस को सम्बोधित करता हुआ बोला कि रात तुम्हारे घर में सवार

मेहमान था, उसने मुझे तुम्हारी बातें बताई थीं कि–

कि हर कस कि दारद फ़ज़ूनी खुरद
कसी को नदारद हमी पश मुर्द

(जिसके पास होता है वह पेट भर खाता है और जिसके पास कुछ नहीं होता वह यूँ ही तरसता है।)

बहराम शाह ने इतनी बात कहकर यहूदी कंजूस के चेहरे को देखा और कहा कि–

कनून दस्त याअज़ आन जे खूरदन बेकश
बेबीन ज़ेइन सपस खूरदन आब कश

(अब तुम खाने से अपना हाथ खींच लो और आज से सक़्क़ा के खाने को ताकते रहो!)

इसके बाद बहराम शाह ने यहूदी कंजूस को रात की एक-एक बात याद दिलाई और उसके हाथ पर चार दरहम रखते हुए बोला–"जाओ इससे अपना गुजारा करो!"

बेचारा यहूदी कंजूस वहाँ से रोता-पीटता हुआ चल दिया।

दास्तान-ए-शतरंज

भारतवर्ष के नगर सन्दल में जमहूर नाम का एक राजा राज करता था। उसका साम्राजय बसत व कश्मीर से लेकर चीन तक फैला हुआ था। राजा के पास अथाह धन और बड़ी फौज थी। हर जगह उसके नाम का डंका बजता था।

हुमान बादशाह बूद, बर हिन्दुआन
ख़िरदमन्द व बीना व रोशन रवान

(हिन्दुस्तान का यह बादशाह बहुत बुद्धिमान, सूक्ष्म दृष्टि और रवान खुले विचार रखने वाला था।)

प्रजा उसका बहुत आदर करती थी। आखिर राजा के यहाँ एक पुत्र ने जन्म लिया जिसका नाम उसने गव रखा। कुछ दिनों बाद राजा बीमार पड़ा और उसने महारानी से अपनी अन्तिम इच्छा कही कि मेरे बाद मेरा बेटा राजा होगा।

राजा के देहान्त के बाद फौजी और सरकारी लोग जमा हुए। औरत मर्द, बूढ़े, जवान सभी सलाह-मशविरे के लिए बैठ गए। सबकी एक ही राय थी कि छोटा-सा बच्चा कुछ नहीं जानता, न फौज को क़ाबू में रख सकता है और न न्याय कर सकता है और न खुद राजसिंहासन पर बैठ सकता है और न सिर पर मुकुट रख सकता है। इसलिए सब लोग इस परिणाम पर पहुँचे कि अगर किसी उचित व्यक्ति को राजा न बनाया गया तो सारे राज्य में अशान्ति फैल जाएगी। अन्त में तय पाया कि राजा के भाई 'माय' को, जो नगर दनबर का शासक है, बुलाया जाए और उसे राजगद्दी दी जाए। माय अपने शहर से सन्दल आया और राज्य की बागडोर सँभाली। उसने अपने मृत भाई की पत्नी को अपनी रानी बना लिया। कुछ समय पश्चात् माय से भी एक पुत्र तलहन्द नाम का पैदा हुआ। माय उससे बहुत प्रेम करता था लेकिन अभी तलहन्द दो साल और गव सात साल का हुआ था कि माय बीमार पड़ा और दो हफ़्ते बाद ही उसकी मृत्यु हो गई।

सन्दल के लोगों को माय की मौत का बहुत दुःख हुआ। एक मास तक सब उसकी मौत का दुःख मनाते रहे। इसके पश्चात् फ़ौज के अफसर और

शहर के बुद्धिमान लोग जमा हुए और नये राजा के बारे में परामर्श करने लगे। आख़िरकार सबने तय किया कि जब तक दोनों राजकुमार छोटे हैं, खुद रानी राज्य का कार्य सम्भालेगी। सारे लोग रानी के न्यायप्रिय स्वभाव के प्रशंसक थे और उसे राजसिंहासन के लिए योग्य भी समझते थे, इसलिए लोग रानी के सम्मुख उपस्थित हुए और कहा कि यह साम्राज्य आपके दोनों बेटों का है, लेकिन जब तक वे बड़े नहीं होते, तब तक आपको ही राज-काज देखना पड़ेगा। जब वे बड़े हो जाएँगे तो राज-पाट उनके हाथ सौंपकर स्वयं उनकी मंत्री बन जाइएगा। रानी ने प्रजा की बात मान ली और राज-पाट सँभाल लिया।

बदीशान सिपुर्द आन दो फ़रज़न्द रा
दो मेहतर निज़ाद ख़िरदमन्द रा

(उसने दो चतुर ब्राह्मणों को अपने बेटों की शिक्षा-दीक्षा के लिए नियुक्त किया।)

समय गुज़रता गया। धीरे-धीरे उसके बेटे बड़े हो गए। कभी-कभी वे अपनी माँ से पूछते कि हममें से कौन अच्छा है? माँ जवाब देती–"तुममे से जो ज़्यादा बुद्धिमान, पवित्र और ईमानदार है; वही अच्छा और महान् है।" फिर वे पूछते कि यह देश किसका है? यह धन-दौलत, यह तख़्त-ताज किसके हिस्से में आएगा। माँ दोनों से अलग-अलग कहती–"यह देश, यह तख़्त व ताज तेरा है।" इस उत्तर से दोनों बेटे अपनी-अपनी जगह प्रसन्न हो जाते परन्तु धीरे-धीरे उनके दिलों में ईर्ष्या की आग भड़कने लगी और वे तख़्त-ताज के लिए अधिक चिन्तित रहने लगे। कभी-कभी मन-ही-मन उदास भी हो जाते। आग पर तेलका काम उनके साथी करते थे। वे भड़काते हुए कहते कि अपनी माँ से जाकर पूछो कि हममें से कौन अच्छा और लायक है और बुरे-भले समय में सन्तोष, शान्ति और सद्बुद्धि से काम ले सकता है?

आखिर एक दिन माँ ने कहा, "शहर के बुद्धिमान और सहृदय लोगों को बुलाकर परामर्श करो कि इन दोनों बेटों में से कौन तख़्त-ताज़ का अधिकारी बनने के लिए न्यायप्रियता एवं अन्य गुणों से युक्त है। यूँ तो हिंसा से राज का नाश ही हो जाएगा।" माँ की बात सुनकर बड़ा बेटा गव बोला–"माँ, सच-सच बताओ–बहाने मत बनाओ। अगर मैं राज की बागडोर, सम्भालने के लायक नहीं हूँ तो राज तलहन्द को दे दो। मैं छोटे भाई की तरह उसकी सेवा करूँगा। लेकिन यदि मैं आयु और बुद्धि में तलहन्द से बड़ा हूँ और अपने पिता का सच्चा बेटा हूँ तो तलहन्द से कह दो कि वह राजगद्दी पर नज़र न लगाए और इस बात को दिल पर अधिक न लगाए।"

माँ ने समझाते हुए कहा—"राजकाज के लिए ज़्यादा दुखी न हो। यह नश्वर संसार किसी का नहीं है। तुम्हारा बाप राजा जमहूर कितना अच्छा आदमी था, पर वह मर गया। उसके बाद तेरा चाचा तख़्त पर बैठा। कुछ समय पश्चात् वह भी चला गया। तू बड़ा है, ज़्यादा सूझ-बूझ वाला है, फिर क्यों बिना वजह कुढ़ता है।" माँ ने दुखी होकर आगे कहा कि "मेरी मजबूरी यह है अगर मैं एक को राजपाट देती हूँ तो दूसरा मेरा शत्रु बन जाएगा और खून-खराबे पर उतर जाएगा। लेकिन मेरा कहना है कि इस नश्वर संसार के लिए आपास में खून-खराबा करने से क्या लाभ है।"

इधर तलहन्द यह सोचता कि माँ गव का साथ देती है। वह माँ से कहता—"ठीक है, गव मुझसे आयु में बड़ा है। लेकिन मुझसे अच्छा नहीं। अफसोसकि मेरा पिता जवानी में मर गया और मुझे तख़्त-ताज का स्वामी न बना सका। माँ तेरा मन तो गव में लगा है और तू उसी को आगे बढ़ाना चाहती है।"

माँ ने सौगन्ध खाई कि उसके मन में ऐसी कोई बात नहीं है। लेकिन उसने देखा कि समझाने-बुझाने से कोई लाभ नहीं है। इस कारण उसने दूसरी राह अपनाई उसने देश-भर के बुद्धिमान लोगों को इकट्ठा किया। उनके सामने दोनों राजाओं के ख़जाने की कुंजियाँ रख दीं और उन्हें बताया कि दोनों बेटे राज-पाट के बारे में क्या सोचते हैं। गव ने तलहन्द से कहा—"तुम्हें मालूम है कि मेरा बाप जमहूर तुम्हारे बाप 'माय' से उम्र और अक़्ल में बड़ा था, लेकिन माय भी सज्जन आदमी था; क्योंकि बड़े भाई के जीते-जी उसने कभी तख़्त-ताज की हवस नहीं की और कभी बड़ा बनने की कोशिश भी नहीं की। लेकिन अगर तुम राजसिंहासन पर बैठोगे और मैं छोटे भाई की तरह तुम्हारी सेवा करूँगा ता यह उचित नहीं होगा। अच्छा यही है कि हम चन्द अक्लमन्दों को इकट्ठा करें और वे जो फैसला करें, उसे हम मान लें, क्योंकि वे लोग हमसे अधिक बुद्धिमान हैं।"

इसके पश्चात् गव और तलहन्द की तरफ से एक-एक विद्वान् चुने गए। दोनों वार्तालाप करने लगे। गव की तरफ का विद्वान् बोला कि संदल का तख़्त-ताज गव को मिलना चाहिए। मगर तलहन्द की तरफ का आया आदमी तरह-तरह की दलीलें पेश कर रहा था। परिणाम यह हुआ कि परामर्श की जगह वे एक-दूसरे से लड़ने लगे।

आखिरकर महल में दो तख़्त बिछाए गए। गव और तलहन्द उन पर बैठे और उनका अपना-अपना विद्वान् उनकी दाहिनी तरफ विराजमान हुआ। उन्होंने राज्य के सारे बुद्धिमानों को जमा किया और तख़्त के दाहिनी और बायीं ओर बिठाया। विद्वानों ने पूछा कि आप लोग दोनों राजकुमारों में से किसे राजा बनाना चाहते हैं?

सबने देखा कि किसी एक को राजा बनाना मुश्किल है। इससे बात लड़ाई

तक पहुँचेगी और राज्य के दो टुकड़े हो जाएँगे जिससे लोगों का नुकसान होगा। इसलिए उन्होंने तय किया कि एक संस्था बनाकर परस्पर इस गुत्थी को सुलझा लेंगे। जो तय होगा उसकी के अनुसार दोनों राजकुमारों में से एक को राजा बना दिया जाएगा।

यह कहकर विद्वान् और बड़े-बूढ़े लोग महल से बाहर निकले। उनके मन उदास और चेहरे उतरे हुए थे। वे लोग सारी रात परामर्श करते रहें लेकिन किसी परिणाम पर नहीं पहुँचे। सुबह को सारे नगर में इसी बात की चर्चा थी।

एक तरफ कुछ लोग गव को राजा बनाना चाहते थे तो दूसरे तलहन्द को। तलहन्द के मानने वाले गव को गाली दे रहे थे और गव के तरफदार उस पर जान देने को तैयार थे। इस प्रकार सारे सन्दल राज्य में अशान्ति फैल गई। सच है, जब किसी घर में दो हुक्म चलने लगें तो घर बरबाद हो जाता है।

कुछ लोगों ने यह उपाय निकाला कि दोनों राजकुमारों को अलग-अलग राज दे दिया जाए ताकि वे अपने लालच और अहं की खातिर देश को बर्बाद न करें। परन्तु दोनों राजकुमारों का मस्तिष्क तो युद्ध की गर्मी से उबल रहा था और मुखों पर नफरत की छाया मँडरा रही थी। दोनों एक-दूसरे से सन्धि करने और नम्रता का व्यवहार करने के लिए कह रहे थे। अन्त में सलाह-मशविरा कुछ काम न आया और युद्ध के अतिरिक्त कोई दूसरी राह नहीं बची।

अब गव और तलहन्छ के तरफदार तेजी से युद्ध की तैयारियाँ करने लगे! तलहन्द ने पिता के ख़जाने का मुख खोल दिया, सिपाहियों को सोना और कवच दिए और स्वयं भी हथियारों से सुसज्जित लड़ने के लिए तैयार हो गया। गव ने भी फौजी वस्त्र पहने, बाप की आत्मा का पुण्य स्मरण किया और रणक्षेत्र के लिए तैयार हो गया। हाथियों पर हौदे रखे गए। युद्ध का नगाड़ा बज उठा।

गव और तलहन्द दोनों ने दो मील के फ़ासले पर अपनी-अपनी फ़ौजें आमने-सामने खड़ी कर लीं। दोनों राजकुमार हाथी पर सवार होकर रणक्षेत्र में आए। उनके आगे-आगे पैदल सिपाही भाले और ढाल लिए हुए थे। गव को यह सोचकर बड़ा दुःख हो रहा था कि रणक्षेत्र में कितने बेगुनाह मारे जाएँगे। इस विचार को आते ही उसने फिर भाई के पास सन्देश भेजा—"अब भी समय है, युद्ध का विचार छोड़ दो बहकावे में आकर सत्य मार्ग को छोड़कर ऐसा काम न करो जिससे हमारे पूर्वजों की धरती वीरान हो जाए और शेर-गीदड़ आ बसें। अगर तू सन्धि कर ले और वहाँ से दूर जा बसे तो मैं तुझे अपार धन व दौलत दूँगा और तुझे जान से अधिक प्यार करूँगा। यदि तू युद्ध पर तुला है तो इंसानों की बरबादी और दुःख के पछतावे के सिवा कुछ हाथ नहीं लगेगा।"

तलहन्द को भाई का जब यह सन्देश मिला तो उसने कहलवाया—"युद्ध में बहानेबाज़ी से काम नहीं चलता। तू न मेरा भाई है, न मेरा मित्र और न मेरे परिवार का सदस्य। युद्ध तूने शुरू किया है, मैंने नहीं। इसका पाप तेरी गर्दन पर होगा। बदनामी और पछतावा तेरे हिस्से में आएगा। रह गई तेरे दान की बात कि तू मुझे तख़्त और ताज देगा तो सच्चाई यह है कि अगर तेरे राज्य में कोई जागीर या इनाम स्वीकार करूँ तो भगवान मेरा अन्त शीघ्र करे।"

तलहन्द ने सन्देशवाहक से कहा—"मैं योद्धाओं को लेकर रणक्षेत्र में उतार रहा हूँ ताकि गव को हाथ बाँधकर बन्दी बनाऊँ और योद्धाओं को मौत के घाट उतारूँ।"

भाई की बात सुनकर गव के मन को दुःख पहुँचा और बुद्धिमान सलाहकारों के कहने के बाद भी उसने कोई सख़्त क़दम नहीं उठाया और भाई को समझा-बुझाकर युद्ध से दूर करने की कोशिश की। उसने दोबारा सन्देश भेजा कि "भाई-भाई का लड़ना ठीक नहीं है। हमारे चारों तरफ शत्रु हैं। अगर हमने युद्ध किया तो चीन से लेकर कश्मीर तक के बादशाह सब ही हमें बुरा-भला कहेंगे। अब भी तू मेरे पास आ जा। मैं तुझे हीरे-जवाहारात, घोड़े-हाथी सब कुछ दूँगा। मुझे तुमसे युद्ध करने की इच्छा नहीं है।"

लेकिन तलहन्द ने फिर कड़ा उत्तर दिया—"मैने तेरी बकवास सुन ली है। तू कौन है, जो धन-दौलत देने का वायदा कर रहा है! ख़जाना और बल मेरे पास है। धरती और आकाश पर मेरा राज है। लेकिन तू जो यूँ बढ़-बढ़कर बातें बना रहा है तो लगता है—चींटी के पर निकल आए हैं। चूँकि तू खाई में गिरने वाला है इसलिए चिकनी-चुपड़ी बातें करके मुझे युद्ध से रोकना चाहता है। अब युद्ध की तैयारियाँ कर, विलम्ब ठीक नहीं।"

लाचार गव युद्ध के लिए तैयार हो गया। प्रातः जब सूरज निकला तो दोनों फ़ौजें आमने-सामने खड़ी हो गईं। दोनों राजकुमार अपनी-अपनी फ़ौज के बीच में थे। उनके करीब उनके बुद्धिमान सलाहकार थे। गव ने कहा—"मेरी फ़ौज का कोई वीर आक्रमण में पहल न करे बल्कि जहाँ खड़ा है, वहीं अलम (पताका) को उठाए खड़ा रहे, युद्ध में जल्दी करना बुद्धिमानों का काम नहीं है। हम यहीं ठहरकर देखेंगे कि तलहन्द अपनी फ़ौज को लेकर कैसे आगे बढ़ता है। हमने उसे समझाने-बुझाने में कोई कोर-कसर नहीं छोड़ी। मगर अफ़सोस, उसने हमारी बात न सुनी। यदि इस युद्ध में भगवान् की कृपा से हमने विजय प्राप्त की तो खबरदार कोई योद्धा केवल धन के लालच में किसी योद्धा को न मारे। अगर हमारे वीरों में से कोई फ़ौज के बीच में पहुँच जाए और तलहन्द पर क़ाबू पा ले तो हरगिज़ उसे हानि न पहुँचाए।"

सारी फौज ने गव को अपनी आज्ञाकारिता का विश्वास दिलाया। इधर तलहन्द अपनी फ़ौज से कह रहा था—"यदि भाग्य से हमें इस युद्ध में विजय मिलती है तो तुम लोग एक-एक योद्धा को मौत के घाट उतार देना। गव यदि मान जाए तो न तो उसे मारना, न बुरा-भला कहना, बल्कि उसे घसीटते हुए मेरे पास ले आना।" युद्ध आरम्भ हो गया। आखिर दोनों राजकुमार अपने-अपने वीरों के बीच से बाहर निकले और संध्या तक खून-खराबा करते रहे। संध्या को गव ने तलहन्द के सिपाहियों से कहा—"तुम लोगों में से जो भी मेरी तरफ आ जाएगा, उसको मैं जीवन-दान दे दूँगा।"

यह एलान सुनकर तलहन्द के बहुत सारे सिपाही गव की ओर आ गए। बहुत मारे गए, बहुत सारे इधर-उधर भाग गए। तलहन्द अकेला रह गया था। गड़रिया रह गया था, जानवर भाग गए थे।

तलहन्द को तन्हा देखकर गव ने फिर कहा—"भाई, अब भी तू अपने महल वापस हो जा और अपनी जागीर की देख-भाल कर, जहाँ तक मेरा सम्बन्ध है, मैं तुझे कोई दुःख नहीं दूँगा।"

तलहन्द भाई की इस बात को सुनकर मन-ही-मन उफन गया। अन्त में वह रणक्षेत्र से भाग खड़ा हुआ। एक सुरक्षित स्थान पर पहुँकर, उसने फिर अपने सिपाहियों को जमा किया, उन्हें इनाम दिए। उनकी तरफ से जब उसे सन्तोष हो गया तो उसने गव को फिर पैग़ाम भिजवाया कि यदि हिम्मत है तो शेर की तरह दोबारा रणक्षेत्र में आओ। इस चुनौती को केवल गीदड़-भभकी मत समझना।

गव को दोबारा तलहन्द का यह कड़ा सन्देश मिला तो उसे बहुत कष्ट पहुँचा। फिर भी, उसने नम्रता का परिचय दिया। प्रेमपूर्वक वार्तालाप किया और भाई को सन्धि के लिए आमन्त्रित किया। परन्तु साथ-ही-साथ कहलवाया भी कि "यदि तू अब भी युद्ध के लिए हठ करता है तो मैं तैयार हूँ लेकिन इस बार हम लोग दूर समुद्र के किनारे युद्ध करेंगे और फ़ौज के चारों तरफ खन्दक खोदेंगे ताकि फ़ौज घिराव में रहे और पराजय के बाद भाग न सके।"

तलहन्द ने अपनी फ़ौज के जनरलों को बुलाया। उसके सामने गव का नक्शा रखते हुए बोला—"जब लड़ना ही है तो क्या जंगल और क्या बियावान, क्या दरिया और क्या सहरा, क्या पहाड़ और क्या मैदान। अगर हमारी जीत हुई तो मैं तुम सबको धन से मालामाल कर दूँगा।"

तलहन्द और गव की फ़ौजें समुन्दर की तरफ चली। दोनों भाई आमने-सामने पंक्ति बाँधकर खड़े हो गए। खन्दक खोदकर उसमें पानी भर दिया गया। राजकुमारों ने अपनी-अपनी फौज की कमान सँभाली। वह घमासान लड़ाई हुई

कि धूल से वातावरण धुँधला गया। समुन्दर में भूकम्प सा आ गया। रणक्षेत्र का अजीब दृश्य था। कहीं किसी का पेट फटा पड़ा था तो कहीं किसी का सर कटा पड़ा था। धरती खून से लथपथ थी, घोड़ों की टापें इस खूनी कीचड़ से सनी हुई थीं।

तलहन्द ने अपने हाथी पर बैठे हुए दूर-दूर तक दृष्टि डाली तो सारा मैदान खून में डूबा दिखा। अब उसके पास न तो भागने की कोई राह थी और न बचने की कोई तरकीब। उसने समझ लिया कि वास्तव में वह फँस गया है और उसका समय निकट आ गया हे। यह सोचकर उसका दिल डूब गया और इसी दुःख में वह अपने हौदे के तख्त पर लेट गया, लेटते ही उसके प्राण-पखेरू उड़ गए।

गव ने देखा कि तलहन्द का झण्डा नजर नहीं आ रहा है। उसने एक सवार को भेजा कि आगे बढ़कर पता लगाए कि तलहन्द कहाँ है। सवार ने वापस आकर बताया कि राजकुमार का कहीं पता नहीं है। यह सुनकर गव घोड़े से उतर पड़ा और रोता हुआ शत्रु की फ़ौज की तरफ पैदल चल पड़ा। वहाँ जाकर उसे मालूम हुआ, तलहन्द मर चुका है और उसके सिपाही शोक में डूबे हुए हैं। गव ने सुना तो एक हृदय-विदारक चीख मारी और कहने लगा कि–

हमी गुफ़्त ज़ार एइ नबर्देह जवान
बे रफ़्ती पुरअज़ दर्द रवान खस्ते खान
तोरा गर्दिशे अख़्तर बद बे कुश्त
व गरना निज़दे बर तो बादी-ए-दुरश्त
बे पेचीद अज़ आमूज़गाराने सरत
तो रफ़्ती व मिसकीन दिल-ए मादरत
बख़ूबी बसी रान्देहआग बा तो पन्द
नयामद तोरा पन्दे मन सूद मन्द

(ए बहादुर, तू इस संसार से इस तरह गया कि तेरे दिल पर घावों का बोझ और आत्मा पीड़ा से बोझिल थी। तेरे ग्रह ख़राब थे जो तुझे मौत आ गई, वरना जीते-जी तुझे हवा का तेज झोंका भी न लगा था। अफ़सोस! तूने समझाने-बुझाने वालों की बात पर ध्यान न दिया। आज तेरी माँ का दिल कितना दुखी होगा। आह, मैंने तुझे कितने उपदेश दिए परन्तु तूने मेरा एक भी शब्द न माना।)

इतने में गव का परामर्शदाता आ गया और राजकुमार को तसल्ली देने लगा। गव ने आज्ञा दी कि तलहन्द के लिए हाथी-दाँत और हीरे-जवाहरात का एक ताबूत तैयार किया जाए। इस पर चीनी रेशम की चादर डाली जाए और उसका दरवाज़ा इत्र व काफूर से बन्द किया जाए। इससे निबटकर उसने तलहन्द के

सारे सिपाहियों को क्षमा कर दिया।

❖❖

इधर रानी ने जब सुना कि दोनों राजकुमार फिर युद्ध कर रहे हैं तो उसने अन्न-जल छोड़ दिया। उसने एक सन्देशवाहक को नियुक्त किया ताकि वह रणक्षेत्र के समाचार लगातार लाता रहे। जब वातावरण की धूल कुछ कम हुई तो सन्देशवाहक ने देखा कि गव की पताका तो दिख रही है परन्तु तलहन्द का कहीं पता नहीं है। उसने रानी के समीप एक सवार को दौड़ाया कि तलहन्द शायद रणक्षेत्र में काम आ गया है।

जब रानी को यह समाचार मिला तो वह खून के आँसू रोई। उसने अपने कपड़े फाड़ डाले और बाल नोच डाले। सारे महल में कोहराम मच गया। रानी ने आज्ञा दी कि एक चिता तैयार की जाए ताकि वह हिन्दू रिवाज के अनुसार सती हो सके।

गव को जब ज्ञात हुआ कि उसकी माँ सती होने जा रही है तो वह हवा से बातें करता माँ के पास पहुँचा ओर रो-रोकर कहा—"माँ! पहले मेरी बात तो सुन लो। तलहन्द को न मैंने मारा है और न मेरे किसी सिपाही ने, बल्कि उसको उसकी बदक़िस्मती ने मारा है।"

माँ को गव की बातों पर तनिक भी विश्वास न हुआ। उसने कहा—"तू दुष्ट है और अपने भाई का हत्यारा है।" गव ने सफाई देते हुए कहा—"माँ! ज़रा धीरज से काम लो, तुझे ले चलकर रणक्षेत्र दिखाऊँगा और साबित करूँगा कि तलहन्द की मृत्यु में मेरा कोई दोष नहीं है। बस उसके दिन पूरे हो गए थे लकिन यदि तुझे विश्वास नहीं है तो मैं इस आग में जलकर स्वयं को भस्म कर दूँगा ताकि मेरे शत्रुओं का कलेजा ठण्डा हो जाए।"

रानी ने बेटे की बात सुनी तो सोचने लगी—"एक बेटा तो गया। अब दूसरा भी चला जाएगा तो मैं कहीं की नहीं रहूँगी और वह भी ऐसा बहादुर जवान है।" ठहरकर गव से बोली—"तलहन्द हाथी पर कैसे मरा, चलकर दिखा ताकि मुझे विश्वास हो जाए और मेरे मन को शान्ति मिले।" गव अपने महल में गया। उसने अपने दूरदर्शी सलाहकार को बुलाया और उसको अपनी बातें बताईं। आखिर देश-भर के बुद्धिमान, क्या जवान, क्या बूढ़े, जमा हुए ताकि वे रणक्षेत्र का नक्शा बना सकें। गव ने युद्ध का सारा विवरण दिया। उन लोगों ने सारी रात विचार किया। इसके बाद आबनूस की लकड़ी का एक तख़्ता बनाया ज़िसमें सौ खाने थे और उन खानों के आमने-सामने दो बादशाहों की फौज़ें हरकत करती हुई दिखाई गई थीं। दोनों फौजों में से एक के योद्धा सागौन की लकड़ी

के बने थे। दूसरे हाथी-दाँत के बने थे। बादशाह, वज़ीर, घोड़ा हाथी और प्यादा आमने-सामने रखे गए। हर बादशाह अपनी फौज के बीच में था। उसके पहले में उनका मंत्री था और उनके दायें-बायें एक-एक ऊँट, एक-एक घोड़ा था। यानी उसमें सिर्फ दो मर्द थे।

प्यादा बे रफ़्ती ज़े पीशो ज़े पस
कि उ बुअद दर जंग फरियाद रस
चू बेगुज़ाश्ती ता सर आवुरदेह गाह
निश्ती चू फरज़ाने बर दस्ते शाह
हुमान मर्द फ़रजाने यक ख़ाने पीश
नरफती बे जंग अज़ बर शाहे ख़ीश

(प्यादा आगे भी चलता और पीछे भी क्योंकि युद्ध में उसकी स्थिति सन्देशवाहक की-सी थी। लेकिन जब वह हाथी के दूसरे कोने तक पहुँच जाता तो मंत्री की तरह बादशाह के करीब स्थान पा जाता है। फिर यही मंत्री बादशाह के पास से युद्ध के कारण एक खाने से ज़्यादा नहीं जाता।) इस तरह ऊँचे सर वाला हाथी तीन खाने चलता था और जैसे दो मील की दूरी से सारे रणक्षेत्र पर नज़र दौड़ाता था। इसी तरह से ऊँट भी तीन खाने चलता था और घोड़ा भी तीन खाने चलता। मगर एक में वह बेगाना-सा रहता। हाथी शत्रुता से सारे रणक्षेत्र में धावा बोलता हुआ चारों तरफ चलता था। हर मोहरा अपने-अपने मैदान में चलता था और उसमें कोई कमी या ज़्यादती न करता था। जब कोई बादशाह के मुक़ाबले में आता तो चिल्लाकर कहता कि ऐ बादशाह! मैंने बाज़ी जीत ली है। तब बादशाह अपने खाने से आगे बढ़ जाता ओर उसी तरह ऐसी जगह भी पहुँच जाता जहाँ से आगे बढ़ने का कोई रास्ता न रहता। इसके बाद हाथी, घोड़ा, मंत्री और प्यादे मिलकर बादशाह की राह रोक लेते हैं। अन्त में थक-हार कर बादशह की मौत हो जाती है और वह संसार के चक्करों से स्वतन्त्र हो जाता है। शतरंज के इस खेल का अर्थ था कि रणक्षेत्र में तलहन्द की स्थिति और उसकी मृत्यु को समझाया जा सके। रानी ने ध्यान से खेल देखा मानो उसने अपनी आँखों के सामने तलहन्द की मौत को देख लिया हो। इसके पश्चात् वह रात-दिन शतरंज की चौपड़ पर मोहरों को देखती रहती। उसकी आँखें मूसलाधार बरसतीं। तलहन्द की मौत ने उसको गहरा दुःख पहुँचाया था, जिस पर शतरंज का खेल मलहम का काम करता था।

□□